纪念中韩建交25周年『中韩缘史』

观往知来，缘自中韩

责任编辑
韩中文化友好协会
曲欢

富民文化社

创刊词

2017年，中韩迎来建交25周年。这一年两国元首相继在德国柏林、越南岘港和中国北京举行了三次会晤。中韩两国数千年来同享一片蓝天，筑友好、重人和、建互信，与邻为伴、紧密往来。无论是一年间的三次会晤，抑或建交25年间双方在政治、经济、社会、文化等各领域交流合作取得的丰硕成果，对于中韩友邻而言，都不足为奇。

幸福的是，社团法人韩中文化友好协会也在2017年迎来了成立15周年。将中韩两国毗邻而居的深厚“缘份”持续传承，是韩中文化友好协会创立之时的“初心”。十五年间，协会带着推动“中韩缘”缘聚缘深的热切追求，持续举办了灵活多样的文化交流和公益项目，不断实践着“以文化交流促进中韩友好”的宗旨。

我是中国妈妈的女儿，也是韩国女儿的妈妈。缘份的牵引让中韩两国的两家人成为相亲相爱的一家，也让中韩“求同存异”的数千年缘份在我身上延续。也因此，我更加觉得有责任把两国的美好缘份一直传承下去。

中韩地缘相近、人缘相亲、文缘相通。为了两国关系在新时代下实现新的发展，更加需要从历史中探寻未来的“温故知新”精神。为纪念协会成立15周年，同时也为了进一步助力中韩友好，我们有必要重温那些为推动中韩交流作出贡献的历史人物与佳话故事。本书就是为了实现这个美好愿望而迈出的第一步。

《中韩缘史》一书的筹划始于两年前。韩中文化友好协会首先组织研究中韩交流的专家学者成立编纂委员会，由编委会梳理出韩国新罗时代至大韩帝国，以及中国唐朝至清朝时期在两国文化交流历史中做出贡献的50位历史人物。在确认过这些人物的相关史料后，从中遴选出从金乔觉到张謇共计21位人物，并邀请多年潜心研究相关历史的金晟焕、朴容镇、朴现圭、吕胜九、俞炳礼、张日圭、崔溶澈、崔峻豪、崔熙俊等九位韩国学者与刘喜涛、徐毅、徐乃为、姚大勇、赵海龙、郑贤月等六位中国学者共同执笔，讲述中韩友好佳话故事。

《中韩缘史》中详细地记录了这些历史人物走过的友好足迹，更如实地还原了史料记录。当然，个别文章中难免存在过度强调本国历史文化的部分，这主要出现在“使臣”等参与外交往来的历史人物所撰写的外交文书之中，这也体现出了这些历史人物从政治、外交上对本国历史文化的尊崇与热爱。尽管如此，文化交流还是要在相互理解的基础之上展开，这一点需要我们始终牢记。数千年来万里海路、千里陆路日夜兼程，时而与自然为友歌唱两国友谊，时而齐心协力共渡难关的中韩历史人物不胜枚举，在有限的篇幅中难以全部呈现。

如何克服中韩两国历史人物强调的“本国优先”认识，如何把为两国文化交流作出贡献的众多历史人物更多地加以介绍，这些都是需要通过两国不断深化的友好往来和人文交流去解决的问题，也是需要韩中文化友好协会今后更加坚持不懈地去为两国人文交流贡献力量的课题。此外，挖掘为中韩友好关系发展作出贡献的其他历史人物故事并通过通俗易懂的方式介绍給更多的中韩民众，更是韩中文化友好协会未来必须深耕不辍的使命与担当。本书难免纰漏，但我们仍希望能以此书的出版为契机，推动今后持续挖掘在两国文化交流史上留下珍贵足迹的人物故事，并连续推出“从人物看‘中韩缘史’”系列图书。

2017年的年终岁尾是我们迎接中韩建交25周年和韩中文化友好协会成立15周年之际，也是中韩关系的“胶漆之交”更加令人期待之时。十五年间，给予协会支持与厚爱的两国各界人士数不胜数，我们的由衷谢意将在本书的最后寄出。

盼望着，盼望着，东风来了，春天的脚步近了。我们用等待春天的悸动心情为广大读者奉上这本《中韩缘史》。谨此希望通过此书，中韩两国“缘份的脚步”能够更加坚定有力地迈向明亮的未来。

社团法人 韩中文化友好协会会长 曲欢 敬上

2017年12月

目录

携儒家和佛教经书与新罗僧交流的

貫 休

俞炳礼(诚信女子大学)

身披袈裟为人刚直的文人

和尚在我们心中通常是居深山幽谷之禅房中面壁修行,亦或在破晓前的黑暗中敲打木鱼诵经念佛的苦行僧的形象。也就是不问世间百姓疾苦，只顾埋头修行的那种僧人。

贯休生于10世纪前后唐末五代十国时期，当时正是儒教、佛教、道教大融合时期，尤以融会贯通儒教与佛教思想为著称。他是著名的画僧、诗僧、书僧，能与之交谈之人，可谓大福之人。我们之所以能隐约了解当时他曾与新罗人有过交际，是因为《全唐诗》所收录的他的一些诗作。在了解他到底与哪些新罗人交往之前，先了解一下他的生平。

贯休(832-912)，字德隐或德远，俗姓姜，浙江人。据史料记载，贯休7岁时母亲送他到兰溪和安寺圆贞禅师门下出家为童侍。每日圆贞禅师教他日诵《法华经》1000字，贯休聪慧过人有过目不忘之本领。此外，他还能诗，从小就会写诗。

贯休立志将儒家仁爱与佛家慈悲付诸现实，来拯救受苦受难的百姓。因此，贯休从青年时代开始便以僧侣的身份积极投身俗世的政治活动，但年过六旬也未能大展宏图。

贯休六十二岁时，欲游说吴越王国钱镠。当时，要想拜见当权者，必须为其献诗，并得到赏识。贯休赋诗一首，称赞钱镠雄图霸业，也袒露自己想干一番大事业的志向。其中一句“一剑霜寒十四州”，钱镠要他将“十四州”改为“四十州”， 认为“十四州”显得自己统治的地盘太小，改后才许相见。贯休听到此言极其反感，便愤然宣言：州难添，诗亦难改。孤云野鹤，何天不可飞？说罢便拂袖而去。钱镠非常看重贯休的才情，临别送他丰厚的礼物。后来，他为功臣立碑时，还命人将贯休的诗刻在石碑背面。

用儒家爱民实践佛家慈悲思想

贯休所处的晚唐五代十国时期，处处暴露世纪末的种种社会现象。社会混乱，民生凋敝，军阀混战，百姓处于水深火热之中。贯休并没有超脱或回避残酷的现实，而决心借助势力强大的军阀，改善百姓的生活。一次，他去见荊南节度使高季兴，因为听说他重用文人。高将贯休安置在龙兴寺。在那里，贯休亲眼看到在高季兴治下，百姓民不聊生，生活凄苦。感于时政,他作了一首诗，名《酷吏词》。

霰雨灂灂，风吼如劚。
有叟有叟，暮投我宿。
吁叹自语，云太守酷。
如何如何，掠脂斡肉。
吴姬唱一曲，等闲破红束。
韩娥唱一曲，锦段鲜照屋。
宁知一曲两曲歌，曾使千人万人哭。
不惟哭，亦白其头，饥其族。
所以祥风不来，和气不复。
蝗乎蠈乎，东西南北。

诗歌揭露了统治阶级腐朽奢靡的生活是用百姓的悲鸣换取的，是以百姓的饥饿与苦难为代价的。吃光庄稼满天飞舞的蝗虫借代掠夺民脂民膏的腐败官员。诗人并非脱离世俗，纵容‘色即是空，空即是色’，而是以励精图治、满怀忧患意识的儒家文人姿态走近读者。贯休对荆南吏治状况做了揭露和针砭，旨在引起高季兴的重视，着力整顿吏治。但出乎意料，此诗惹怒了高季兴。贯休反而被疏远。贯休再

贯休的《罗汉图》

次碰壁，壮志难酬。

为抒发抑郁的境遇，他作了一首诗，名《砚瓦》，将自己比喻成砚，诗中有句“匣身始安”，意为进入匣子里才能安定下来，说的是砚台浑身是孔，被墨无数次的摩挲，只有进入匣子里才能安定下来。友人认为，成都乃贯休安身立命之地。汉语中匣子的‘匣’和指蜀地的‘峡’发音一样。几经碰壁贯休明白乱世中实现抱负之不易，将自己比喻成病入膏肓的飞鹤，用一句‘汝病从何得？’，揭示病的根源在于当时的社会与所处的时代。

遇蜀主王建，结束漂泊云游的生涯

贯休终于等到了立身扬名的机会。那就是遇见蜀主王建。到了成都，贯休给蜀主王建献了一首诗，题为《陈情颂》。诗中赞美了蜀中人杰地灵，颂扬了王建开创的兴旺霸业，期望王建能恢复唐王朝的封建统治。此外还献诗一首，中有“一瓶一钵垂垂老，万水千山得得来”之句。王建阅罢贯休之诗，大悦，呼之为“得得和尚”，留住东禅院，赏赐优渥。后建龙华道场居之。贯休从此结束了漂泊云游的生涯，诚如友人预见，在前蜀国受到君主的崇高礼遇，累加龙栖侍诏、明因辨果功德大师、翔麟殿引驾内供奉、经律论道门选使教授、三教元逸大师、守两川僧箓大师、食邑三千户，赐紫大沙门。81岁圆寂，翌年，为浮屠于成都北门外葬焉。

贯休虽在蜀国受到统治者的宠遇，且与朝中官员有往来酬答，但其嫉恶如仇、刚直不阿、同情贫民的品格并未改变。有一次，王建带着随从官员游龙华禅院，召僧贯休与坐，赐茶药彩缎，仍令贯休口诵近来所作新诗。时贵戚满坐，贯休欲讽刺之，于是吟了一首《公子行》：

锦衣鲜华手擎鹘，闲行气貌多轻忽。
稼穑艰难总不知，五帝三皇是何物。

讽刺那些朝中官员无所事事，惟知畋猎游幸，却完全不知民众劳作的艰苦，生活的困顿。“五帝三皇是何物”暗指那些官员也不懂得如何去治国安邦。结果，引来众多官员的埋怨。

与新罗僧侣共叙友情

众所周知，三国中最早引入佛教的国家是高句丽。公元372年小兽林王在位时，前秦的顺道和尚携佛像和佛经来到高句丽传佛教；百济枕流王统治时，来自东晋的印度和尚摩罗难陀来到百济诵经传佛；而新罗是通过百济引入佛教，并于527年法兴王在位时，借李次敦殉教正式承认佛教的地位。此时的佛教是体现利他主义世界观的大乘佛教。直到新罗末期，禅宗开始盛行，这与地方豪门望族势力崛起的社会现象有着密切的关系。

不立文字、教外别传、直指人心、见性成佛等皆包含禅宗的特点。禅宗追求的是不靠诵读佛经，唤醒内心佛性。无需斩断一切因缘，入山修行，皈依佛陀，它重视启发每个人内在的佛性。具有个人主义倾向的禅宗，同欲摆脱中央集权干涩，雄踞地方，壮大门派势力的地方豪门望族的意识形态非常契合。因此，新罗末期禅宗的盛行离不开地方豪门望族势力崛起的社会现象。新罗僧侣中留学大唐并为佛教发展做出巨大贡献的人很多，比如圆光、慈藏、圆测、义湘、慧超、地藏、无相等。其中，地藏出现在浙江省杭州灵隐寺“善财童子五十三参”大型彩塑群像中。地藏在大唐很有影响力。开元年间，他曾在长安拜谒唐玄宗，安史之乱时，在避难所再次见到玄宗，当时皇帝命他建造寺院。但是向新罗传播禅宗的却是神行和道义和尚。神行(704-779)和道义(留学大唐：784-821)分别向新罗传播了北禅宗和南禅宗。

上述新罗僧侣与贯休并非同一时代的人，贯休是更晚出生的人，因此未能与之交流。那么哪些僧侣曾与他有过交往呢？ 由于史料不足，很遗憾无法得知他们的名字。贯休写给新罗人的诗共四首，其中两首是写给僧侣的。

《送新罗僧归本国》

忘身求至教，求得却东归。
离岸乘空去，终年无所依。
月冲阴火出，帆拶大鹏飞。
想得还乡后，多应著紫衣。

第一句概括了新罗僧人不远万里来到异国他乡，不畏艰难，专研佛法的情形。第二句用现在的视角写学成回国后新罗僧人所取得的成就，虽然语气平淡，却隐含极高的赞赏。第三句到第六句抒发诗人担心渡海回国的新罗僧人的安危。第三句中用“空”隐喻僧人横渡的大海，形象地刻画了浩瀚茫茫之大海的属性。第四句用“终年”衬托从长安到新罗海路艰辛而遥远。第五句和第六句希望在茫茫的航行中夜晚有狡黠的月光照亮周围，风帆扬起大鹏领航快速前行。最后两句是祝愿得道回国的新罗僧人得到国王的重用，用佛法普渡众生。这一句确实像出于欲通过参与政治拯救众生于水火的贯休之口。

《送新罗衲僧》

扶桑枝西真气奇，古人呼为师子儿。

六环金锡轻摆撼，万仞雪峤空参差。

枕上已无乡国梦，囊中犹挈石头碑。

多惭不便随高步，正是风清无事时。

这首诗也是送别新罗僧人的诗。诗中新罗僧人的姓名也因史料不详不得而知。头两句赞美新罗是一个神秘的佛教国家。狮子是后来的标注，最初是师子。狮子因无畏，法力无穷，借指佛祖。诗中的新罗僧人为与贯休告别，来到他所住的蜀地禅院。从第四句“万仞雪峤空参差”中能够推测出来。另外，也赞美山路虽然险峻，新罗得道高僧动作利落地翻山越岭来到自己修行的禅院。第三句“六环金锡轻摆撼”也含蓄地表达了新罗僧人功力高深。第五句“枕上已无乡国梦”描写新罗僧人在异国他乡多年专心求佛学法，没有对取得的成绩沾沾自喜，也没有思乡分心。诗人对其学成回国大加赞颂。第六句“囊中犹挈石头(南岳石头禅师：700-790)碑”，称赞僧人也已经像石头禅师一样成为超过恩师的伟大禅师。最后一句写的是虽然不能同行，祝愿他在风和日丽的日子平安回国。而“正是风清无事时”真正的含义却是新罗僧人所修得的高尚德行。贯休所作送别新罗僧人的诗文都是以同情和友情为基础，多赞美僧人异国留学的成绩，祝愿他们美好的前程。诗句不免有些夸张，却饱含真情实感。而这种情绪会深深映入新罗僧人的心中，为回国后大展宏图，拥有广阔胸襟起到积极作用。

贯休立志参与现实政治拯救百姓于贵族官僚的剥削与残酷的战乱之中。蜀主王建封其禅月大师，并赐紫大沙门。他的诗集也因此叫做《禅月集》。紫色表示身份高贵，赐紫大沙门意味着得到国王的认可与崇高的礼遇。

贯休送别的新罗僧侣是否也像他一样积极参与政事，努力破除不合理的社会制度呢？是否如他所愿，得到新罗国王恩赐的紫大沙门？

千年之后的今天，当我们回顾韩中两国的往昔与今朝，不时怀念当年他们的高谈阔论与深深的友情，这又是为何呢？

记录高丽的《宣和奉使高丽图经》徐兢

姚大勇(上海交通大学)

引言

宋徽宗宣和五年(1123)，北宋朝廷派人出使海东高丽，这次出使人员众多，规模浩大，为当世所罕见，也是历史上中韩两国政治文化交流高峰的体现。宋人的这次出使，不仅圆满完成了朝廷派遣的任务，增进了宋丽两国的友谊，而且随着这次出使，也出现了一部系统介绍高丽的历史沿革，山川河流，风俗制度，以及宋人出使经历、沿途见闻的著作《宣和奉使高丽图经》。这是在中韩两国交流史上，现在完整保存下来的最早的中国对韩国的系统记述，其作者就是这次出使团队中担任国信使提辖人船礼物官的徐兢。

徐兢其人

徐兢(1091-1153)，字明叔，号自信居士。相传为宋初名臣徐铉之后，他也自题“保大骑省世家”。出身于官宦世家，自其曾祖起，皆在朝廷任职，曾祖徐爽，官至祕书省校书郎，祖父徐师回，曾任朝议大夫，父闳中，又累官至朝请大夫，直祕阁。徐氏祖籍建州瓯宁(今属福建)，自其祖父起徙居和州历阳(今属安徽)。徐兢生于其父的鄂州法曹任上，当时天降大雨，洪水暴涨，故闳中带家人避居黄鹤楼，徐兢就生于黄鹤楼中。

徐兢从小就表现出不凡的才能，据说他出生才数月，看到字画就欢喜雀跃，到了十几岁，更是颖异不凡，所作的科举文章，才气纵横，文采斐然，为人所称道。十八岁时，正式入太学读书，在太学中较艺，也多占优等。但是时运多蹇，每遇大比(乡试)辄不顺，直至北宋徽宗政和四年(1114)，才援例借父荫而出仕，补将仕郎，授通州司刑曹事尚书郎，后又在地方任职。

正是在地方任上，徐兢表现出了卓越的理政才能。

徐禋奉旨措置东南九路坑冶宝货时，征募徐兢为干办公事。当时静江(今属广西)土豪黄麟，自称引大理国使来朝贡。朝廷对此生疑，下诏让徐禋核实真伪。黄麟交结朝中权贵，权倾五岭，地方官对他也畏惮三分，很多人不敢接手此事。徐禋将此棘手之事交付给徐兢，徐兢却说："是固易办耳！"他将所谓的大理国使的部下唤到近前，以大理国的立国年月、山川风俗等问题询问之，众人皆闭口不能对。经徐兢以此法测试，大理国入贡的诈伪情况很快就调查清楚。

不久徐兢又被调到雍丘(今河南杞县)任职摄事。当地有兄弟两人交讼，久系不决。徐兢到了之后，命人专设一席位，让兄弟二人每天坐卧都在一起，吃饭也共用一器，过了不多几日，兄弟二人就彻底感悟，相持而泣曰："长官费心费力教导我们，我们也不能执迷不悟，愿意改过自新，以前的所谓是非曲直，都是微不足道的，有什么好计较的？"这兄弟二人后来以孝悌友爱著称，地方上的民众因为受到徐兢的教化感染，诉讼纷争之事也渐渐减少。

徐兢不仅爱护百姓，也不畏豪猾，严惩不法。京城西部有个豪强，攀附权贵，收养逃犯，在邑中横行不法，祸害百姓。徐兢将这些逃犯捕捉之后，这个豪强又竟然唆使纵容手下人闯监劫狱。危急之际，徐兢临危不惧，说："不论地位高低，都要遵守天子法令。执行法律，一定要一视同仁，否则就是欺君罔上。欺骗君上，谄媚小人，这种事我决不能做！"他当机立断，命人将县衙重新关闭，将砸监反狱之人重新捉住，根据所犯罪责，一一绳之以法。百姓闻之，无不拍手称快。

不久徐兢又被朝廷派遣移摄郑州原武(今属河南)县事，他接命之后，不事声张，轻车简从，独自一人赴任。当时一位为朝廷提举炭事的官员，依仗其弟的权势，借朝廷的名义，对百姓严加盘剥，动辄逮捕，路上械系满道。并且檄文徐兢，要徐兢惩办治下的百姓。徐兢不忍百姓受此苦楚，于是愤而上疏朝廷，列数提举炭事者的种种不法行为，且言愿以自身来赎无辜百姓之罪。因徐兢挺身而出，仗义执言，暴政才得以革除，百姓也得以安处。徐兢因治理地方有方，声誉鹊起，当时的燕国郑公听闻徐兢的事迹后，深有感慨地对人说："假如地方官都如徐兢那样，天下又何愁不能大治呢？"

宣和五年(1123)，徐兢又以国信所提辖人船礼物官，随国信使路允迪、副使傅墨卿一同出使高丽，回来后撰成《宣和奉使高丽图径》四十卷进上。徽宗皇帝览书大悦，特赐徐兢同进士出身，擢知大宗正丞事。

南渡以后，徐兢曾任沿江制置司参谋官，不久即奉祠(退休)。因金人南侵，他举家迁到信州的弋阳(今属江西)，筑室弋水之上，治园圃数十亩，中有池名"洗砚池"，以环境清幽，闻名江南。徐兢绍兴二十三年(1153)五月卒，享年六十有三，后也葬于弋阳玉亭乡龟峯之吉原。

徐兢的孝悌之心，出自天性。晚年退居林下二十年，安然闲居，似无足动其心者，只是因关山阻隔，对故家坟墓眷恋不已。在德兴县(今属江西)青云佛寺有他祖父的祠堂，他岁时到祠堂拜祭，毫不懈怠。绍兴二十一年(1151)，终于得以回到历阳，祭扫祖墓。其兄敷文阁直学士徐林，因为触怒了时相秦桧，被南贬到莆阳(今属福建)。他不远千里前去看望，待了很久也不忍离去，别人劝他，他说："手足兄弟受伤，哪里顾得上妻子孩子呢？"

徐兢也乐善好施，视钱财如粪土，急人之急，甚于自身。河南少尹许滂，曾与徐兢一起乘船渡彭泽湖，途中许滂所乘船翻覆，徐兢不仅救了许滂全家二百多口，而且厚致馈遗。许滂后来遣人送物致谢，徐兢婉言谢绝，一无所取。徐兢还曾主动帮故人宋浦还官债，脱其于缧绁。无论何人及门，他必待之必以礼，别人有所求，无论细大，皆有回应，常赒济贫乏，帮人摆脱忧患，也常扬人之善，喜若己有，因此所至之处，人翕然亲爱之。

徐兢学识渊博，读书涉猎古今，上至经史释老，下至山经地志，方言小说，靡不探赜索隐，融会贯通，常抵掌论事，妙倾一坐。他才思敏捷，下笔千言，一挥而就，衮衮不能自休。尤长於歌诗，曾过和州的西楚霸王项羽庙，题诗曰："图秦争汉两无成，霸势先随玉斗倾。惟有乌江夜深恨，至今犹作楚歌声。"当时的诗坛名家中书舍人韩驹见了之后赞叹说："后人殆不可措笔矣。"他也擅长绘画，所绘山水人物俱佳。另外也洞晓音律，且善啸咏，闲暇时命倚笛和之，其声音嘹然犹出笛声上，声振林樾，犹如鸾凤翔集，令人叹为观止。常与客对饮，酒至半酣，谈笑风生，或驰骋翰墨，或吹箫拊瑟，超然为神仙中人。

徐兢工于书法，各体皆擅，尤精篆书。其真、行遒丽超逸，具褚遂良、薛稷、颜真卿、柳公权各家之妙。晚年又喜作草书，纵横驰骋，尤逼怀素。其书法为徽宗所爱赏，宣和四年(1122)，朝廷特设书学，拜唐稽、米元晖、徐兢为博士，时称"宣和三博士"。徐兢尝被徽宗召至禁中，书"进德脩业"四字，广袤丈许，当书至"业"字时，他特改变行笔顺序，留中间一画最后落笔，所书浑厚劲健，如圆石坠于千仞，徽宗当场为之骇异称善，左右也皆失声叫好。徐兢尤邃心于篆书，一以秦李斯为宗。徽宗大观年间(1107-1110)，河间刘跂登泰山，遍寻秦李斯小篆刻石，并将其拓摩传世。徐兢获此拓本，宝蓄而谛玩之，尽得李斯之笔意。另又考察三代鏄锺鼎彝上之文字，悉心考察大小篆之古法，所作篆书笔力奇古，其沈实著力之处，不似纸上所书，宛若金石上刻成。当时人以徐兢为书家大宗，片纸楮墨，珍重备至。

撰著经过

宋朝与高丽的关系，可谓一波三折。高丽自太祖王建于公元918年正式建国后，即派遣使者赴中国，并接受唐王朝的册封，后高丽与中国的中原王朝一直保持良好的关系。宋朝自太祖赵匡胤于公于960年正式建立后，建隆三年(962)十月，高丽国王王昭即遣使来朝贡，次年春北宋朝廷下制，赐高丽国国王昭为推诚顺化保义功臣。王昭卒后，其子伷权领国事，遣使来朝，宋又于开宝九年(976)封王伷为高丽国王，其后宋与高丽一直有来往，宋廷并赐高丽一套当时刚刊刻成的《大藏经》(开宝藏)，后高丽也仿此而刻成《高丽大藏经》。但是由于高丽受到中国北方的契丹的逼迫，再加上宋廷对高丽也有所误解和疑忌，两国在宋仁宗天圣八年(1030)高丽遣使宋朝，宋朝于次年遣人将高丽使者送归之后，有四十多年无正式交往。此后直至宋神宗熙宁三年(1070)，宋丽两国才又正式恢复往来，当年高丽国王王徽遣使至宋。神宗元丰元年(1078)，宋朝又正式遣人首次赴高丽，既至，高丽国人欢呼出迎，达到了宋丽交往的一个高峰。徽宗时期，宋与高丽继续保持友好交往，两国关系继续发展。靖康之变以后，宋廷对高丽的疑忌重又加深，南宋初期，两国关系已不复以前之盛，至南宋孝宗隆兴二年(1164)之后，两国官方交往又再次断绝，此后直至宋亡，宋丽两国再无正式交往，诚为历史憾事。

徐兢这次随人出访，正是徽宗宣和时期，也是宋丽两国关系的黄金时期。宋廷对此次出使非常重视，据《宣和奉使高丽图经》自述，“宣和四年壬寅春三月，诏遣给事中路允迪，中书舍人傅墨卿，充国信使副往高丽。秋九月，以国王俣薨，被旨兼祭奠吊慰而行，遵元丰故事也。”次年春二月十八日，促装治舟，三月十四日解舟出汴，五月三日舟次四明，十六日正式自明州往高丽进发。(《宣和奉使高丽图经》卷三四“海道 · 虎头山”）六月十二日，至高丽礼成港。在高丽前后近一月，于七月十三日发顺天港，八月二十七日回到定海县，圆满完成了这次出访任务。

张孝伯《宋故尚书刑部员外郎徐公行状》中云：“宣和六年，高丽入贡，请于上，愿得能书者至国中，继遣给事中路允迪报聘，即以公为国信所提辖人船礼物官，因撰《高丽图经》四十卷。”此“六年”，应为“四年”之误。此次高丽“愿得能书者至国中”，徐兢能随人出使高丽，当与他擅长书法不无关系。徐兢也确实不辱使命，不仅出色完成了任务，而且一路之上多予留心，勤加记录，回国之后更是整理成四十卷的《宣和奉使高丽图经》进上。中国文士对海东高丽一直怀有憧憬之心，记录出使高丽经历和高丽风土人情的著作，唐时

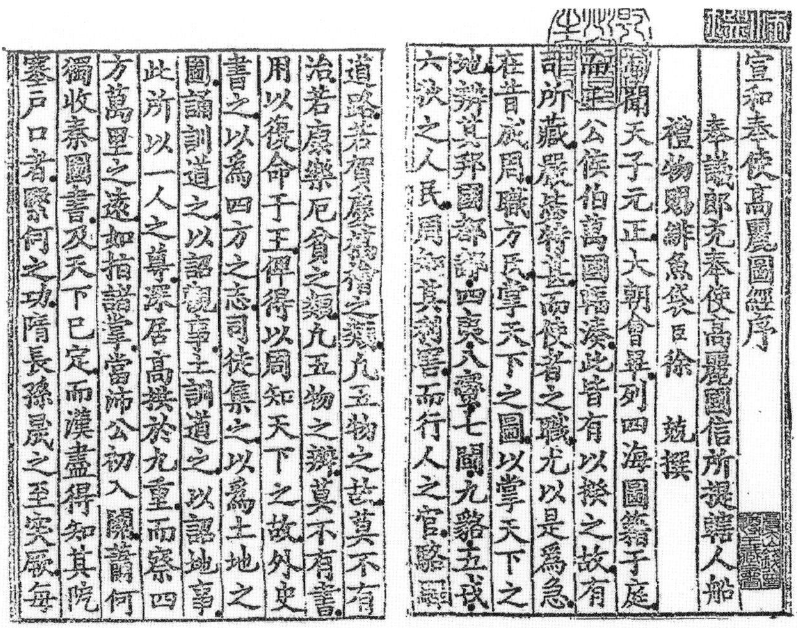
宣和奉使高麗圖經序
奉議郎充奉使高麗國信所提轄人船
禮物賜緋魚袋臣徐　兢撰
臣聞天子元正大朝會皋列四海圖籍于庭
王公侯伯萬國輻湊此皆有以揆之故有
司所藏蒐羅甚至而使者之職尤以是爲急
在昔成周職方氏掌天下之圖以掌天下之
地辨其邦國都鄙四夷八蠻七閩九貉五戎
六狄之人民周知其利害而行人之官駱[illegible]
道路若有廢禍禬之類九五物之甚莫不有
治若康樂厄貧之類九五物之辨莫不有書
用以復命于王俾得以周知天下之故外史
書之以爲四方之志司徒集之以爲土地之
圖誦訓道之以詔觀事土訓道之以詔地事
此所以一人之尊深居高拱於九重而察四
方萬里之遠如指諸掌當沛公初入關蕭何
獨收秦圖書及天下已定而漢盡得知其阨
塞戶口者蕭何之功隋長孫晟之至突厥每

《宣和奉使高丽图经序》

就已出现，《旧唐书·经籍志》记载佚名的《奉使高丽记》一卷和裴矩的《高丽风俗》一卷。后经五代，直至北宋后期，随着两国交往的加深，此类著作也是一再出现，《宋史·艺文志》就记有南唐章僚的《海外使程广记》三卷，北宋时有吴栻的《鸡林记》二十卷，王云的《鸡林志》三十卷，孙穆的《鸡林类事》三卷，徐兢的《宣和奉使高丽图经》四十卷，还有佚名的《高丽日本传》一卷和《使高丽事纂》二卷。而其中的代表作，且直传至今者，便是徐兢所撰《宣和奉使高丽图经》。

徐兢为撰此书，可说颇费苦心，据他本人《宣和奉使高丽图经序》自述：

> 周爰咨询，歌于皇华之诗，则偏问以事，正使者之职，谨因耳目所及，博采众说，简汰其同于中国者，而取其异焉。凡三百馀条，釐为四十卷，物图其形，事为之说，名曰《宣和奉使高丽图经》。臣尝观崇宁中，王云所撰《鸡林志》，始疏其说，而未图其形，比者使行，取以稽考，为补已多，今臣所著图经，手披目览，而遐陬异域，举萃于前，盖仿聚米之遗制也。虽然，昔汉张骞出使月氏，十有三年而后归。仅能言其所历之国，地形物产而已。臣愚虽才不逮前人，然在高丽，才及月馀，授馆之后，则守以兵卫，凡出馆不过五六，而驱驰车马之闲，献酬尊俎之上，耳目所及，非若十三载之久，亦粗能得其建国立政之体，风俗事物之宜，使不逃乎绘画纪次之列，非敢矜博洽，饰浮剽，以尘冕旒之听。盖摭其事实，以复于朝，庶少绾将命之责也。

据此自序，可知徐兢此书，是在出使途中，将遐方异域的见闻，特别是其地事物之有异于中国者，手批目览，聚米抟沙，锱铢累积而成。而且这些材料，不仅“事为之说”，而且“物图其形”，即有图有形。另他也有意地比照之前崇宁年间王云所撰的《鸡林志》，不仅较《鸡林志》多画了图画，而且此《宣和奉使高丽图经》“取以稽考，为补已多”，内容也较《鸡林志》为丰富。另徐兢也述及自己作此《宣和奉使高丽图经》之不易：“然在高丽，才及月馀，授馆之后，则守以兵卫，凡出馆不过五六，而驱驰车马之閒，献酬尊俎之上，耳目所及，非若十三载之久，亦粗能得其建国立政之体，风俗事物之宜，使不逃乎绘画纪次之列。”徐兢在高丽，时间有限，活动的地方更有限，但是处处留心，时时记录，不仅“粗能得其建国立政之体，风俗事物之宜”，而且此书不仅有文字，而且配以图画，堪称是呕心沥血，精心结撰之作。

既谓《宣和奉使高丽图经》，此书原本有图，但是此书命途多坎坷。据徐兢侄徐蒇于乾道三年(1167)夏至日在此书序后附言中云：

> 仲父即以书上御府，其副藏家，靖康丁未春，里人徐周宾借观，未归而寇至，失书所在。后十年，家君漕江西，弭节於洪，仲父来省，或谓郡有北医上宜生，实获此书。亟访之，其无恙者，特海道二卷耳。仲父尝为蒇言，世传予书，往往图亡而经存，余追画之，无难也，然不果就。嘻，盖棺事乃已矣。姑刻是，留澂江郡斋，来者尚有考焉。

徐兢将此书上献给朝廷后，虽得到徽宗的称赏，但是正本并未赐还。后来汴京遭遇靖康之变，此书正本怕也是化为灰烬。徐兢在进献正本给朝廷时，还录有副本，藏于家。靖康二年丁未(1127)春，被里人借去观览，未及归还而寇至，此书遂失所在。过了十年，徐家复在江西洪州，从一医生手上，重获此书副本，但是完好无损的，却只有记海道的两卷。徐兢尝言，世传此书，图亡而经存者，自己追画不难，但是也未来得及补充完整即谢世。徐蒇于澄江郡斋重刻此书，确是为保存文献，同时也是欲留待来者之考。此书图虽不存，但是文字能流传下来，为后人留下近千年前有关高丽的真实记录，实为不幸中之万幸！

内容特色

徐兢所撰《宣和奉使高丽图经》的内容非常丰富，举凡高丽的人物世次、历史沿革、典章制度、风俗礼仪、城池宫室、器皿物产以及由中国至高丽的海上行程、山川道里等，皆有记述，总计三百余条。全书分为四十卷，其中有关高丽的建国一卷，世次一次，城邑一卷，门阙一卷，宫殿两卷，冠服一卷，人物一卷，仪物两卷，仗卫两卷，兵器一卷，旗帜一卷，车马一卷，官府一卷，祠宇一卷，释氏道教一卷，民庶一卷，妇人一卷，皂录一卷，杂俗两卷，节仗一卷，受诏一卷，燕礼一卷，馆舍一卷，供张两卷，器皿三卷，舟楫一卷，海道六卷，同文一卷。从此目录可见此书对高丽记述之全面，如从卷一所记建国、卷二所记世次，可见高丽王国的历史。从卷四所记门阙，卷五、卷六所记宫殿，可见当时高丽王都松京的旧制。卷三四至三九，海道六卷，更是详细记载自中国至高丽的海上行程，堪称实录，且语言精炼，描绘形象，为游记中的珍品。卷四十“同文”又分记高丽与中国在正朔、儒学、乐律、度量权衡方面之相同者，以见华夷同风。

《宣和奉使高丽图经》记载了高丽方方面面的情况，可谓是当时韩国社会的一部百科全书，如卷三“城邑”就记载了高丽与其它边夷国家的不同：

> 四夷之君，类多依山谷，就水草，随时迁徙，以为便适，固未尝知有国邑之制。西域车师、鄯善，仅能筑墙垣，作居城，史家即指为城郭诸国，蓋志其异也。若高丽则不然，立宗庙社稷，治邑屋州闾，高堞周屏，模范中华，抑箕子旧封，而中华遗风馀习，尚有存者。朝廷间遣使存抚其国，入其境，城郭岿然，实未易鄙夷之也。

从这可以看出高丽当时文明程度较其它四夷国家为高，而与中国相近。再如卷三“贸易”：

> 高丽故事，每人使至，则聚为大市，罗列百货，丹漆缯帛，皆务华好，而金银器用，悉王府之物，及时铺陈，蓋非其俗然也。崇寧、大观使者，犹及见之。今则不然。蓋其俗无居肆，惟以日中为墟，男女老幼，官吏工伎，各以其所有，用以交易，无泉货之法，惟纻布银瓶，以准其直。至日用微物，不及疋两者，则以米计锱铢而偿之。然民久安其俗，自以为便也。

这里记载了高丽市场贸易的习俗，从日中为市，不用钱币，也可见当地民风质朴淳实，同时从前后的不同，也可看到高丽社会逐渐发生的变化。

卷一六“药局”，可见当时高丽的医药设置情况：

> 高丽旧俗，民病不服药，唯知事鬼神，咒诅厌胜为事。自

> 王徽遣使入贡求医之后，人稍知习学，而不精通其术。宣和戊戌岁，人使至，上章乞降医职，以为训导。上可其奏，遂令蓝茁等往其国，越二年乃还。自后通医者众，乃于普济寺之东起药局，建官三等，一曰太医，二曰医学，三曰局生，绿衣木笏，日莅其职。高丽他货，皆以物交易，唯市药，则间以钱贸焉。

从此记载，亦可见高丽医药习俗的改变，及中国对高丽医药的影响。卷三“贸易”就记载，高丽贸易是以物易物，而且买药时，“间以钱贸”，则显出当时高丽对医药的重视，因为在当时高丽人看来，没有其它合适的东西可与药品的价值相当。

卷二三“土产”记高丽物产亦甚丰富：“高丽依山瞰海，地瘠而硗，然而有稼穑之种，麻枲之利，牛羊畜産之宜，海物唯错之美。”同卷“种艺”也记高丽农事，从中可见古代韩国的农业生产状况：

> 国封地濒东海，多大山深谷，崎岖峭崒而少平地，故治田多于山间，因其高下，耕垦甚力，远望如梯磴然。其俗不敢有私田，畧如立井之制，随官吏民兵秩序高下而授之。国母、王妃、世子、王女而下，皆有汤沐田，每一百五十步为一结。民年八岁，投状射田，结数有差，而国官以下，兵吏驱使，进士工技，无事则服田，唯戍边则给米。其地宜黄粱、黑黍、寒粟、胡麻、二麦，其米有秔而无稉，粒特大而味甘，牛工农具，大同小异，略而不载。

《宣和奉使高丽图经》所记，不仅有自然物事，也有人世场景，如卷八“人物”就记载了当时高丽朝中的官制与人才选拔情况：

> 东南诸国，高丽人材最盛。仕于国者，惟贵臣以族望相高，徐则或由进士选，或纳资为之，与夫世禄吏职，莫不有等，故有职，有阶，有勲，有赐，有检校，有功臣，有诸卫，仰稽本朝官制，而以开元礼参之。

特别是对当时高丽朝中的重臣，如守太师尚书令李资谦、刑部尚书尹彦植、尚书礼部侍郎金富轼等，都有专门记述，如记金富轼是：

> 金氏世为高丽大族，自前史已载其与朴氏族望相埒，故其子孙多以文学进。富轼丰貌硕体，面黑目露，然博学强识，善属文，知古今，为其学士所信服，无能出其右者。其弟富辙，亦有诗誉。尝密访其兄弟命名之意，盖有所慕云。

金氏为高丽世家大族，金富轼也为当时高丽文坛盟主，徐兢“尝密访其兄弟命名之意，盖有所慕云”，所慕者，大宋苏轼、苏辙兄弟也。从金氏兄弟之命名，也可见当时高丽人对苏轼兄弟之仰慕，及宋丽两国文化交流之深入。

《宣和奉使高丽图经》不仅是徐兢一行出使高丽的经过及见闻的真实记录，而且在语言上也自具特色，记事写物，极为凝炼生动。如卷三“形势”记述所见高丽国都开京：“自崧山之半，下瞰城中，左溪右山，后岗前岭，林木丛茂，形势若饮涧苍虬。”(卷三“形势”)形象展示高丽京城山环水绕的形势，实具王气。另记京城民居：“王城虽大，硗确山垄，地不平旷，故其民居，形势高下，如蜂房蚁穴，诛茅为盖，仅庇风雨。”(卷三“民居”)也显出当时高丽社会的真实状况及民生之多艰。另记高丽的农田之制：“国封地濒东海，多大山深谷，崎岖峭崒，而少平地。故治田多于山闲，因其高下，耕垦甚力，远望如梯磴然。”（卷二三“种艺”）通过梯磴之喻，不仅见出当地农田的地形，也显出农人稼穑的艰难。这些地方，都是着墨不多，而特征毕显。

书中对于景物的描绘，常是入木三分，精彩纷呈。如记海上的黑水洋：“色黯湛沦，正黑如墨，猝然视之，心胆俱丧。怒涛喷薄，屹如万山。遇夜，则波间熠熠，其明如火。”（卷三四“黑水洋”）将海上怒涛喷涌的景观，描绘得栩栩如生，读了也仿佛让人目眩神摇。再如 “夜潮冲激，雪涛奔薄”（卷三五《跪苫》），　“潮至拍水，声如雷车”（卷三六《横屿》），“水势为山峡所束，惊涛拍岸，转石穿崖，喧豗如雷。”（卷三九《急水门》）也均是以劲健的笔触，写出了海上波浪相激，雪浪翻飞的壮观景象。即使是那些静止的景物，在作者笔下也是动感十足。如记高丽清州境内的马岛：“是日酉后，风势极大，舟行如飞，自轧子苫一瞬之间，即泊马岛，盖清州境也。泉甘草茂，国中官马，无事则羣牧于此，因以为名。其主峰浑厚，左臂环抱，前一石觜入海，激水回波，惊湍汹涌，千奇万怪，不可名状。”（卷三七“马岛”）此处也直言马岛主峰是浑厚静穆，岿然不动，但是通过其“左臂环抱，前一石觜入海”的记述，分明让自然山水而具有人的意态，让静景又呈现出动态的神采。另外，山脚下“激水回波，惊湍汹涌，千奇万怪，不可名状”，也是以海水的动荡，反衬主峰的静穆，动静相喧，神完气足，而再结合岛上掌故历史的插入：“泉甘草茂，国中官马，无事则羣牧于此，因以为名。”更是将人文与自然景观相融合，将马岛描绘得层次丰富，内涵深厚。而有的地方，则是风平浪静，呈现另一番光景，如谓：“天日晴霁，风静浪平，俯视水色，澄碧如鉴，可以见底。”（卷三六“槟榔焦”）海上景象变化多端，作者笔墨也是丰富多彩。

《宣和奉使高丽图经》中不仅有对自然景观的描绘，也有对人世风情的记述。如在记京城的光化门时，即录了门上所贴春帖子诗："雪痕尚在三云陛，日脚初升五凤楼。""百辟称觞千万寿，衮龙衣上瑞光浮。"（卷四"光化门"）从这两副对联可见此门的特征，也见中国北宋初期刚开始兴起的过年贴春联的习俗，此时已传入韩国。另从书中所录的《燕记文》一篇（卷六"延英阁殿"），也可见当时高丽文教之盛，君臣相得之乐。在经历过海上诸多惊涛骇浪，抵达高丽礼成港之后，使者一行终于迎来另一番热闹光景："丽人以兵仗甲马，旗帜仪物共万计，列于岸次，观者如堵墙。"（卷三九"礼成港"）从"观者如堵墙"一语，即可见当时高丽民众欢迎大宋使者的盛况，感受到当时韩国人对中国人的热情，也显示出作者一行初到异邦受到热烈欢迎时的欢欣。书中另记高丽渔歌："每舟十余人，夜则鸣榔鼓枻，讴歌互答，哓哓如鹅鹜群鸣，略无声律情义，盖其俗然也。"（卷一九《舟人》）舟人夜晚鸣榔鼓枻，渔歌互答，虽然其声哓

浙江省宁波宝奎巷的航道(© 张日圭)

哓，但是也可见生活的和乐安宁和当地风俗的自然淳真。自然与人事在《宣和奉使高丽图经》中相互交织，共同展现出当年高丽社会的真实图景。《宣和奉使高丽图经》既是实录之体，也是语言艺术的杰作，从书中语言，尽显作者笔墨之丰富，语言功力之深厚。

前后变化

《宣和奉使高丽图经》成书后，在宋人对高丽的认识上产生了深远影响。南宋时张世南(约为宋宁宗、理宗时人，1195-1264左右)在其著作《游宦纪闻》中就言及宋与高丽的交往，并特别提及此书：

> 兢之归，因撰《高丽图经》，备载其建国立政之体、风俗事物之宜上之。徽庙览其书大悦，召对便殿，赐同进士出身，擢为宗丞，兼掌书学。其奉使时，李资谦(着重号为笔者所加，下同)为太师、尚书令。高丽国主，多纳李氏为后，由是门户光显。资德，其弟也。金富轼为同接伴。金氏为大族，自前史已载。其与朴氏，族望相埒，故其子孙，以文学进。富轼丰貌硕体，面黑目露，博学强识。善属文，知今古。富辙亦有时誉。徐尝密访其兄弟命名之意，盖有所慕。“文章动蛮貘”，此语盖不诬云。(《游宦纪闻》卷六)

这里对高丽两位著名文臣李资谦与金富轼的记载，与《宣和奉使高丽图经》在内容与语句上多相同、相近：

> 高丽素尚族望，而国相多任勋戚。自王运娶李氏之后，而俣为世子时，亦纳李女为妃，由是门户始光显。(《宣和奉使高

丽图经》卷八“守太师尚书令李资谦”）

> 金氏世为高丽大族，自前史已载。其与朴氏，族望相埒，故其子孙，多以文学进。富轼丰貌硕体，面黑目露，然博学强识。善属文，知古今，为其学士所信服，无能出其右者。其弟富辙亦有诗誉，尝密访其兄弟命名之意，盖有所慕云。（《宣和奉使高丽图经》卷八“同接伴通奉大夫尚书礼部侍郎上护军赐紫金鱼袋金富轼”）

两相比照，不难看出张世南对李资谦与金富轼二人的记述，是取自于《宣和奉使高丽图经》，于此也可见此书对宋人的直接影响。徐兢还特地说明自己曾特别询访过金富轼、富辙兄弟命名的本意，确是有所歆慕。其取法的对象，毫无疑问是中国的苏轼、苏辙兄弟，“二苏”文名，不仅享誉中华，也远传海外。

虽然苏轼、苏辙兄弟在高丽文名很盛，但二人对高丽却多有误解，对大宋朝廷结交高丽，更是持否定的态度。元祐八年(1093)，苏轼即上书朝廷，谓高丽入贡有共有“五害”，其中即言朝廷让高丽前来，搅扰地方，浪费财物：“所得贡献皆是玩好无用之物，而所费皆是帑廪之实，民之膏血”，“所至差借人马什物，搅扰行市，修饰亭馆，民力暗丧”，而且高丽与宋交好，实为慕利而来，所得宋的财物文书，又会分给宋的敌国辽(契丹)：“高丽名为慕义来朝，其实为利，度其本心，终必为北虏(契丹)用”，“高丽所得赐予，若不分遗契丹，则契丹安肯听其来贡，显是借寇兵而资盗粱。”（《苏轼文集》卷三五《论高丽买书利害劄子三首》之一)他从国家安全的角度，认为赐予高丽，最终会资助敌国，是典型的“借寇兵而资盗粱”。在另一处表文中苏轼也谓：“熙宁以来，高丽人屡入朝贡，至元丰之末，十六七年间，馆待赐予之费，不可胜数。两浙、淮南、京东三路筑城造船，建立亭馆，调发民工，侵渔商贾，所在骚然，公私告病。朝廷无丝毫之利，而夷虏获不赀之利。”（《苏轼文集》卷三〇《论高丽进奉状》）苏轼对高丽心存疑惧，认为结交高丽于国家不利，甚至无端推测高丽与辽阴相勾结。苏辙意见与其兄相仿，也认为结好高丽是有弊无利：“徒使淮浙千里，劳于供亿，京师百司，疲于应奉。”他不仅对高丽仍以夷狄视之，同时也言高丽之来是为契丹刺探情报：“高丽之人，所至游观，伺察虚实，图写形胜，阴为契丹耳目。或言契丹常遣亲信隐于高丽三节之中，高丽密分赐予，归为契丹几半之奉。”（《苏辙集》卷四六《乞裁损待高丽事件劄子》）与其兄一样，苏辙也认为高丽入贡，是与辽勾结的结果。

苏轼兄弟的意见在当时颇具代表性，他们反对朝廷结好高丽，虽是出于为国为民的至诚，然对高丽的认识却多有差池，有的更是出于臆想。机警如“二苏”，尚且如此，何况他人？于此也可见两国真正相知相交之难。但是经过徽宗年间的多次交往后，宋人对高丽的态度大为改观，如徐兢在经过实地考察后，即认为高丽尊事大宋，出于至诚：“臣观丽人之事中国，其请降尊号，班正朔，勤勤恳恳，不绝于口，及为强虏所迫，革面从之，而乃心朝廷，葵倾蟻慕，终不解于胸次……本朝之于高丽，如彼之远，北虏之于高丽，如此其近。然而附北虏者，常以困于兵力，伺其稍弛，则辄拒之，至于尊事圣朝，则始终如一。拳拳倾戴，虽或时有牵制，不能如愿，而诚意所向，坚如金石。”（《宣和奉使高丽图经》卷四）徐兢在此对高丽与宋交往的本心，高丽与辽关系的实质，做了正面记述。《宣和奉使高丽图经》成书后受到朝廷的表彰，其于宋人对高丽的认识，实起了匡谬正讹的作用。

自徐兢之后，宋人从心理上对高丽更为接近，在国势危难之际，很多人将其视为一值得信赖的国家。如钦宗靖康元年(1126)七月，宋廷就遣使往高丽，欲与高丽联合攻打金田，由李纲代为起草的《与高丽国王诏书》中也号召高丽国王“率励师众，相为表里，以为天诛”(李纲《梁溪集》卷三三《与高丽王诏书》)。高宗建炎二年(1127)，浙东路马步军都总管杨应诚也上书朝廷，自言：“由高丽至女真路甚径，请身使三韩，结鸡林以图迎二圣”(《宋史》卷四八七)。同年，抗金名将宗泽在请高宗回銮的奏疏中亦言要朝廷东联高丽，以扫清两河、迎还二圣(见《建炎以来系年要录》卷一五)。高宗绍兴三十一年(1161)，金主完颜亮南侵时，抗金名将刘錡、吴璘联合发表的檄文中，也希望高丽等国能与宋共同伐金：“惟彼诸藩之大国，久为钜宋之欢邻，玉帛交驰，尚忆百年之信誓，封疆回隔，顿违两地之邮音。愿敦继好之规，共作侮亡之举。”(《三朝北盟会编》卷二三二引)就是到了南宋后期，高丽臣服于蒙古后，南宋宰相吴潜还是认为高丽不会为蒙古向导来攻宋：“今高丽虽臣属于鞑，然每有疑畏鞑贼之心，迁都海岛，防其侵犯，决不至为鞑向导。”(吴潜《许国公奏议》卷三《奏晓谕海寇复为良民及关防海道事宜》)这些议论和主张，都不怀疑高丽对宋的忠诚度，与北宋时“二苏”对高丽的态度截然相反，其转折的关键，正是以徐兢《宣和奉使高丽图经》的产生为代表的徽宗时宋丽交往的加强与认识的深入。

结语

中韩两国一衣带水，山海相连，徐兢的《宣和奉使高丽图经》内容丰富，记述详实，虽然其图像早已不存，但是通过对当年出使高丽行程，以及在高丽见闻的文字记录，不仅为古代韩国社会留下了第一手可信的资料，也体现了当时中国人对高丽的认识。其不仅深化了宋人对高丽的见解，也匡正了宋人对高丽认识上的讹谬。《宣和奉使高丽图经》是历史上中韩两国文化交流的产物，足为两国的山川历史增辉，也为两国的友谊续添佳话。《宣和奉使高丽图经》可说就是一部记录宋丽两国山行海程的“《山海经》”，是一幅全方位真实展现高丽社会的“《清明上河图》”，也是近千年前中韩两国友好交往的历史见证！

明朝和朝鲜
两国文士之间的高情厚义
倪谦

姚大勇(上海交通大学)

引言

中国明朝(1368-1644)政府与朝鲜半岛政权的关系，贯穿于大明王朝的始终。特别是大明王朝与朝鲜王朝(1392-1910)，更可说是休戚与共。双方关系在漫长的历史长河中虽有波折，但是最终以两国军民的鲜血凝成了可歌可泣的友谊。洪武元年(1368)，大明王朝刚刚建立，明太祖朱元璋即遣使高丽，赐玺书。当时王高丽者王颛请封，明太祖即遣使赍诏及金印诰文，封颛为高丽国王。洪武二十五年(1392)，高丽大将李成桂自立新朝，遣使来告，并请更国号，明太祖命仍古号曰朝鲜，自此开始了与李氏朝鲜王朝两百多年的交往。明成祖登基，也即遣官颁即位诏于朝鲜，永乐十六年(1418)，更遣使封李祹为朝鲜国王，是为世宗大王，明与朝鲜的关系继续发展，当时朝鲜的地位在其它封贡诸国之上，“时帝已迁北都，朝鲜益近，而事大之礼益恭，朝廷亦待以加礼，他国不敢望也。”蒙古瓦剌部欲引诱朝鲜背离中国，朝鲜明确予以拒绝，而在明廷北征时，朝鲜接受调遣，会兵辽东。大明与朝鲜之间，使节往来络绎不断，各方面交流深入频繁，至有朝鲜在明，“虽称属国，而无异域内”之说。万历二十年(1592)，日本权臣丰臣秀吉派兵侵略朝鲜，“壬辰倭乱”爆发，明廷遣兵入朝，不仅经过浴奋血战，从倭寇手中收复八道江山，而且明朝朝鲜联手，至万历二十六年(1598)年底，最终将日寇全部逐出朝鲜半岛。大明皇帝的再造藩邦之恩，朝鲜人念念不忘，对明之覆亡，嗟叹不已，这从明亡之后，朝鲜民间很长时间仍用明年号纪年即可见出。天启元年(1621)以后，虽然受到东北满洲的逼迫，陆路难通，但朝鲜仍坚持入贡大明，派使者改由水路，先泛海至登州、莱州，上岸后再转京师。同时朝鲜对于全辽覆没之后在皮岛坚持抗清的毛文龙军，也于粮饷上多有接济。崇祯年间，毛文龙被杀后，明廷在东北局势日蹙，崇祯十年(1637)，清皇太极征朝鲜，朝鲜向明廷告急，明廷在自顾不暇之际仍调舟师赴援。皇太极征服朝鲜后，转而将兵锋移向皮岛，不久皮岛为清兵所破，“朝鲜遂绝，不数载而明亦亡矣。”(以上引文并见《明史·高丽传》)明与朝鲜的交往历史，印证了“辅车相依，唇亡齿寒”这千古至理。

在明与朝鲜长期的交往中，为了建立两国之间特殊而亲密的关系，很多人为之做出了贡献，景泰初年出使朝鲜的倪谦就是其中较早的一位。他临危受命，不仅不辱使命，而且与朝鲜文士结下深厚情谊，诗华文采得到异邦友人衷心佩服，且以其清廉诚信，赢得了朝鲜君臣的信任，夯实了两国友好交往的基础。另外，他不惟以文字记录自己的出使行程，甚且亲手编集与朝鲜文士的唱和诗歌，所成的《朝鲜纪事》与《辽海编》，正是明朝朝鲜两国友好往来与文化交流的历史见证。

倪谦生平

倪谦(1415-1479)，字克让，号静存。其先世本汴(今河南开封)人，南宋时迁钱塘(今浙江杭州)，明初徙京师，占友籍应天府上元县(今江苏南京)。自小天资聪颖，记忆力强，而致力于学。明英宗正统三年(1438)，以应天府学生中乡试，正统四年(1439)进士及第，中会试第一甲第三名，授翰林编修。正统十四年(1449)晋侍讲。明代宗景泰元年(1450)，奉命出使朝鲜。景泰三年(1452)，入侍经筵，未几改左春坊左中允，兼侍讲，景泰七年(1456)，预修《寰宇通志》，迁左春坊大学士兼侍讲。明英宗复位后，于天顺元年(1457)，改通政司左参议，仍兼侍讲，受遣祭辽荆楚三府，还京后进位学士。天顺二年(1458)，充东宫讲读官，辅导太子读书。天顺三年(1459)，主考顺天乡试，因不取权势子弟，遭构陷下狱，后又被谪戍开平(今属河北唐山)。宪宗即位后，于成化元年(1465)复学士职，寻入史馆，与其子倪岳一起修《英庙实录》。成化五年(1469)任正议大夫，起为南京礼部右侍郎。成化十二年(1476)，擢南京礼部尚书。成化十五年(1479)三月十八日卒于金陵家中，赠太子少保，谥文僖。有《倪文僖集》、《朝鲜纪事》、《辽海编》等著作传世。

倪谦初生时，即有异质，双目如电，体有四乳。八九岁时，日记千万言，手所钞录，终身不忘，时称奇童。"其平日于书，无所不读，而造诣精深，故形于制作，自然成章，四方有求者，挥笔立就，人莫能撄其锋。一时文名，先生为重。"(刘珝《文僖倪公墓志铭》)正统九年(1444)天旱，奉命函香祷于北岳，祭毕雨大降，时称灵验，刻记于祠。景泰年间(1450-1456)，入值文华殿，每承顾问，所陈均有裨时政，应制赋诗，顷刻立成，文辞俱佳，受到代宗称赏。天顺三年(1459)主考顺天乡试时，秉公选才，黜怒权贵，被构陷下狱，复又被谪戍边地，"在谪四年，悠然以诗酒自娱。边人爱慕，如奉所亲。士子及门授经者，多所造就。至今科第不乏，实有功焉。"(陈镐《南京礼部尚书谥文僖倪公谦传》)

倪谦子岳，登进士第，父子同仕翰林，同日奉诏入史局修《英宗实录》，一时以为美谈。岳后官至吏部尚书，其另一子阜官至四川右布政使，以廉介著称，可谓不辍家风。倪谦兄诚，筑墅别居，足迹不入城市，人有言其弟侄之贵者，即掩耳而走。谦事兄恭谨，终身无间言。诚卒，谦抚兄孤女甚至，过于己所生。倪谦在南京为尚书时，所居之年巷道甚狭窄，旁边列肆皆铁匠铺，谦来往出入，众人皆起立。倪谦对他们说，你们是我的乡人，不必因我的出入，而影响你们的工作，多次说明后，众人知其所言出于至诚，乃不再起立。(见汤斌《拟明史稿列传》卷一五)

倪谦去世后，布政使万安为其作的《墓志铭》(《殿阁词林记》卷五"學士拜禮部侍郎倪謙")中就曰："伟哉文僖，体貌奇异。学识超羣，词华鸣世。致身翰林，振玉铿金。出使外国，惊服夷心。归讲经帷，寻直秘殿。克当渊衷，累承宠眷。简侍青坊，启沃少海。天界困横，欲资亮采。帝思旧学，仍拜旧官。少宗伯恳乞归闲。养晦七年，有诏复起。进大宗伯，典兹三礼。"基本上概括了倪谦的一生和功绩，其中所言的"出使外国，惊服夷心"，就是指倪谦于景泰元年(1450)出使朝鲜，临危受命，圆满而归，且为中韩友谊增添了佳话。

两国关系

清修《四库全书》时，将倪谦记录这次出使经历的《朝鲜纪事》列入"史部·杂史类"的存目，并在《四库全书总目》中称："时朝鲜国王、世子并称疾，不迎诏，谦争之不得，亦无如之何。盖新有土木之变，正国势危疑之日也，亦足见明之积弱虽至近而令亦不行矣。"(《四库全书总目》卷五三)是否真的如此呢？

确实，倪谦出使之时，当时明朝刚经历了一次巨大的军事和政治上的震荡，甚至差点"亡国"。明英宗正统十四年(1449)六月，蒙古瓦剌部太师也先领军南侵，英宗朱祁镇于是年七月率大军亲征，八月一日至大同，未及交锋，听闻前方军败，决定撤退。退兵途中由于听信宦官王振之言，屡次变更行军路线，导致士卒疲惫不堪，八月十三日退至土木堡(今河北张家口怀来境内)时，遭瓦剌军围困，次日明军措置失当，大败，二十余万人马损失殆尽，连英宗本人也被瓦剌军掳去，这就是震动一时的"土木堡之变"。

土木堡惨败，英宗被俘的消息传到北京后，京城内外人心惶惶，朝廷上下议论纷纷。以兵部侍郎于谦为首的诸大臣临危不惧，力挽狂澜，联合奏请皇太后立英宗的异母弟郕王朱祁钰为皇帝，是为代宗，同时遥奉英宗为太上皇，以稳定人心。同时于谦又力排众议，反对迁都，请新皇下诏令各地武装至京勤王。代宗任命于谦全权负责北京防御之事，于谦就近调河南、山东等地军队进京防卫，并拨原贮通州的粮食入京，定下坚守京城之策。京师兵精粮足，人心稍安。是年十月初，也先率瓦剌军攻陷紫荆关后，直逼北京。于谦亲自上阵指挥，严阵以待。十月十三日，瓦剌军进攻德胜门，大败，转攻西直门，又败，次日攻章仪门，仍败，被迫于十五日夜拔营西遁。明廷上下齐心，军民合力，取得了京师保卫战的胜利，也使大明国势转危为安。从当时形势来看，明军在新败之后，能迅速地用二线部队组织起稳固的防守，同时朝中能很快选立新君，上下齐心，这些也都显示了当时明朝在政治和军事上的实力。代宗即位后，根据惯例，更改年号，宣布明年改元景泰。代宗派倪谦于景泰元年(1450)春往朝鲜，明是告知即位改元之事，同时也有安抚藩邦之意，对倪谦来说，可说是临危受命。

倪谦作为外交使者，处处不忘维护大明形象与尊严。如正月二十六日，在安成馆“遇工曹参判南佑良进马五百匹赴京，来见，面谕朝廷威德而去。”可说时刻不忘宣传明廷威德。在这次出使中，最重要的是对大明威仪的维护，具体又体现在受诏礼仪上。

正月二十四日，倪谦一行到达朝鲜黄海道治所黄州。朝鲜国王遣礼曹正郎安自立来，商议朝鲜接受大明诏敕及赐物的仪式，并称朝鲜国王久已有病，世子代掌国事，今亦有病，不能行礼，由王令子代行。这接受诏书的礼仪，特别是由谁来接诏，关系到大明的威仪，倪谦自不敢怠慢，问道：“王久有病，朝廷亦知，世子病则予不知也。然则世子病几何时？为何病？”安自立答：“病腰疽，将一月矣。”倪谦正言告之：“病将一月，则尹户曹正病中所遣，其初见江上时何以不言有病？今始言病，诈也。毋得因朝廷有事，辄怀二心。且疮疡之疾，脓溃即安，非若感伤奇症，不可以月日期也。如果病疽，当已溃脓，予在此坐待其愈始行。十日不愈待半月，半月不愈待一月，无不愈者。若再言不愈，诈可知矣。即当捧诏还朝，奏闻朝廷：臣至朝鲜，国王、世子俱托病不出，无人受诏，因捧诏还。朝廷自有处置。”

倪谦在听闻朝鲜世子亦病的消息后，开始对此确是持怀疑态度，疑其中有诈，谓朝鲜君臣“毋得因朝廷有事，辄怀二心”，这里的“朝廷有事”，即指刚刚过去的“土木堡之变”，告诫其不要因此而怀二心，在明朝与蒙古之间首鼠两端。并说自己可以在此等世子病愈再行，如朝鲜方面一直言世子病未愈，他当捧诏还朝，将朝鲜国王、世子托病不出之事奏明朝廷。倪谦的这番言语确实非常严厉，语气也非常强烈，似没有缓和的余地。安自立听闻之后，惊愕无措，一面劝倪谦仍往王京进发，不必在此坐待，一面自己星夜回京城驰奏。两国关系此时面临巨大考验，事态如何发展，问题如何解决，谁也无法预料。但是接下来却发生了令人意想不到的转变。

正月二十七日，倪谦一行至开城府，朝鲜国王又遣汉城府尹金何来回复接受诏书礼仪之事。尹金何言：“世子一国之本，自得病来，举国遑遑，祷于山川鬼神以祈佑，岂敢虚诈？今疮已溃，脓口尚未合。医者云：若牵动皮肤，必至引风复发，致伤性命。但望天使垂悯，乞免世子郊迎，容其扶病行礼受诏，则万万幸也。”倪谦顾其情辞恳切，知世子确实有病，于是俯顺其请，免去以往约定的大明使节来时世子出郊相迎之礼，答应他仅在朝堂上扶病受诏，并与尹金何商定好接受诏书的具体仪式。一场似乎难以避免的外交风波，在双方的共同努力下，消化于无形。可见两国之间，只要坦诚相见，是可以友好相处的。在这次受诏礼仪之争中，朝鲜方面数次遣使相告，其诚意无疑应该肯定，而作为大明使者倪谦，他在坚持原则下的随机应变、宽容大度，也是值得称道的。

接下来的行程和礼仪，都是按照议订好的来进行。闰正月初一，倪谦等入汉城，至景福宫，“进至勤政殿，宣诏受敕皆如礼。礼毕，世子扶病于殿东幄中相见茶话，谕以朝廷恩意而别。”大明使者宣诏，朝鲜世子受敕，皆合于既定的礼数，此礼仪结束之后，世子又扶病与倪谦等在殿东幄中茶话，倪谦也告之以朝廷的恩意。当时朝鲜国王是大名鼎鼎的世宗大王(1397-1450，1418-1450在位)，接下来的国王是世宗的嫡长子文宗李珦(1414年-1452，1450年-1452在位)，世宗大王在景泰元年(1450)去世，他当时身体欠安，已为世所知。文宗即位前后不及三年也即因病谢世，可见其身体不好，也洵非虚言。这也可见出：清四库馆臣所言的倪谦此番出使朝鲜，朝鲜国王和世子借故不出见，明之号令不行于朝鲜之说，完全出于臆测，是有乖于史实的无稽之谈。清代明而起，清修《明史》及《四库》等书时，对明多有贬抑，此也为一显例。

景福宫勤政殿(© 张日圭)

另外，当时朝鲜君臣对明使的接待，礼数上堪称周全。倪谦一行到朝鲜境后，每到一站，都有专人迎接，设宴款待，有的地方接待的礼仪还很隆重，如正月二十三日，到了西京平壤，平安道都观察使韩确，“先于十数里外遣伶戏来迓。抵近郊，列香亭、龙亭、仪仗、鼓乐，率僚属迎诏。”“迎导入城，至大同馆。门外东南二面各树鳌山、彩棚山，上下列伶妓诸戏。”在城外、城内，先后两番出迎，列仪仗、鼓乐，搭鳌山、彩棚，陈设伎乐，可见礼仪之隆重。此后，正月二十四日到黄海道黄州，二十七日至开城，朝鲜官员率僚属迎诏时，都是“列香亭、龙亭、黄仪仗、鼓乐、杂戏，及鳌山、彩棚”，闰正月初一，倪谦一行自碧蹄馆起程至慕华馆，“宗亲百官具香亭、龙亭、黄仪仗、鼓乐、杂戏迎诏。行礼，导入城。至景福宫门东南，二面盛结鳌山、舞妓。”当时朝鲜可说是以隆盛的礼仪，来迎接大明来的天使。

闰正月初一，倪谦等宣诏完毕，回到太平馆后，朝鲜国王及世子又派王子首阳君瑈带同其他王子及百官来见，足见对使者及明廷的尊重。见面礼毕，首阳君又代国王设宴款待使者，从席次安排上也可见出宾主之间的相互体谅。一开始，朝鲜王子首阳君的安排是“馆堂设正使，副使二席，南向；主席东向。”让明廷使者面南而坐，自己东向而侍，表尊敬之意。“谦谓首阳曰：‘此礼足见尊朝廷。今既代王宴，可只分东西坐。’乃易席就宴。诸王子以次奉觞，至夕罢。”倪谦对朝鲜尊重大明之意心领神受，但是并未安然就坐，而是改南向为西向，与首阳君等东西而座。从此席位的摆设及变化，也可见出朝鲜君臣对明使，对大明的尊重，以及倪谦作为使节的谦让宽容。倪谦此番出使，受到朝鲜上下的尊重，实与他的谦和雍容，宽洪大量有关。

倪谦一行在王京期间，朝鲜国王每日均遣人问候，一般是先遣人来问安，小宴，继遣中官送庖羞，午后又遣人来并设宴，闰正月初五午后，首阳君还又偕诸王子来设宴。其间还安排倪谦等至成均馆宣圣庙拜祭，赴汉江游览，闰正月初十，倪谦等人本欲起行，国王还特派人传谕，慰留十日，并对行程做了很好的安排。回程时不仅像来时一样每至一站，均有款待，而且有专人陪同。从朝鲜君臣对待明朝使节礼节之隆重，安排之周详，也可见当时两国关系之融洽。

文士交谊

清四库馆臣另谓《朝鲜纪事》一书，“语意草略，无足以资考证”(《四库全书总目》卷五三)确实，《朝鲜纪事》篇幅不长，仅有一卷，语言也很简略，但是绝非“草略(草率疏略)”，而且可资考证的地方却有不少。除了上面所述从中所见的当时明朝朝鲜两国的关系之外，其它可资考证，有历史价值之处，下面再分别述之。

倪谦的《朝鲜纪事》虽较简短，但是保留了诸多有用的信息。从此书体例上看，它是逐日记事，记事自正月初十起，至二月初三止，首尾凡四十余日。这种体例，与之前中国北宋后期出使高丽的徐兢所撰的《宣和奉使高丽图经》中的相关记载相似，都是以日记的体裁，逐日记载出使的经历，不同的是，《宣和奉使高丽图经》详记去的经历，略记回的行程，而倪谦的《朝鲜纪事》则是来回皆记。另外倪谦的《朝鲜纪事》与同时及后来出现的朝鲜使臣赴中国时所记的《朝天录》、《燕行录》在体例上也非常相似，都是按照一路行程，逐日记载每日的见闻。可以说，在体例上，倪谦的《朝鲜纪事》是上继《宣和奉使高丽图经》，而下启后来诸多的《朝天录》、《燕行录》之作。

再从此书内容上看，各处的语言虽有详略，但是也可考见倪谦此番出使的经历，大致为景泰元年正月初十自辽东起程，十四日至凤凰山，十六日过鸭绿江，二十三日至西京平壤，二十七日至开城，闰正月初一至汉城，在汉城经历一干公务，与人诗文唱和，二十日踏上回程，二月初三至鸭绿江。逐日的记载，再现了一路的行程。再者，《朝鲜纪事》按顺序记一路的行程、馆所，如义州的义顺馆，钱山的车辇馆，嘉山的嘉平馆，肃川的肃宁馆，平壤的大同馆，京畿的碧蹄馆，汉城的慕华馆，每两处之间，也记具体里程，“计自鸭緑江至王城，凡历公馆二十八处，共一千一百七十里。”虽看似简单，但从中正可见当时明朝朝鲜两国交聘时在朝鲜境内的路线和所需的时日。可以说，此书是考察景泰前后明朝朝鲜两国交聘的可信的第一手资料。

倪谦的《朝鲜纪事》中，还记录了当时明朝朝鲜两国交往的礼仪和朝鲜方面的习俗，从中可见明朝朝鲜的异同。

当时的朝鲜，多染华风。例如，正月十六日，过鸭绿江，到义州城时，朝鲜义州兵马节制使赵石冈先是率军马来迎接，作者记载：“其朝服仪制，俱与华同。”即朝鲜官员的服装、迎请的礼仪，都与中国相同。另，正月二十三日，到了西京平壤，平安道都观察使韩

高阳碧蹄馆遗址(© 张日圭)

确，“先于十数里外遣伶戏来迓。抵近郊，列香亭、龙亭、仪仗、鼓乐，率僚属迎诏。”而且作者发现：“乐人皆着幞头束带，执仗者皆戕冠，葵花衫，金钉带，与华同。”乐人与执仪仗者的装扮服饰，也是与中国相同。而且朝鲜人迎接时是“陈百戏，环绕作百兽率舞态”，与《尚书·尧典》中所称的“击石拊石，百兽率舞”相仿，也可谓是古风犹存。另外朝鲜方面在迎接时还树有幡幢样物品四，“上书曰：‘万国同欢争蹈舞，两仪相对自生成。天下太平垂拱里，海东无事凿耕中。’”也可见朝鲜受汉文化濡染之深，及对大明王朝的尊重，和对天下太平，百姓安居的渴望。

与中国相同，朝鲜也有孔庙。闰正月初三，倪谦在朝鲜王京，“谒成均馆宣圣庙，陪行者李礼曹、郑户曹、金汉城。到庙门外下轿，入幄盥沐讫，入庙，上香行礼。其庙扁曰‘大圣贤殿’，庙制灵星门、仪门、正殿、两庑，圣贤俱塑像，并与华同。其春秋丁祭，俱用朝廷颁降雅乐。谒罢升堂，其官有大司成、少司成谒见，次馆生谒见。馆生曰‘生员’，府州郡县学生曰‘生徒’，皆着儒巾襕衫，与华同，但巾用软罗为之。”孔子作为大成至圣先师、儒家学说的创导者，受到明朝朝鲜两国的共同尊重，从作者一行在庙门外下轿，先入幄盥沐，然后才入庙上香行礼，可见当时拜祭时的礼仪程序及虔敬心情。从作者所记来看，庙内的形制“并与华同”，祭孔时所用的音乐，也是“俱用朝廷颁降雅乐”，在成均馆内学习的学生，也是“皆着儒巾襕衫，与华同，但巾用软罗为之。”庙内形制、祭孔音乐、馆内学子巾衫，都是“并与华同”，可见当时成均馆内是一遵华制，也可想见当时朝鲜“华风”之盛。

从《朝鲜纪事》来看，当时的中国与朝鲜的风俗礼仪中也有不同之处，其典型一例就是对女乐的态度。当时朝鲜方面还按照朝鲜的风俗习惯，向倪谦一行进奉女乐。对于朝鲜方面设的女乐。倪谦一概峻辞退回，反映了倪谦一行的品行志节与明朝朝鲜文化礼仪上的差异，如正月二十一日，倪谦一行至安兴馆，朝鲜国王遣礼曹参判李边来问安，设宴相待，同时，“盛饰女乐三十余辈，两行，各抱乐器升堂跪。边进云：‘此奉王命，自京携至以奉欢。’”二十七日在开城府，朝鲜国王复遣堉崇政大夫许正宁来问安，并设宴，另“出王京携至女乐，却之而退。”对于朝鲜方面送来的女乐，倪谦都是“峻辞却之”，并先生作有两首《却乐诗》。闰正月初一，在宣诏受敕礼毕，归太平馆后，朝鲜王子首阳君瑈带诸王子及百官来见，礼毕，设宴，未宴前，王先遣礼曹参判李边又提出以女乐奉侍，倪谦依然是“峻辞却之”，李边之言颇为诚恳，而倪谦拒绝得也坚决。从中也可见明朝朝鲜方面的不同风俗礼仪，俱是作乐宴侍，明朝用的是男乐，朝鲜用的是女乐。李边提出了种种理由，固请不已，倪谦则是抱一定之规，严词拒绝，李边最后提出自己是奉朝鲜国王旨意前来，“若不听允，不敢复命”，倪谦则将途中所作的两首《却乐诗》送之，作为其复命的依据。从多次拒绝，可见以倪谦为代表的明朝使节的冰雪志节，也可见当时明朝朝鲜两国对于女乐的不同态度，及两国不同的风俗礼仪。

不仅对于女乐，就是对于朝鲜方面所送的礼物，也不接受。闰正月十八，倪谦一行准备起程返回，朝鲜国王不仅遣人来问安，而且“继遣礼曹参判李边来送土布为行赆，固却至再，与之辨难数四，不从而去。”对于朝鲜方面送来作为礼物的土布，尽管朝方一再相请，倪谦也是坚决不受，这看似不近人情之举，实则也正反映了他的清廉自守，正如古人所言，是“苟非吾之所有，虽一毫而莫取。”（苏轼《前赤壁赋》）

《朝鲜纪事》中最重要的，是记下了作者与朝鲜文士的交往与友谊。倪谦在出使朝鲜过程中，结识了诸多朝鲜文士，其中不乏像郑麟趾、申叔舟、成三问这样的知名文士，并与他们结下了深厚的情谊。

闰正月初二，倪谦等人在王京太平馆中，朝鲜国王先遣人来问安，继遣中官送庖羞，午后，又遣吏曹、户曹、礼曹、兵曹、刑曹、工曹六曹判书齐来设宴，其中的工曹判书，就是知名文士，《高丽史》的撰者郑麟趾，这也是倪谦与郑麟趾初次见面。接下来初三、初四、初五三天，倪谦都有答郑工曹，即郑麟趾诗，可见二人是一见如故，结成文字之交。初五日，承文副知院事申叔舟、成三问来谒，倪谦酬之以诗。接下来初六、初七两日，也均有答申叔舟、成三问诗。初八日，作者在馆中作《登楼赋》，借用汉末王粲的同题赋名，表久羁思归之意。另自初九日起，"每日饭后，申叔舟具书籍于案，讲校音韵疑义。"宾主切磋学问，疑义相与析，其乐融融。

在王京期间，倪谦应邀两游汉江，均当场赋诗，其诗章才华让异邦人士叹服不已。

一次是闰正月十四日，王先是遣人来问安，小宴。"继遣礼曹参判李边来请游汉江楼。乃与司马黄门乘马自南城出，陪行者：工曹判书郑麟趾、汉城府尹金何、知院申叔舟、成三问及迎接都监众官。至楼下，王预遣左副承旨李季甸、礼曹判书许诩设宴。楼下相迓，登楼宴。顷，都监持华扁诣前，跪索诗留于楼上。即席赋诗三章，与之。每一诗出，则众官聚首争诵，皆缩颈吐舌，向席惊叹。酒罢，请游汉江。登舟复酌，赋一章。缘崖遡流而上，复返楼下，月出始还。"此次游汉江，所陪者有郑麟趾、申叔舟、成三问等人，在汉江楼上，因朝鲜方之请，即席赋诗三章，每一诗出，都让朝鲜文士惊叹不已，在汉江上，也继赋诗一章。此次游汉江，先是溯流而上，复返汉江楼下，直至月出始还，有似于以前东坡与人夜游赤壁，可谓尽宾主之欢，也尽显倪谦的诗才豪情。

另一次是隔一日，即十六日，"申叔舟来走纸墨笔，酬之以诗。

请游杨花渡。渡濒汉江，乃乘轿自东城出。比至，王预遣都承旨李思哲、兵曹判书闵伸设幄相迓。入幄啜茗罢，步升石巅，供帐甚盛，苍松环绕。举酒极目，风帆沙鸟，景殊幽旷。席上赋诗一章。酒罢，请游汉江。登舟复酌，赋诗一章。沿流而下，至喜雨亭，王又遣官预置酒亭中。席上又赋诗一章，至暮还。”此次是游汉江边的杨花渡，登上石台，“举酒极目，风帆沙鸟，景殊幽旷。”寥寥数语，见江上景物之清旷，游人心境之浩然。倪谦在杨花渡席上、汉江舟中、喜雨亭中，各赋诗一首，至暮方还。此番出游，也有诗留下，不负朝方所约。这文字之交，也反映了当时两国的文化交流。十七日，倪谦综合前两番游汉江经历，作《汉江游记》，为汉江之游作了文字记录。两国文士结就的情谊，正如汉江之水，奔流不息。

闰正月二十日，倪谦一行正式起程回国，“王遣右副承旨李季甸、户曹参判朴以昌来问安，小宴。宴罢起程，出郊至慕华馆。王与世子病不能送，首阳偕诸王子预设宴馆中候饯。席上赋诗一章留别。百官预皆依山设帟候送。出馆，夹道拜饯，亦赋诗一章留别。至松亭，都监众官宴饯，亦赋诗一章留别。晚，至碧蹄馆，王预遣左议政皇甫仍、礼曹判书许诩、右副承旨金浣之、都承旨李思哲、礼参判李边设宴候。陪行者金何、申叔舟、成三问。”在慕华馆中、出馆的夹道上和松亭的饯行宴上，倪谦都赋诗留别。朝鲜方面派出的陪行者金何、申叔舟、成三问三人，皆为当时的知名文士，均为倪谦的好友，这样的安排，应是有意为之。一路上倪谦多有诗作，二十七日，到达安州安兴馆时，“王预遣工曹判书郑麟趾设宴。侍宴者安州牧使朴以宁。工曹以诗留别，即席和答，叔舟、三问亦和以呈，复和答之。”郑麟趾亦为倪谦好友，朝鲜方面预先派工曹判书郑麟趾在此设宴以待，也足见君臣上下考虑之周详。在此番饯别宴上，郑麟趾以诗留别，倪谦即席和答，申叔舟、成三问亦作和诗，倪谦复和二人之诗。

宾主之间往返酬和，正见情谊之深切，离思之沉重。

二十八日，自安州起程，郑麟趾和朴以宁以舟送倪谦过萨水，倪谦在舟中赋诗作别，郑麟趾和之。中午时，渡博川，成三问和诗以呈，倪谦复和诗答之。二月初二，在义州义顺馆，义州兵马节制使赵石冈设宴款待并饯行，倪谦在席上有留别金何、申叔舟和成三问诗，往复唱和数番。初三日，自义顺起程，至鸭绿江。赵石冈复于江滨设宴，申叔舟赋词为别，倪谦即席和答。“宴罢登舟，舟中复酌。涉岸，又举酒，留连不舍。醉后，左右强扶上马别，遂与安进偕行至辽东，同入朝。”从舟中复酌，上岸后留连不舍，酒醉而还，想必也是深有感于朝鲜文士和君臣上下的深情厚谊，值此离别之际，有借酒浇愁之意。在朝鲜的行程虽告结束，但是他与朝鲜文士结下的深厚友谊却永照史册。

结语

倪谦于景泰元年的这次朝鲜之行，既是政治之旅，也是诗歌之旅，友谊之旅。他后来所撰《朝鲜纪事》，是对这次出使行程的记录，所编《辽海编》，更是其与朝鲜文士友谊的见证。君子之交淡如水，从倪谦在朝鲜的题咏，与朝鲜文士的唱和，即可见当时明朝朝鲜两国的友好交往，两国文士之间的高情厚义，也体现出两国之间由来已久且割舍不断的文化交流。如果没有两国之间始终不断的文化交流为基础，倪谦不可能与朝鲜文士结下那么深厚的情谊，明朝朝鲜之间在历史上也难有那么紧密的联系。倪谦以实际行动促进了明朝朝鲜两国的相互理解与友谊，固然令人敬佩，而他在出使中所体现出的明朝朝鲜两国本着互谅互让之旨而友好相处的史实，直至今天对于如何处理国与国之间的关系也仍具借鉴意义。

明代中韩友好交流的使者

董越

刘喜涛(长春师范大学)

明朝与朝鲜王朝两国使臣的相互往来，分别代表各自国家行使外交权利。双方使臣肩负外交使命外，也是密切中韩关系的友好使者，并为后人留下了辉煌的文化。纵观整个明朝，出使朝鲜王朝的文翰之士多留有诗赋和纪事文本。留存于后世的明朝使臣记述有8部：倪谦的《朝鲜纪事》、张宁的《奉使录》、董越的《朝鲜赋》、龚用卿的《使朝鲜录》、许国的《朝鲜日记》、黄洪宪的《朝鲜国记》、朱之蕃的《奉使朝鲜稿》、姜日广的《輶轩纪事》。其中许国的《朝鲜日记》仅见记载，不见存本。以上使臣所留文本记录，虽然篇幅较短，但内容记录涉及到韩国国内各种自然、人文状况，这些使行录本身就是当时使臣往来交流的文化见证，也是中韩友好的历史化石。

董越出使朝鲜王朝概况

董越，字尚矩，江西宁都县人。五岁丧父，全赖其母教养成人。成化五年(1469年)进士第三名及第获翰林院编修，又晋升为侍读。成化二十年(1484年)被选为东宫讲学，二十三年(1487年)充任经筵讲官。孝宗朱祐樘即位年(1488年)，升为右春坊右庶子兼翰林院侍讲。董越博览古典，长于诗文，平生撰写文章歌诗，典雅优裕，而其人修眉长身，性格和厚，接人恭谨致礼，博洽善议论。

明朝弘治元年(1488年)，董越与刑科给事中王敞作为弘治皇帝即位的宣诏使出使朝鲜王朝，此时董越58岁，而副使王敞年36岁。“董越、王敞一行16人(随员14)于弘治元年(1488年)二月由辽东军的护送到达朝鲜王朝义州，朝鲜王朝远接使许琮，宣慰使蔡寿迎接并款待他们。之后经宣川郡、郭山郡、安州、博州郡、嘉山郡、安州、肃川郡、顺安县、平壤、长湍府、坡州、碧蹄馆，到达汉城。”使行途中，董越参观了诸如龙虎山、熊骨山、天马山、凰头山等美景，游览了平壤的浮碧楼等古迹。所到之处，皆受到了热烈的欢迎，在平壤和黄州，朝鲜王朝“设鳌山棚，陈百戏”以迎接董越一行。远接使许琮与董越还讨论了双方民俗的差异，许琮说：“吾见《大明一统志》书我国风俗，或云父子同川而浴，或云男女相悦而婚。是皆古史之言，今我国绝无此风。《一统志》因古书之，无乃不可乎？”副使王敞曰：“董老先生当修先帝实录，如此事改之何难。”董越说：“当书本国今时风俗，而仍载古史之言，不可。本国美风俗尽录与我，则修实录时当奏达载之。”董越到达王京汉城之时，朝鲜成宗国王衮冕郊迎，诸大臣则簪裾鹄侍，全城街巷，尽依礼制，盛陈丝竹百戏，披彩张画来欢迎；被迎入都城后，董越等被安置于太平馆，受到特别之礼遇：每日早晨，国王必遣一宰相，一承旨到太平馆问安，外出游览则备妥良驹代步，并提供笔墨作为唱酬之用。董越此次出使朝鲜王朝，主要是颁弘治皇帝登极诏，赍币帛文锦赐朝鲜国王及王妃。在完成使命之余，以文会友，同朝鲜文臣儒士广泛交谈，对朝鲜的现状及其文化习俗有了新的了解。通过交流，董越得知：朝鲜的毛笔并非狼尾所

景福宫庆会楼(© 张日圭)

制，而是黄鼠毫所制；朝鲜的纸不是蚕茧所制，而是楮皮所制。董越一行赴朝鲜王朝来去三个月，在那里逗留仅月余，但朝鲜王朝君臣同董越、王敞双方彼此皆留下了深刻印象。尤其是董越的诗才和品格给朝鲜王朝君臣留下了深刻难忘的印象，在朝鲜人的眼里，若同以往的文人使者相比，也要高出一格，若同宦官相比，简直就是天壤之别了。因此，董越在朝鲜王朝所表现的不仅仅是个人的风范，重要的是显示了一个文明大国使臣应有的风度。另外，就董越的身份来说，他是翰林学士，这对一向重礼仪、尚文明的朝鲜王朝来说，自然也提高了朝鲜王朝的地位，并进一步增强双方文臣交流的热情，而董越所作《朝鲜赋》，使中国人对朝鲜王朝有了许多新的认识，为中、韩之间的进一步交流奠定了基础。

《朝鲜赋》中的韩国印象

明朝与朝鲜王朝互派使臣，不仅要完成出使的常规使命，还兼有其他相关政治的、经济的、文化的多重任务。两国使臣在出使期间，通过诗赋酬唱、学问探讨、文化交流等活动，涉及到文学、语言、文字、书法、绘画、图书典籍、儒学、科学技术等领域。既加深了彼此了解和友情，也为两国文化的传播做出了贡献。出使朝鲜王朝的文官多出身翰林，具有较高的文化修养。而文翰出身的使臣不同于宦官出身的使臣，他们多数都谢绝了朝鲜馈赠的礼物，还致力于和朝鲜王朝的儒学家们进行学术交流。其中有几人还留下了出使朝鲜王朝的纪行文，如景泰元年(1450年)出使朝鲜王朝的使臣倪谦著有《朝鲜纪事》，弘治元年(1488年)董越留下《朝鲜赋》。文臣出使侧重诗赋唱和，文化交流。明朝使臣与朝鲜文人交游唱和，交流切磋，积极施展自己的诗才画艺，显示自己国家的文德礼义。双方的唱酬诗文，被朝鲜王朝政府辑录刻印，集成23部《皇华集》，成为明朝与朝鲜王朝诗赋交流的结晶。

董越的《朝鲜赋》是其出使朝鲜王朝归国后所写的一篇历史文学作品，董越追忆朝鲜王朝建国的历史，从朝鲜的土地疆域沿革，民间风俗的变迁，以及山川、亭馆、人物、畜产都详细记载。为了使记载有据可查，董越在从朝鲜白天所经历和看到的景观都一一记载，到晚上再仔细斟酌取舍形成记述文章。出使回来后，进一步查阅历史典籍，对照比勘，以免谬误，最终著成《朝鲜赋》。这卷《朝鲜赋》言简意赅，记述详细无误，对朝鲜王朝的社会文化生活记载详尽，具有了解当时朝鲜风土人情的重要学术价值。从山川地理、人情风俗、国家沿革、历史掌故、 服饰、建筑、官制、考试、动物、飞禽、蔬菜、矿产、语音等方面都有描述，相当于了解朝鲜王朝社会生活的一部百科全书。《朝鲜赋》开篇记载："诏许建邦，自为声教。曰《诗》曰《书》，视庠视校。士穷则辟蠹雕虫，宦达则抟鹏变豹。农勤稼穑，技习工巧。官多仿古，俸则给田。刑不以官，盗乃荷校……其最可道者：国有八十之老，则男女皆赐燕以覃其恩；子有三年之丧，虽奴仆亦许行以成其孝。王都设归厚之属，储棺椁以济乎贫穷；乡饮严扬觯之文，秩笾豆以戒其喧闹。婚媾谨乎媒妁，子出再醮者虽多学亦不得齿于士流；门第最重簪缨，世列两班者或匪彝则皆不为之礼貌。至若家不许藏博弈，祭则皆立家庙。大夫乃祭三代，士庶则止祖考。此皆自箕子而流其风韵，而亦视中国为之则效也。"这段记载是董越根据接伴使许琮的介绍，从整体上对朝鲜王朝的社会政治、文化和生活习俗进行概括，董越认为朝鲜王朝自奉明朝正朔以后，社会秩序井然有序，君王广施仁政。臣民则以《诗》、《书》等儒家经典为约束自身言行的礼仪规范。所有的世人皆尊老爱幼，士大夫则以国家社稷为重，与中国传统的社会价值观念一致。在家庭伦理道德方面，朝鲜王朝也都遵循儒家规范，反映出朝鲜社会是一个践行礼乐文明的国家。另外，在《朝鲜赋》中还有对朝鲜王朝社会的饮食、服饰、建筑等风俗的描写。其中朝鲜王朝的饮食分为主食、茶食和菜肴、酒类等。主食以馒头、各种糕和饼饵为主，反映了朝鲜王朝农作物以小麦和水稻为主的特点，菜肴主要包括蔬菜和肉类，其中牛、羊、猪、鹅四种为常见的肉类。茶食主要指人参汤，在董越向朝鲜王朝国王颁诏完成之后，在勤政殿向董越进献一盏人参汤。其他甜食主要为饼饵，水果则以时令的瓜果梨桃为主。在服饰方面，分为官服和平民服装，区别在于官员品级不同，服饰不一样，其中堂上官面料多绮绣，面料为棉和丝织品；三品以下的堂下官面料多绸布；平民则为麻布。官员多穿鹿皮制的鞋，普通百姓则穿用牛皮制的鞋。在建筑风俗方面，《朝鲜赋》中主要记述了勤政殿、仁政殿、慕华馆和太平馆。慕华馆位于王京城外，在这里，举行迎诏敕仪式，根据明朝使臣到朝鲜王朝所颁诏谕不同，举行不同的迎接礼仪，如迎诏仪、迎勅仪等。迎诏敕仪式结束后，使臣要从崇礼门入城，进入太平馆。《朝鲜赋》记载：“崇礼门，自上迎诏、勅正门也。”自朝鲜王朝建国以来，迎接诏书和敕书一定要通过崇礼门入

昌德宫仁政殿(© 张日圭)

城。在通向景福宫和昌德宫的时候，百官要列立于宫殿两侧，大小官员全部穿着符合自己品阶的官服，国王陪同明使，鼓乐齐鸣。各种迎接仪式完成后，使臣一行入住太平馆。在太平馆住宿期间，明使要享受朝鲜王朝政府和官员的多次宴请。关于太平馆，《朝鲜赋》记载："太平有馆，在崇礼门内，中为殿，前为重门，后有楼，东西有廊庑，所以待天使者。"太平馆是明朝使臣在朝鲜王朝住宿和活动的馆舍。明朝出使朝鲜王朝多为颁布诏令敕书的使臣。使臣一行到达汉城郊外，国王带领王世子及以下大臣到城外慕华楼远迎，然后到宫阙行茶礼，接受诏勅。迎接诏敕仪式结束后，使臣一行到达太平馆接受朝鲜国王的宴请。翌日，朝鲜国王还要亲自到太平馆设下马宴，又翌日，在太平馆设翌日宴。过几天后又设温斟宴。使臣回国前一天或前两天，国王要亲自到太平馆设饯别宴，称作上马宴。以上各次宴饮在董越的《朝鲜赋》中有记载："太平馆初燕(宴)为下马燕(宴)，再燕(宴)为正燕(宴)，三燕(宴)为上马燕(宴)，仁政殿之燕(宴)则名私燕(宴)也，初拟此礼以未当欲与议更张，及至，乃知太平、慕华二馆其制皆殿，专为奉迎天诏而设，无事时，王则不造，及观其每来设宴，必先于馆门外小殿俟候，乃知不必更張。"大部分的宴饮在太平馆内举行，也有在太平馆外举行宴饮的情况，如仁政殿宴请，这是朝鲜国王在王宫内举行的宴会。如果使臣不愿意去王宫，国王会亲自到太平馆设宴代替。董越以严谨的态度，及时记录出使朝鲜的沿途见闻，凡山川、风俗、人情、物态都详细记录，成为后世了解当时朝鲜社会风俗不可多得的珍贵史料。

董越在韩国的社会活动

根据《朝鲜王朝实录》记载，明朝使臣到达朝鲜王朝除了进行正常的使行活动外，还要与朝鲜的官员进行叙旧、笔谈，游览王京等。明朝使臣在朝鲜王朝的游观主要集中在朝鲜王京附近的寺院、城内景点、成均馆、慕华楼、汉江以及南山等地方。包括风景和名胜古迹，最多的是到汉江游湖，还有去寺院的记载。游览汉城周边地区的主要活动是设宴、射箭、游湖、钓鱼、放鹰等。也有使臣到成均馆、箕子庙谒圣。文臣更加注重文化的传播和交流，他们到成均馆拜孔子庙并和成均馆的学生们探讨诗文，这也受到朝鲜的文臣欢迎，双方在诗文唱和的同时，促进了中韩文化交流。董越到达朝鲜王朝后，曾经拜谒箕子庙，当了解到箕子庙旁边是檀君庙后，再次进庙行拜礼，得到了朝鲜王朝陪同官员的赞誉。

在游览过程中，明朝使臣在观赏和宴饮过程中会了解朝鲜王朝的历史和风俗，也会和接待的官员进行诗赋唱和等文化交流，在宴饮过程中，为了活跃气氛，朝鲜官员还会安排歌妓舞女等助兴。像茶饮这样的宴请虽不是大型宴会，但也会在茶礼之后进女乐为明使歌舞。对于朝鲜提供的女乐，董越也都婉言拒绝。如在新安馆驿的宴请中，朝鲜方面向使团提供“妓乐”表演，董越以“先皇帝丧三年内，不可听乐”为由谢绝。到达开城府时，朝鲜远接使许琮欲进女乐，被董越再次拒绝。董越的言行得到了朝鲜官员的称赞，被评价为“凡行礼极其敬进，无少差违，可谓正大之人矣。”

另外，明朝和朝鲜王朝的风俗也是使臣在游玩中经常谈论的话题。在1488年作为使臣来汉城的董越和副使王敞在和伴送使许琮交流的过程中就谈到了关于朝鲜王朝风俗习惯，并要求随从记录下来。伴送使许琮曰：“臣在路上，与天使言本国风俗。天使云：‘修先帝实录时，当载之矣。’此虽不可信，使本国美俗传播中朝亦幸矣。”关于董越所言要把朝鲜风俗载于所修先帝实录之中，朝鲜方面非常渴望并重视。董越和王敞还曾和伴送使许琮到临津游览并在舟中小酌畅谈。许琮一再嘱托董越，“董先生还朝修先帝实录时，本国风俗当奏皇帝，书于史策。先生性直，平生不贰言。”这种自由讨论时政、风景、民俗的情形，在游览过程中经常发生。

结论：使臣作为媒介的中韩文化交流史

中韩文化同根同源，汉文化一直被韩国引进和吸收，箕子东渡带去了先进的汉族文化。追至明朝时期，双方使臣成为维系韩国与明朝关系的纽带，通过使臣来往，促进了两国的文化交流。使臣赴韩后，有官员陪同明使在京城内的文庙进行拜谒，游览金刚山、汉江、杨花渡、西江等地。双方官员诗赋唱和形成许多文化成果，如流传后世的《皇华集》，各种类别的使行记录等。董越的《朝鲜赋》从社会生活、民俗文化、风土人情、自然地理等都有详尽记载，这些记载与《明史 朝鲜传》都很吻合，可见董越考证严密，以亲身体验为佐证，最终形成以资后人了解朝鲜的《朝鲜赋》，其对中韩文化交流贡献斐然。明朝使臣在了解韩国的同时，当时的韩国使臣也注重引进汉学书籍，他们带回了中国的传统古籍，如《四书五经》、《春秋会通》《大学衍义》等，中国书籍流入韩国，这也成为中国文化输入韩国的一种方式。另外，药材、医术等也传入韩国，儒家文化在韩国历史上传播后形成“朱子学”体系，后期经过吸收明朝“阳明学”形成具有自身特色的“性理学”文化。在引进文化传播载体书籍的同时，韩国一直使用汉字书写，共同的文化特质和交流媒介促进了中韩关系的融洽。

自古以来，中韩就建立并保持了长久的和平、稳定关系，通过双方使臣往来，中国在政治、宗教、文化、风俗、经济、军事、礼仪、思想、观念等多个领域影响韩国。对于中国先进的文化、思想等，韩国主动遣使引进和吸收。同时，通过使臣往来，中韩之间建立了一种良性、顺畅、遍布各个领域的外交关系。中韩使臣往来对这种全方位、多角度、多层面外交的实践，体现了现代社会的“立体外交”思维。中韩历史上的这种外交关系体现出独特的魅力和特点，对后世乃至当今的东亚国际交往具有可资借鉴的历史经验作用。

在朝鲜引领诗赋外交的明朝诗人

祁 顺

赵海龙(上海复旦大学)

使者是连结明朝朝鲜宗藩关系的纽带，是朝贡制度的载体。而文官使者是这一纽带中不可或缺的组成部分。进士出身的文官使者第一次出使朝鲜是在1402年，史载："帝遣鸿胪寺行人潘文奎来，赐王冕服"。潘文奎是第一位出使的三甲进士，他是明惠帝建文二年进士，给朝鲜君臣留下了良好的印象。

据统计，大明遣往朝鲜的进士出身的文官使者共计有53人次，占文官使者比例的55%。这些进士使者出自科举体制之下，大都饱览经书史籍，潜心研究学问，尤其擅长文学与歌赋，具有良好的文学素养，无论等第的高低，大都是"贤且才者"。在这其中，有一个人物不得不提，他就是祁顺。而在谈及祁顺时，有一个名词和另一个人物又不得不提，就是"诗赋外交"及其代表《皇华集》和徐居正。在某种程度上说，祁顺是明代"诗赋外交"的代表，而徐居正作为朝鲜官员和诗人，其对祁顺的评价会更加具有说服力和代表性。

祁顺、徐居正，何许人也？

祁顺(1434-1497)，字致和，广东东莞人。天顺庚辰(1460)进士，历户部郎中、江西左布政使等职。著有《巽川祁先生文集》(《明史》记二十卷、四库全书存目丛书作十六卷附录二卷存)、《石阡府志》十卷(散佚)、《使东稿》十卷(散佚)等。

徐居正(1420-1488)，字刚中，号四佳亭，庆尚道大丘人，朝鲜李朝世宗、成宗年间的文学评论家、诗人，他有较高的成就，所编《东文选》是朝鲜一部珍贵的文学选集，有个人文集《四佳集》传世。

“诗赋外交”，何许物也？

所谓“诗赋外交”，是指在外交场合“赋诗言志”，即通过吟诗作赋表达立场、传递信息的一种外交话语方式。它作为一种政治活动最早源于春秋时代各诸侯国之间的交往。秦汉以后，随着中央集权的强化，诗赋外交的功能也有所发展。自唐以来，中国加强了与周边国家的联系，在中国同各国交往的过程中，诗赋外交既有政治意义，亦有文化意义。使者在完成外交事务的同时，往往进行著述，反映其对国内外政事的关注。

到了明代，中国与朝鲜的宗藩关系十分密切，明王朝继承了传统的诗赋外交。在明朝和朝鲜的外交活动中，两国的文人往往通过诗赋唱和这一方式传递情感，探讨文学、解决外交问题。明朝皇帝对选择出使朝鲜的使臣非常重视，派往朝鲜的文臣都擅长诗赋、富于才华，能以文献问答折服朝鲜君臣，维护明朝的威望，以促进双方文化的进一步交流。朝鲜方面安排的远接使和馆伴也都是最具文才学识的知识

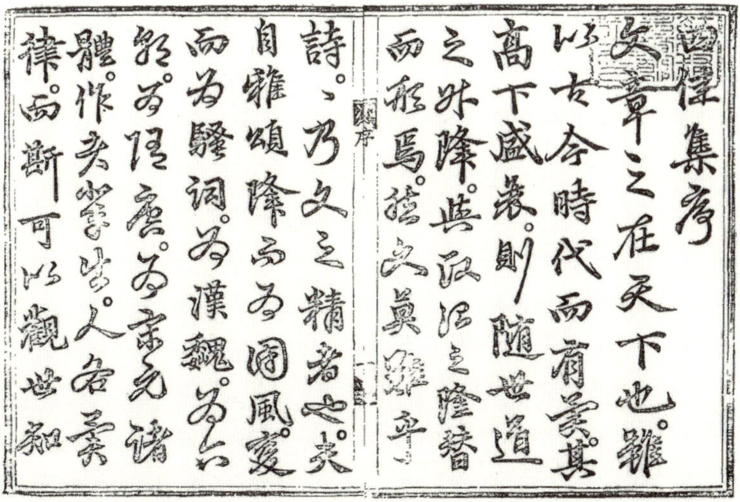
四佳集序
文章之在天下也。雖
以古今時代而有異。其
高下盛衰。則隨世道
之[illegible]降。與[illegible]之隆替
而[illegible]焉。詩文[illegible]
詩。乃文之精者也。夫
自雅頌降而為國風變
而為騷詞。為漢魏。為六
朝。為唐。為宋元諸
體。作者紛出。人各異
律。而斷可以觀世知

徐居正，《四佳集序》

分子，代表着朝鲜文化发展的最高水平。这一方面是为了适应诗赋外交的需要，表现出对明朝的重视和尊重；另一方面也包含一种竞争的心态，中国对于朝鲜而言是一个文化大国，文化大国对朝鲜不是没有压力的，因此朝鲜在向明朝学习的同时，也致力于向明朝展示自己文化的繁荣，希望得到明朝对它文化地位的肯定，从而提高自己在明朝属国中的地位。

诗赋外交下的文学产物，最有代表性的则是《皇华集》，朝鲜政府把明使出使的唱和作品及明朝使臣的其他作品每次结为一辑，统称为《皇华集》，这一传统一直保持到明朝末年。其中明朝使臣祁顺出使与朝鲜文人的唱和作品编为《丙申皇华集》。

在祁顺出使朝鲜时，朝鲜委派徐居正全程接待，两人在诗词歌赋方面的“较量”对这种诗赋外交体现得淋漓尽致。

集高水平诗人和重清廉官员于一身的祁顺

诗词歌赋方面，从已有文献记载以及从徐居正与祁顺之间的诗词交流等来看，祁顺的文采得到世人，特别是朝鲜半岛的公认。

我国明代的成化年间对出使朝鲜使臣曾有规定：“朝鲜虽称外国，其人多多读书、识礼。苟使臣非人，必为所轻！今后赍赏遣内臣，其册封等礼，仍选廷臣有学行者充正、副使，庶不失中国大体，而亦可服远人之心。”

当时明廷已意识到“朝鲜国习尚文物”，其文物典章，已远超过其他属国，朝廷遣使需能以文折服朝鲜君臣，宣扬大明风教，维护明廷威望。成化十一年(1475年)，朱佑樘被立为太子，祁顺奉建储诏，赐一品服，出使朝鲜。

任命祁顺为正使出使朝鲜，与他斐然的文才不无关系。据祁顺同榜进士、《明宪宗实录》修纂官张元祯所撰《明通奉大夫江西左布政使祁公墓志》记载：祁顺原应为当年首甲状元，但因姓与名均接近英宗朱祁镇之名及当时“天顺”年号，因此未被点为一甲状元。

祁顺在出使朝鲜期间创作了数量颇丰的唱和作品，在朝鲜文人中徐居正与之次韵的作品最多，水平最高。收录在《丙申皇华集》中的作品，祁顺有诗歌144首，徐居正191首。祁顺的个人文集《巽川集》中，也收录了此次出使的唱和诗文，共27首诗歌，两封与国王的书柬。同样，朝鲜文人徐居正的《四佳集》中，也保存了唱和诗文，共42首。从两位的唱和诗的内容，即追溯箕子、礼貌却妓、知己情谊、纪行感悟等四个大类的一些代表性诗句中就可以感受到祁顺的文采。

一是有关追溯箕子方面。众所周知，朝鲜与中国文化的密切交流就是始于箕子朝鲜，明使在朝期间都会参拜箕子墓和箕子庙，赞扬箕子的功绩并表达缅怀先人的崇敬心情。《丙申皇华集》中有11首与箕子题材相关的作品，其中包括了祁顺的5首，徐居正6首。其中，祁顺《谒箕子庙赋》中写道：有商之衰兮大道沉沦，女戎煽处兮积粟成尘。荒亡败度兮虐焰肆氛，藐天威之弗戒兮，远忠言而罔闻。嗟哉！夫子兮遭时孔疚，义为大臣兮亲则诸父。……《书》有九畴兮《易》有明夷，仲尼有赞兮，宗元有碑。斯夫子之道大兮，又奚用赘乎一辞。

此篇赋共364字，是祁顺游览箕子庙凭吊古人的怀古之作。讲述商纣王荒淫无道，暴虐统治不得民心，不守先王之道，不敬鬼神，不听忠言。微子、箕子、比干三人作为纣王的亲人和臣子，为了国家的社稷着想劝谏纣王，但都遭到了不好的下场。箕子在朝鲜建立封国，传播中原的先进技术和文化，实施了一系列的文化举措，这是朝鲜教化的重要起步，教其民以农耕、蚕桑、礼仪，布“八条之禁”，这八条法律更是朝鲜律法与礼仪的重要象征，化蛮夷之地为君子之国。

《书》、《易》等书籍有记载、孔子对箕子称赞有加、柳宗元也为箕子刻碑铭记，诗文引用典故和历史事件，不仅说明了箕子在中国的重要地位，也肯定了箕子遗风对朝鲜的深远影响。祁顺通过简短的364个字，将这段历史描述的栩栩如生，不能不钦佩他的诗赋的高深和精妙。

同时，徐居正有次韵一首，并在格式上遵从了祁顺《谒箕子庙赋》的用韵，内容上也相似于祁顺的表述，感情上也表达了对箕子的崇拜与敬仰。从中也可以看出，徐居正对中国历史事件是很了解的，十分熟悉商周的政权更替，纣王的暴政，微子、箕子、比干的仁义。诗句写到箕子对朝鲜的教化作用一直延续到现在，表现出明朝对朝鲜儒学传统的认同以及朝鲜借本国历史传统来寻找对中国文化归属的意图。这其中不仅仅表现出徐居正对中国历史事件的熟悉，还有一个更加重要的方面，他在写作方式、内容选择上都与祁顺所作相似，足可以看出对祁顺在诗词歌赋方面的认可。

二是在纪行感悟方面。明朝使臣出使朝鲜都是带有使命的，完成任务后不能久留在朝鲜，往往远接使和馆伴就在短暂的时间内，带明朝使臣把朝鲜有特色的景点或是文物圣地领略一番。同时，又因这些胜迹是使行过程中所见，所以往往与纪行内容结合，其中太平馆是一个必不可少的景点。

其中，《太平馆登楼赋》是写的较好的一篇作品，“余生世获落兮，耻孤陋而寡俦；尊前哲之矩矱兮，曰信姱而好修。厌领海之遐僻兮，早翱翔于中洲；谓见闻其未广兮，愿高举而周流。……昔屈原之远游兮，徒寓言而匪实；何司马之博洽兮，亦徒止乎中国。思九州其寥阔兮，余足迹殆将半也；闻蓬壶之清胜兮，欲一至以偿夙愿也。承天子之宠命兮，走轺传于东韩；指天涯以驰骛兮，杳道路之漫漫”。

在赋中，祁顺表达自己高远的志向，以屈原远游为例，司马迁那么博学都没有走出中国，然而自己有幸得到皇帝的宠命，可以走出国门，见识外面的世界，对自己而言很是难得。

随后在“寻碣石之遗迹”等诗赋中，缅怀汉武帝的丰功伟绩。这首赋的写作特点很明显，仿照楚辞的格式，属于骚体赋。赋中大量的“兮”字句:是楚辞体的文体标识。赋中大量化用《离骚》的诗句，使得行文结构流畅，如“淬宝剑於咸池兮，挂弯弓於扶桑”化用了《楚辞 · 离骚》中“饮余马于咸池兮，揔余辔乎扶桑”；“天涯以驰骛兮，杳道路之漫漫”化用了《楚辞 · 离骚》中“路漫漫其修远兮，吾将上下而求索”；“朝发轫于大都兮”化用了《楚辞 · 离骚》中“朝发轫于苍梧兮”这一句。

最后，祁顺也通过大量的诗句表达出了对徐居正的知己情谊。祁顺在朝鲜仅逗留八日，和徐居正唱和的作品就有一百余首，徐居正都依韵作诗，两人在一唱一和中建立了友谊，两个国籍不同的人可以像知己一样，畅谈文学观点，这段友情更令人珍惜。尤其在离别之际更流露出伤感的情绪，文人习惯用文字倾诉彼此的不舍与情感。祁顺《鸭江别徐君议政》两首，(其一)“海国诗书彦，推君第一流。相逢频下榻，到处共登楼。琼玖难为报，明珠不暗投。临分意何限，东望缓移舟。”

知己情谊不仅表现在双方的诗歌唱和上，祁顺十分欣赏徐居正的才学，在《与国王书》中，向朝鲜国王夸赞徐居正，曰：“因参赞徐居正送别将还，专此奉达。居正有文学，乃王所信任者，而遣以相陪，周旋日久，则王所以厚僕于斯文之意，岂浅浅哉!”赞赏徐居正的文学素养，虽接触时间短，但是徐居正传达出来的情谊都使祁顺挂念在心。从中也表达了感谢之情，感谢朝鲜举国的盛情招待。

在《丙申皇华集》中，祁顺善用组诗的形式写作，一个题目之下吟咏多首诗歌。《开城小咏》十首，《朝鲜杂咏》十首，《承佳咏有所感发，再赋五绝十首》十首，《赠别》十首，这些诗作有对景物、环境的描写，文字优美，描绘了江河大川的壮丽；还宣扬了明朝的教化远播，将一个儒家文化映照下的文化礼仪之邦的形象跃然纸上；又不乏思乡之情，长期的路途艰辛，使人的心理上更加的思念家乡。组诗的写作对作者的要求更高，在短暂的观赏后，作出十余首富有内涵的诗歌，往往更见文人的创作功力。

祁顺和徐居正的唱和诗，促进了明朝朝鲜两国文化的交流，两人在唱和的过程中，建立了深厚的友情。祁顺在唱和诗中宣扬儒家文化对朝鲜的深远影响，为朝鲜正确理解和接受中华文化做出了贡献，树立了清正廉洁的使臣形象，朝方还为其建“却金亭”。徐居正在次韵作品中传达了对中国文化的认同以及强烈的华夷观念，表现出了朝鲜文人的文学素养和谦和的交友态度。祁顺和徐居正是明朝朝鲜两国诗赋外交的代表人物，为此后的明朝朝鲜文人的文学交流树立了榜样，成功地扮演了文化使者的角色。

另外，朝鲜文人崔溥在其《漂海录》中记载：荣曰：“我朝郎中祁顺、行人张谨曾使朝鲜，著《皇华集》，国人赓和，徐居正居首列也。其诗有曰：‘明皇若问三韩事，文物衣冠上国同。’今见足下，诚千载一遇，蒙不弃，复承和诗，谨奉薄礼，少助舟中一膳，希目入幸甚。”臣曰：“祁郎中文章清德，人所钦慕，今为甚么官职？张行人亦任甚么职事？”荣曰：“祁郎中见贬为贵州石阡府知府。”此时距祁顺出使朝鲜已经十三年，朝鲜国一个普通文官，对“祁郎中文章清德”仍印象深刻，展现了在异国人眼中祁顺的文采确实出众。

清廉形象在朝鲜深入人心

成化十一年，祁顺赐一品服出使朝鲜，以前出使的官员跟从出关谋利人数百人。祁顺禁止，只让三十名士兵跟随。特别是在礼貌却妓方面，更是体现出来祁顺的清廉形象。

朝鲜是礼仪之邦，使臣从义州进入朝鲜境内后，就有远接使、馆伴等人负责接待，无论是在起居住宿还是游览宴饮等各方面，朝方都会事无巨细地安排妥善，呈现出热情的待客之礼。祁顺一行的主要任务是颁建储诏，对于这一政治行为，官方的接待方式通常离不开宴席、游览古迹一类的活动，因此就会在一些场合安排歌妓、舞妓来助兴。很多明代出使朝鲜的官员都很能洁身自好，保持了很好的大国的风范，对朝鲜提出的歌妓等方面的安排都会礼貌性地回绝。

对于这一行为，祁顺采用的方式是用诗句的形式加以拒绝，先后共作三首“却妓诗”，其中，《宴百祥楼却妓口号》最有代表性，“绮筵何用出娉婷，礼重由来色是轻。尤物移人应速祸，淫声乱雅太无情。因缘旧愧风光曲，落魄空赢薄倖名。争似昌黎文字饮，醉来歌咏有余清”。在此诗中，祁顺委婉地对宴席上用歌妓、舞妓表示了质疑，暗含一定的批评之意，可以不用这种靡乱的形式，建议大家就应该以诗酒作对的方式歌咏情怀。

另外，历官四十多年，家业比初出仕时无所增。在江西修志时，积存纸价至三千金，当时祁顺已经奄奄一息，有人劝其子将纸取而用之。祁顺隐约听见，立即告诫自己的妻儿“吾生平慎修，欲无少玷，吾即

首尔文庙(© 张日圭)

死，汝辈若惑于人言而侵用经金，吾目必不瞑，宁归饿死可也。”清廉之节，在死生之际也不稍懈。

旧在东莞桂华坊有“进士”牌坊、“方伯”牌坊，皆为纪念祁顺建。在东正街有“父子进士，兄弟世科”是表彰祁顺及其兄弟、子孙的。在广州有‘忠贤’坊，也是为表彰祁顺等人的品格而建设。

前人对祁顺诗的评价，以张其淦最为详细公允。张其淦《吟芷居诗话》：祁巽川方伯(指祁顺)，历官中外，以清洁自守。却海外之遗金，留江西之公帑。所谓以清白吏遗子孙者，斯人良不愧也。钟云瑞谓巽川讲敬斋、白沙之学，立志于警非寡过，儒臣之宗也。袁昌祚谓巽川诗文其志洁，故其旨冲和。其行芳，故其词雅淡。可谓知言也。今读巽川诸诗，古体洁净，不事雕饰，近体五言如：“地寒犹有树，塞远不扬沙。”、“健以穷愁博，吟应太瘦生。”、“道重浮名薄，官贫素节优。”、“世事不挂号，故人常在心。”七言如：“陇梅欲寄春无便，池草初生梦有香。”、“酒力中人春去后，江声欺梦月斜时。”、“数茎蓬鬓经霜改，一点葵心向日孤。”、“天上几时均雨露，人间无处不风波。”、“留咏只将山当画，攻愁常借酒为兵。”、“宇宙纲常今古事，江山风物短长吟。”、“宦程自笑先居后，岁月从教故又新。”、“生涯好是安蛇足，门巷真堪设雀罗”诸作。均有冲淡夷犹之致。

明朝朝鲜两国形成了“恩结一体，利害相同，互爱其国，互助其人，虽下百世，亦无能废也”的友好关系。在这友好关系中，以祁顺为代表的遣朝使节作出了重要贡献。

编写《使朝鲜录》的明朝使臣

龚用卿

郑贤月(大连大学)

2017年是中韩建交25周年，相似的文化底蕴和相邻的地理位置提供了中韩两国之间的频繁交往，形成了“韩流”、“汉风”等独特的风景线。中韩两个有着悠久的交流历史，以前国家之间的交流是通过派遣使臣来完成的。公元前109年汉武帝派涉河到古朝鲜开始到1840年(清宣宗道光20年)，中国历代政府给朝鲜半岛派遣969次使臣。其中，明朝和朝鲜是互相派遣使节最频繁最鼎盛的时期，据不完全统计，在明朝朝鲜派往中国使臣1252次，中国派往朝鲜使臣153次。出访的使臣是一个政权外交政策的具体执行者，对外交政策能否顺利实现有直接影响。同时，使臣的一言一行都代表着国家的形象，甚至可以影响两个国家或政权的邦交关系。

使臣中最具有代表性的人物是明嘉庆时期的龚用卿。1537年龚用卿为了告诉朝鲜“皇子出生”作为正使前往朝鲜，回国后整理出版《使朝鲜录》。在众多中国使臣中龚用卿是在《朝鲜王朝实录》里记录最多的使臣，对朝鲜影响最大的使臣。因为他直接促成了明朝和朝鲜之间“誊黄制度”的建立，这是明朝将朝鲜视为“内服”、“一家人”的标志性事件。他为两国友好关系的建立和发展发挥了关键作用，对两国的文化交流也作出了巨大贡献。

龚用卿的生平介绍

龚用卿(1500-1563年)，字鸣治，号凤岗，出生于不仅在科举仕途上大有作为，而且在著述辑刻、藏书园林上也可圈可点，留下丰厚的文化遗产的，历史上著名的文化世族家庭。是通贤龚氏第七代，怀安县(今属福建省福州市鼓楼区)人。明嘉靖元年(1522年)举人，嘉靖五年(1526年)成丙戌科一甲一名进士(状元)。龚用卿长得一表人才，美须眉，丰神朗莹。他精通八股文，又有文才，作古文诗歌，从不崇尚浮靡。26岁中状元后，授翰林院修撰，历左春坊、左谕德、翰林院侍读直经筵。参与编修《明伦大典》、《太明会典》等大型书典。

嘉靖十五年(1536年)，龚用卿、吴希孟因皇子出生事而颁诏于朝鲜，复命后被皇帝“得赐一品玉带麒麟服”。出使朝鲜时他的文学才华赢得了朝鲜举国上下的钦佩，成功地完成了出使任务。回国时表现了清廉的气节，婉言谢却朝鲜君臣的馈赠，使“远人钦服”，在朝鲜君臣心中树立了良好形象，他还在出使期间结交了许多异国好友。他对其后出使朝鲜的使臣树立了良好的榜样。归国后，他的上书建议得到嘉靖帝的首肯，并付诸实施，这是他为明朝朝鲜两国关系所作的一大贡献。之后，曾三次出任会试同考官。嘉靖二十一年（1542年），被提升为南京国子监祭酒。任上，他增修学舍，整顿学风。不久，嘉靖二十五年(1546年)，因病退职，返回福州养老。隐居家乡达二十年之久嘉靖四十二年(1563年)，龚用卿在福州病逝，葬福州吉祥山。

龚用卿学养深厚，擅于诗词，对三礼之学有相当研究，著有《云冈文集》20卷。《云冈文集》中，主要有《玉堂讲义》、《效庙礼文》、《使朝鲜录》、《云冈诗文集》等，而其中最有特色的是《使朝鲜录》。研究明朝朝鲜古代关系史来说，《使朝鲜录》是最具历史价值的一手资料。

遗留朝鲜的文化遗产

龚用卿出使朝鲜是嘉靖帝执政后第一次向朝鲜派遣使臣，对于两国关系意义重大。另外皇子的诞生对嘉靖帝意义很大，嘉靖即位以后，一直艰于子嗣，皇子诞生对他来说意味着后继有人，使他的统治地位更加稳定，也正好成为嘉靖帝沟通明朝朝鲜两国关系的一个契机。所以嘉靖帝以颁皇子诞生诏的名义，向朝鲜派出使臣。龚用卿饱览经书史籍,潜心研究学问,尤其擅长文学与歌赋,具有良好的文学素养，使朝之时,沿途所作诗赋达107 首之多,凡楼亭馆阁、墓碑祠庙及山水草木无不题咏。他的诗赋都收入在《皇华集》和《使朝鲜录》里。中韩学者对这方面的研究比较多。除了诗赋以外，龚用卿在访问朝鲜的过程中，留下了很多宝贵的文化遗产。

对朝鲜山和建筑物起名

1537年3月10日，龚用卿和吴希孟到达朝鲜京城。在慕华馆受到隆重的接待。3月14日朝鲜国王在景福宫的庆会楼摆设宴会接见龚用卿一行。并邀请龚用卿对景福宫西侧仁王山和北侧白岳山等重新起名。因为对山和建筑物起名是对使臣的最高待遇。当时龚用卿应朝鲜国王的要求起名如下：白岳为拱極山、仁王山为弼雲山、庆会楼西边池为玉液，东侧池的石桥为晴虹、栢子亭为凝秀亭、崇顺堂前面两棵松树为老龍和盤虬。

留下的书法作品

庆会楼的额字

书法是中国及深受中国文化影响的周边国家和地区特有的一种文字美的艺术表现形式。书法为独创的表现艺术，被誉为：无言的诗，无行的舞；无图的画，无声的乐等。文人书法是国学素养的体现，其要素在于学者的人格理想、学识积淀、才华禀赋、精神境界的综合与升华。

根据首尔六百年史年表，1537年11月11日完成龚用卿写的庆会楼额字的记录。景福宫庆会楼，是一座雄伟壮观的建筑，景福宫中景色最漂亮的地方。位于勤政殿西北边，是国家每逢喜事时或迎接外交使节时举行宴会的地方，建于一个巨大的人工池塘之上。是韩国国王与大臣们举行盛大宴会或接待外国使节的地方。被指定为第224号国宝。

庆会楼的名字是高丽末朝鲜初文臣河仑(1348年-1416年)起的。初建时，原是小阁楼，建于太宗永乐十年。在1412年扩建莲池时，扩建成规模宏大的阁楼。原来的额字是应太宗的命，大儿子让宁大君写的。楼阁造型被誉为韩国之最，方型河池上耸立的石柱楼阁，看似巨大楼阁漂浮在池上，显得异常壮丽。但在壬辰倭乱(1592年)时被烧毁，只剩下石柱，现在的庆会楼是1867年高宗4年重建的。说明1537年龚用卿写的额字书法作品在壬辰倭乱时跟阁楼一起被烧毁，我们看不到龚用卿的书法风采。但通过让龚用卿写庆会楼额字事件，我们不难看出当时朝鲜国王对龚用卿的尊重和重视程度。

海云亭里留下的牌匾和画扇

文化遗产是人类留下的生活痕迹。位于韩国江陵市的海云亭是代表朝鲜上流社会的朝鲜中期木造建筑物。它是1530年渔村沈彦光(1487年-1540年)在任为江原道官察使时建成的。1963年被指定为第183号韩国宝物。里面保管很多像栗谷李珥(1536年-1584年)一样名人的诗文板。特别是1537年明朝使臣正使龚用卿写的“镜湖渔村”和副使吴希孟写的“海云小亭”两个牌匾。还有正使龚用卿捐赠的画扇(长31cm，宽54cm)。根据1977年东亚日报介绍，此画扇是龚用卿拜访沈彦光家时，把自己手里的画扇作为纪念给沈彦光的。当时渔村沈彦光作为馆伴使正接待明朝来的龚用卿和吴希孟。图一和图二是韩国文化财网上介绍海云亭文件里找到的龚用卿的牌匾和花扇。

图1. 龚用卿写的《镜湖渔村》和吴希孟写的《海云小亭》

图2. 龚用卿捐赠的画扇上面写的五言律诗

辽宁辽阳千山大安寺罗汉洞刻石

千山位于辽宁省鞍山市东南17公里处，总面积44平方公里，素有“东北明珠”之称，为国家重点风景名胜区。在明代千山已然为“辽东第一山”，亦是当时文人墨客游览佳处。千山作为旅游名胜，在明代已享盛名。而且鞍山驿堡是明朝使臣出使朝鲜和朝鲜使臣来明朝要经过的辽东驿路的重要驿堡，很多明朝使臣和朝鲜使臣的诗文中都有对鞍山驿堡及千山的记载。据《明实录》记载：嘉靖十六年(1537)九月，龚用卿和吴希孟从朝鲜返回北京复命。路经辽阳时，二人在地方官员陪同下游览千山，吟诗唱和并刻石留念。其中龚用卿留下了《龙泉寺待吴龙津给事不至》、《游中会寺》、《香岩寺》、《罗汉洞》等四首诗；吴希孟留下《游龙泉寺》、《罗陀洞》、《宿大安寺有怀》、《罗汉洞》等四首诗。从这些诗中，我们可以看出，他们先是游览了北沟的龙泉寺和祖越寺，然后又游览了中沟的中会寺，最后到了南沟的大安寺和罗汉洞，不但遍赏千山之美，而且把游览的感受凝结在诗文的字里行间。他们在大安寺罗汉洞内东壁上留有刻石："嘉靖丁酉仲夏壬子，翰林院修撰龚用卿、户科给事中吴希孟、苑马卿冯时雍、太仆寺少卿李翔、分守参议高登、副总兵李景良、寺丞吕朋、都指挥刘大章、陈善、徐府同游大安寺罗汉洞。"碑石质为青石，卧碑形制，高 56厘米，宽72厘米。碑阴刻楷书题名12行，满行6字。此后明朝使臣出使朝鲜，朝鲜使者到明朝朝贡均经过辽东，而过辽东又需经过鞍山驿堡(今鞍山市千山区鞍山城)。龚用卿和吴希孟结束出使从朝鲜返回北京，途中经过鞍山驿堡，因而有了千山之行。留下了大安寺罗汉洞刻石，让我们从另一个点了解了龚用卿的书法风采。

《使朝鲜录》的介绍

《使朝鲜录》是明嘉靖时期龚用卿作为正使出使朝鲜一路行来所见所闻的使行录。大约成书于嘉靖十六年前后，全书分两卷，详实地记载了他出使朝鲜的程序、亲身体验和所见的朝鲜的迎诏和仪礼、行使沿途所见的周边生活风俗、特别是辽东的情况、与朝鲜接伴使交流的倡和诗。全书对两国交往的记录非常详细。看似冗繁的礼仪记录，却如清明上河图一样为后代展现了一幅明代嘉靖时期朝鲜国迎诏的画卷，从中体现了当时和睦而规范的明朝朝鲜关系。《使朝鲜录》不仅是研究嘉靖时期明朝朝鲜友好关系的最好的一手历史材料，而且是一部研究十六世纪朝鲜风情的史料荟萃。

朝鲜的迎接礼仪

两国国家交往好坏多是从两国之间的礼仪上体现出来的。龚用卿在《使朝鲜录》中详细展现了当时朝鲜迎接大明使臣的各种礼仪程序。分“出使之礼”“邦交之仪”和“使职之务”三个部分详细记录朝鲜迎接礼仪。包括沿途官员觐见明朝使臣和诏书及迎送礼仪，有龚用卿等人赍诏到达汉城，朝鲜国王率领王世子、大臣、儒生等迎接圣旨，于景福宫宣诏的各项礼仪程序，有对宣诏后朝鲜中宗国王、世子、陪臣对龚用卿等人的招待礼节，和使臣归国践行程序的一一详细列举，还有对龚、吴二人拜谒朝鲜文庙的记叙。记载之详细非其他明朝入朝鲜使臣所记载可比，正式迎接诏书之时，仪式的程序复杂、繁琐，就连在场人的国王世子众臣等人的拜位、方向都作了的记载。通过《使朝鲜录》有关礼仪制度，不难看出朝鲜是“东方礼仪之国”。

交通与地理环境的介绍

有关明朝朝鲜使臣往来的路线的记述，在明朝朝鲜两国的各种史料中，都有很多描写，繁简也各不相同。

龚用卿《使朝鲜录》的“使职之务”一部分是作者在朝鲜一路行来，对“山川、桥梁、馆舍每询访辄记忆之。”“道里之距”对这方面的描写十分有特色，采取条目式的描写将一路所经过的地点加以记录，从作者的归纳可以清晰的得出当时在朝鲜一路所经由的府县、馆骚。由义州入朝鲜境，过龙泉郡、铁山郡、宣川郡、郭山郡、 定州牧、嘉山郡、安州牧、肃州牧、顺安县、平壤府、中和 郡、黄州牧、凤山郡、瑞兴府、平山府、牛峰县、江阴县、 开城府、长湍府、坡州牧、高阳郡、扬州牧，最后到达王京。所经各地之间的距离也有详细的记录，“自义州义顺馆至所串馆，四十里。自所串馆至龙泉郡良策馆五十里……”。从义顺馆到汉城，先后途经23个府郡等大的行政区域，在31个馆驿停留，行程达一千多里，所走的路途十分艰辛。“山川之限”一部分记载各道州郡所辖下的山川河流等自然人文景观，其地理位置源流、历史渊源等都有简单扼要的记录。

诗赋外交

诗赋外交源于我国春秋时期的“赋诗言志”。“赋诗言志”具有很强的感染力和说服力，能够有效地参与、推动外交活动。明朝朝鲜两国在外交上采取“诗赋外交”的外交方式，既是朝鲜文人学习中原文化的一种途径，又是朝鲜文人与中国文人进行诗文博弈的手段。他们互相唱和的目的是以文会友，在唱和之中相互学习，加强了解，增进友谊。龚用卿和《使朝鲜录》是最好的见证。龚用卿出使朝鲜的沿途所作诗赋达107首之多。不仅有自己的即兴之诗，还有与朝鲜文人的唱和之词，很多都体现当时的明朝朝鲜友好关系。

《使朝鲜录》中表达明朝朝鲜两国之间的友好关系的诗文很多。“这类作品或描写朝鲜对明朝使臣的热情欢迎与招待，或描写朝鲜的国阜物盛，从而述及其受中国文化的儒染。”其中不但有明朝对朝鲜的深情厚谊的表达，也有朝鲜对明朝的敬仰之情。

作者还有许多与朝鲜馆伴的诗，更能深刻表达明朝朝鲜两国友人之间的情谊。对于龚用卿与朝鲜友人互相唱和的诗文在《使朝鲜录》中不胜枚举，像《江浒别郑判书兼东藩京诸贤》、《题金议政望月湖亭》、《别洪都监》、《别朴都监》等等，郑士龙、金安老、洪春卿、朴忠元都是当时朝鲜的名人，在朝鲜出使的这段日子，龚用卿与他们在相互交流中产生了深厚的跨国友情，尤其是郑士龙，他作为远接使，从龚用卿等人进入朝鲜境内，就陪伴左右，他精通儒家经典，且造诣颇高，受到龚用卿的亲近。龚用卿回国后二人还通过朝鲜入明使节来互赠书籍，互相问候，从此二人结下了深厚的友谊，成为明朝朝鲜友好关系史上的佳话。

总之，《使朝鲜录》这本书基于龚用卿作为使臣身份的特殊性，生动反映了当时明朝朝鲜关系，不仅在当时为明朝人们了解有关李氏朝鲜方面的山川地理，风土民情起到了很大的参考作用，而且对于今天学者研究明代嘉靖时期的明朝朝鲜宗藩关系和当时朝鲜之“故事”起到了无法代替的作用，是有关明朝朝鲜关系史研究中不可多得的资料。

龚用卿对朝鲜的影响

明朝之间“誊黄制度”的建立

誊黄是皇帝下诏书,接受诏书者用黄纸誊写，颁行下属的一种文书，相当于地方政府代皇帝下的布告，其目的是以最快的速度把皇帝的旨意广而告之。在朝鲜，明使臣们看到中宗国王对中国的虔心事大，看到整个朝鲜社会对中华文化的景仰，大受感动，回国后，积极进行宣传，在明朝政府中引起了很大反响。特别是龚用卿回国后，即以“达礼制怀远人，以昭盛治事”为题上奏，建议将朝鲜纳入中国的大一统之中。

嘉靖时期，“内服”一词频频出现在中国官员和朝鲜大臣语汇中，引人注目。如嘉靖十六年，龚用卿对朝鲜大臣说:“中国待尔国，视同内服，凡有所请，必皆从之。”朝鲜大臣金安老、尹殷辅则说:“生太子,虽不关于我国，皇帝手制诏书而赐我国，其余海外他邦则不送天使云，其视同内服，可知此甚盛事。” 政院认为:“皇太子诞生，天下大庆，况皇帝亲制诏书，视同内服。”这一时期，无论是明朝政府还是官员，都把朝鲜看作是“内服”，朝鲜政府及其官员也认为朝鲜获得了“内服”的地位。所谓“内服”，传统的解释是“王畿以内的地方”，即 “一国以内的地方”。把朝鲜看作内服，实际上是把朝鲜等同于中国的诸侯国，把朝鲜国王视同本国藩王。龚用卿曾对中宗国王说:“贵国，礼义所在，朝廷待王至厚，与内诸侯同。”龚用卿归国后嘉靖帝下旨,规定“今后国家一应礼制,凡有诏告者,也应使朝鲜一体知悉。”此次的转变表示明对朝鲜的进一步信任,是两国关系加深的表现。

在像龚用卿这样的使臣努力下，两国政治上的联系愈加密切“形成了政治上的一体化”。特别是明中期以后，这种趋势越发明显。嘉靖二十年誊黄制度的确立标志着两国政治一体化关系的正式确立。中国皇帝以及各部大臣不把朝鲜当“外国”看待，而以“内服”、“一家人”相称。

恢复《五拜三叩头》礼

“人治”、“法治”、“德治”和“礼治”往往被认为是中国治理问题的核心词语，其中人治是核心，法治是手段，德治既是手段，也是表象，而礼治是本质。“礼记”记载，“凡治人之道，莫急于礼”，礼是最重要的管理百姓，治理国家的方法。

在中国古代社会，“礼”是立国之本。中国的封建王朝在利用“礼”治理国家、维护社会等级秩序的同时，也将国内“礼治”向国外延伸，用于规范“华夷秩序”，处理与周边国家的外交关系。

五拜三叩头是明代祭天及拜见天子所用礼节，属于明代最高礼仪。在郊迎诏书礼仪上,明朝要求蕃国同内臣一样行“五拜三叩头”礼，朝鲜却在“土木堡之变”后，以《藩国仪注》为据，坚持“鞠躬”迎诏，因之与前往颁诏的明使争执了近百年。

龚用卿入朝鲜后，得知朝鲜无国王出郊迎诏行五拜三叩头礼，也无生员出郊接诏之仪，便向该国礼官反复陈述此项内容的重要性，礼官向国王转达了龚用卿的话，国王方知有此礼，于是在迎诏仪式中增加了上两项内容。行礼日，朝鲜国人聚观，盛况空前，自朝鲜开国以来所未有。其次，朝鲜国人心向大明。诏书一到朝鲜，一国之人，皆奔走供事，民虽老稚羸弱，莫不扶杖依听，其尊君之心至诚，其礼至尽，无有止极。

纠正《大明会典》中朝鲜宗系错误努力

《大明会典》是记载中国明代典章制度以行政法规为主的官修书。它不仅是记述明代典章制度的重要史书，而且是一部记载明代基本法律制度，特别是行政法规的珍贵文献。其纂修不仅受到明朝统治者的高度重视，也得到其邻国朝鲜的密切关注。因为《大明会典》沿用了《皇明祖训》对朝鲜开国君主李成桂的错误记载："朝鲜国即高丽，其李仁任及子成桂今名旦者，自洪武六年至洪武二十八年，首尾凡弑王氏四王，姑待之。"且告诫后人："凡我子孙，钦承朕命，无作聪明，乱我已成之法，一字不可易" 如此一来，李成桂不仅被误记为李仁任的后人，而且背负弑杀高丽四王的恶名。朝鲜深知《大明会典》中涉及很多朝鲜的历史及其对后世的影响，更为重要的是其中的谬误关乎朝鲜王朝的合法性和正统性，还关系到两国的外交关系，因此对大明会典的纂修极为关注。

儒家最讲纲常，弑君谋逆是不赦的极罪，是"大不忠"；儒家最讲宗法，把祖宗搞错是人子无以安身的耻辱，是"大不孝"，这样不忠不孝的历史玷污了祖宗的名节，事关国体根本。所以，每次修《会典》历代国王都会上表，请求朝廷修改记录，消除历史污点，予以平反。除了不停"上访"之外，朝鲜还积极做好明朝使节的思想工作，恳求将如此大的冤情带回去上达"天听"。 朝鲜国王对龚用卿、吴希孟执礼甚恭，一方面是对明朝的尊重，另一方面是请龚、吴两位使臣改正《会典》中"所书弑王氏四君之事。"他的恭敬得到了很好的回报。龚用卿曰："此子孙不敢诬其祖父之心，不失为孝。若果非其后，理当奏闻。"

对朝鲜使臣的照顾

在明代，朝鲜使臣出使中国的次数较为频繁。有时，一起使臣还未回国，另一起使臣已从国内出发。据不完全统计，在明代的277年中，朝鲜使臣出使中国共计1252次，平均每年出使4.6次。使臣出使中国的缘由大致可分为贺、谢、请、献、奏、慰、告、其他等8大类35小项目。

朝鲜使臣出使中国，都有一些程式，而且这些程式经过多年后已约定俗成地被固定了下来。从辽东以西十里的首山铺站迎接开始，朝鲜使臣的活动按一定的程式来进行。如朝鲜使团在中国境内的事务由礼部负责,洪武元年(1368年)设置礼部,下设主客司执掌外国的朝贡事务。会同馆主要是明朝政府专以止宿各处使及王府公差、内外官员的中央外交接待机构。朝鲜使者来明朝一般居住在会同馆的南馆。会同馆全面负责来明朝使者的饮食起居,有专门为使者服务的馆夫,馆内设施齐全。明朝接见使臣,并赐宴、赐酒或赐礼通过会同馆进行细密的制度化的接待和管理。

国子览是国家设立的最高学府和教育行政管理机构。天坛是帝王祭皇天祈五谷丰登之场所。这些地方都是当时朝鲜使臣非常向往的地方。但这些地方都没有对朝鲜使臣开放。

嘉靖时龚用卿出使朝鲜回国后极力称赞朝鲜国王对中国的至诚，朝鲜能"恪守典礼，敬事不违"，不宜再当作外藩看待，随后明朝允许朝鲜入明使节可以到天坛、国子监等地游观,朝鲜使臣的上、下马宴由礼部尚书待宴等等，这些破例的规定还被写入了《大明会典》之中，皇帝对朝鲜使臣的赏赐由皇帝亲自给予。并在朝廷官员中广为宣传，即使没有出使过朝鲜的官员也都对朝鲜有了好的印象。朝鲜使节也曾总结说：“中朝(即明)待外国甚严，而待我国则甚亲厚”、“大凡琉球，安南等国则虽是大国，其接待不及于我国”。

明朝朝鲜之间书籍交流

书籍交流在文化交流中占十分重要的地位，明朝朝鲜之间的书籍交流是通过两个国家的使节来完成的。中国书籍源源不断地流入朝鲜，对推动朝鲜社会和文化的发展起到了不可估量的作用，朝鲜人通过诸多努力在汉字的基础上创造了本民族的文字，还在不同历史条件下对朝鲜“华夷观”作出内部调整，中国书籍的流入，促进了朝鲜文献学的发展，更带动了朝鲜汉文创作的繁荣；同样，朝鲜文化的价值也逐渐被中国文人所认识和接受，朝鲜汉籍的流入，不仅增加了中国的藏书量，更丰富了中国文学、学术研究的内容。

如明朝的文臣出使朝鲜时，与朝鲜的文人多有频繁的诗赋唱和，朝鲜政府陆续把这些唱和诗文结集为《皇华集》，成为双方友谊的见证和结晶。因此，朝鲜使臣赴明，常常把《皇华集》作为礼物赠送给明朝的文士。之外龚用卿使朝期间，苏世让以《舆地志》一书相送，龚用卿也以自己的诗册、书简回赠 。龚用卿归国后，二人还通过朝鲜入明使节来互赠书籍，互相问候。

总结：明朝向李氏朝鲜遣使始于1393年终于1636年。在此期间，明朝向李氏朝鲜共遣文官使者60余次，人数多达97人。而且很多使臣也留下使行录。但对明朝朝鲜友好和文化交流作出的贡献没法跟龚用卿相比。龚用卿作为明朝使臣中最突出的代表人物，他活跃在两国政坛中，留下了历史的痕迹，在政治上加强和完善了两国间的关系，文化上推动了两国文化和文明的交流和传播，成为两国间交流的黄金纽带。

在露梁海战中热血奋战的明朝将领

邓子龙

朴现圭(顺天乡大学)

概论

邓子龙：在露梁海战同李舜臣将军一道浴血奋战、立下赫赫战功、献出宝贵生命的明朝将领。

2014年7月4日，中国国家主席习近平在首尔大学发表演讲时曾提到400多年前发生在韩半岛的壬辰倭乱。当习主席提及明朝邓子龙将军和朝鲜李舜臣将军在露梁海战双双遇难的历史时，赢得在场来宾的一致共鸣且获得了热烈掌声。两国媒体也将这一历史事件作为韩中两国友好关系的象征加以集中报道。最近，在露梁海战激战地南海观音浦建造了李舜臣殉国公园，并立下《露梁海战沉没朝明联合水军慰灵塔》。慰灵塔正面并排刻着李舜臣和邓子龙将军的浮雕像。

邓子龙是深受中国国民爱戴的民族英雄和爱国将领。邓子龙将军一生戎马生涯，参加过无数大大小小的战争。在福建、广东击退倭贼，在云南、贵州等地打退地方土豪的攻击。在丁酉倭乱时期，不顾70岁(另有69岁之说)高龄，以副总兵的身份率援兵参战韩半岛。邓子龙将军在露梁海战，换乘朝鲜板屋船，拼尽全力击退日本水军，立下了赫赫战功。

韩国南海朝明联合军遇难者慰灵塔中李舜臣和邓子龙将军的浮雕(© 朴现圭)

邓子龙是一位廉洁奉公的将军，在各地征战期间，从未私用军费。邓子龙将军为国捐躯后，其家人因无法筹集搬运灵柩的运费及盘缠而大费周折和历经艰辛。朝鲜正祖听闻邓子龙将军死后未在朝鲜立庙，于是下令在古今岛关王庙供奉邓子龙将军，并为邓将军写下祭文。如今的古今岛忠武祠(旧关王庙)、南海李舜臣殉国公园、中国江西丰城等地都留有邓子龙将军的遗址和象征物。

丰城邓子龙墓地现况

邓子龙墓地位于江西省丰城市杜市镇邓家村。这里也是邓子龙出生和长大的地方。杜市镇政府在杜市镇中心建立了邓子龙铜像和浮雕石刻。立于杜市镇中心的邓子龙铜像身穿盔甲、头戴战盔、颈上围着披风，一派威严肃穆、正气凌然的面貌。邓子龙铜像全铜制造、高3.8米、建于2002年，而浮雕石刻则刻画了邓子龙将军骑马赴战场的面貌。

在邓家村入口有邓氏家庙，其前面立有两座石狮子像。经过石狮子像就能看到邓子龙坟墓。坟墓以中国传统方式建成。2013年1月以韩国南海郡守访问邓子龙坟墓为契机，对坟墓进行了修整。将原来用土覆盖的墓峰改成大理石墓峰；石碑刻字也由 “明爱国将军邓子龙墓”换成“明故武桥邓公之墓”。左右楹联分别刻着“忠肝垂万古”，“义胆照千秋”，描绘了邓子龙将军一生事迹。1984年11月24日，邓氏家庙被指定为丰城县重点文物保护单位，1987年12月升格为江西省文物保护单位。

中国江西丰城邓子龙墓地(© 朴现圭)

邓氏家庙始建于明万历年间。此后，历经数次重修保存下来。最近一次大规模修缮工作是2005年2月进行的。家庙内挂着“中宪流芳”匾额，祭坛上供奉着邓氏祖先像。其中，手握大刀的人像便是邓子龙。邓家村至今保留着200年前建的房屋，散发着错落有致的古朴韵味。1933年，在邓氏家族编纂的《邓氏族谱》中收录了邓子龙画像及其作品。

邓子龙为朝鲜所做的贡献

在1597年(宣祖30年)，日本再次派大规模军队攻打韩半岛，引发了丁酉再乱。明朝廷也再一次为支援朝鲜向韩半岛派遣了大规模军队。1598年(宣祖31年)1月9日，军门邢玠以胜任海上作战的水师严重不足为由，上书要求朝廷增援战船和水军。同年2月23日，邓子龙将军收到率水师和战船出征朝鲜海域，增援朝鲜击退倭军的预备通知。而后，在4月2日正式获得了明神宗的批准。申宗命善于水战的原副总兵邓子龙将领率水军到朝鲜，和朝鲜陆军联合作战击退倭军。

于是邓子龙率家人、家丁和文人出征朝鲜。其中，家人有弟弟邓维新，家丁有良十、旺八、丑仔、建七、雅四等人，文人有王应奎、万国贤、李高、邓德、孙天吉等人。

邓子龙受到朝廷之命后，首先来到浙直(浙江和江苏南部)组织水军援兵，并募集了包括虎船和护船在内的各类战船。不久后，邓子龙将军在浙江海域率领战船，通过海陆经山东登州，抵达了天津大沽港，并在登州和天津获得朝廷供应的各种武器。邓子龙将军在天津大沽港重整军队后开启了出征援朝之旅。

当时邓子龙船队出征韩半岛的航路不是从中国大陆天津或山东出发，横穿黄海直达朝鲜海域的航路，而是选择了经由渤海湾和辽东半岛海岸线，进入鸭绿江的沿海航路。邓子龙船队经过鸭绿江入口海域的时候，突然有个物体碰到船体，经打捞后发现是沉香。据悉，邓子龙对长得像人头颅的沉香爱不释手。

同年7月16日，陈璘率水军抵达古今岛统治营。基于此，可推测邓子龙船队也是在相同时期抵达古今岛。9月，邓子龙将军在罗老岛、顺天倭城潜海相继阻断了倭军的海上通道。10月初，朝明军队决定联合攻击小西行长占领的顺天倭城(又称曳桥)。朝明联合水军约定10月3日和刘廷率领的西路军进行水路联合攻势，但因为刘廷未履约，反而受到倭军的反击，受到严重的损失。明朝战船因不熟悉潮汐潮退而陷入混乱，因此一些战船遭到全军覆没的巨大损失。

驻扎在顺天倭城的小西行长别说通过突破朝明联合军封锁的海上包围网，确保返回日本的退路，就连和驻扎在南海倭城的倭军取得联系也是举步艰难。但因收受小西行长行贿的刘廷未按照朝明联合作战计划出战，小西行长不仅躲过了一场有可能溃败的激战，而且还在陈璘的默许下，成功将小船送至南海倭城。

听到小西行长派遣的小船逃脱包围网的消息后，李舜臣将军预测倭军支援舰队不久将出征，因此要求陈璘提前出击迎战。陈璘最初并未同意，但被李舜臣将军多次诚恳的请求所感动，最终决定出战。朝明联合水军解除顺天倭城前海的包围网，驶向倭军支援舰队即将抵达的露梁海峡，终于爆发了壬辰倭乱海战史上广为流传且最著名的露梁大捷。

11月16日，朝明联合水军从顺天前海出发，驶向了露梁海峡。17日，邓子龙按照作战计划，率水军在露梁海峡西侧竹岛后侧进行埋伏。18日，为了支援被孤立在顺天倭城的小西行长，岛津义弘、宗义智等率500多艘(又称有300余艘)日本战船，从泗川出发，也来到露梁海峡。19日清晨，在倭军战船脱离露梁海峡向西进军的时候，撞上朝明联合水军，于是大规模海上激战拉开了帷幕。

露梁海战是结束壬辰倭乱的最后一场大规模海上战斗。朝明联合水军和日本水军可以说是陷入了一场激烈的混战。在此次战斗中，朝明联合水军始终同舟共济、奋力抗敌。邓子龙作为最前线的先锋队长，率200名士兵，换乘朝鲜战船(板屋船)，从正面突击冲进了敌军阵营。当时，15名朝鲜水军也被借调到邓子龙旗下突击队中，同倭军开展了激烈的战斗。

邓子龙不仅屠戮无数日本水军，而且通过投掷火球的作战方法，击溃了很多倭军战船。在两大阵营的战船进行激烈战斗的时候，邓子龙将军通过发射喷筒(火战的一种)，烧毁了很多敌船。受此启发，陈璘也命其士兵进行火攻，立下烧毁数百艘敌船的战功。在明朝军队加大火力攻势的时候，由于我军误射的喷筒正好落在邓子龙所乘的战船，因造成其战船上火势蔓延和船体漏水，战船陷入了沉没的危机。倭军看到这一情形，一拥而上冲到邓子龙战船。邓子龙和登上船的倭寇进行了殊死搏斗，但最终被倭寇杀害战死。当时一同战死的家丁有建七、雅四、丑子等人，文人则有王应奎、万国贤、哨官李高、兵丁邓德、孙天吉等人。其中，邓子龙的弟弟邓维新获家丁旺八营救，九死一生被解救出来。

家丁旺八写给家里的书信里详细记录着邓子龙战死的时间和地点以及刺伤情况。邓子龙于1598年(万历26年)11月19日辰时(上午7-9点)在露梁和南海之间的海域(指南海观音浦前海)因左腿刺伤1处、右腿刺伤2处、下腹刺伤1处、左臂刺伤2处、胸部被枪弹击中1处而战死。此外，邓子龙携带的银钱和家什则被倭军掠走。邓子龙的遗体虽然被袁州(现称为江西宜春)的两名士兵发现，但却未找到其头颅。据推测，这可能是倭军为了证明其战果割下邓子龙将军的头颅。为此，邓子龙将军的头颅用在鸭绿江海域打捞的沉香加以取代，棺材用的是油杉板棺。

邓子龙的遗体被发现后，就立即被送往了水军大本营所在地古今岛。古今岛关王庙是陈璘为供奉武将关羽而建的祠堂。和邓子龙同一天战死的李舜臣将军的遗体则在关王庙前被称为月松台的山坡上临时安置了80多天。今天登上月松台，立马就能知晓李舜臣将军的临时坟墓所在地。古往今来，祭祀的时候会在坟墓周边撒上很多白灰。不知是否是这个原因，已过400多年的坟墓所在地依然长不出像样的青草。据推测，邓子龙遗体也和李舜臣遗体一样，曾暂时安放在月松台。

邓子龙的弟弟邓维新和家丁旺八为了把邓子龙的灵柩搬到江西丰城，不辞辛苦费尽心力。其中缘由，在邓维新、旺八写的书信中都有详细的记录。邓子龙率援兵出征朝鲜的过程中，不仅从未随意私用军费，反而向俞千总等人借用了银钱。邓子龙将军死后，用剩下的军费还了俞千总七八十两和向其他人借的一百六七十两后，就剩下49两4钱。就连这点银钱也被俞千总拿走，因此邓维新等人为筹集搬运灵柩的费用而四处求情。邓维新向军门邢玠告知了这一情况，并请求借用一些搬运灵柩的费用。另外，还请求军门邢玠向家人转达，筹备在中国境内搬运灵柩的盘缠。

邓子龙战死的消息不久就传到朝鲜朝廷和明朝军中。听闻这一消息，明朝两国军民都为邓将军之死感到惋惜和悲痛。宣祖在接见军门邢玠时，向其转达了对邓子龙将军之死的沉痛哀悼，感谢邓子龙将军为击退倭乱而不远万里出征朝鲜，感谢其在露梁海战上的浴血奋战。对此，军门邢玠也表示对邓将军之死的哀痛。另外，宣祖在接见明提督麻贵的时候，再次转达了对邓将军之死的悲痛之情。朝鲜朝廷将邓子龙将军的灵柩从古今岛搬到了汉阳。1599年(宣祖32年)3月2日，宣祖亲自乘御驾护送邓子龙的丧车，并进行了祭礼。

听到邓子龙将军死讯后，明朝多地开始悼念邓子龙将军。1599年

(万历27年)9月，明申宗追赠为国捐躯的邓子龙为左军督上柱国金紫光禄大夫，以荫职的方式赐邓子龙之子为指挥使司，将参战的4名家丁封为千户。

古今岛关王庙的邓子龙配享

《朝鲜王朝实录》中有多处关于邓子龙的记录，其中就有关于在祠堂供奉邓子龙的记录。据《正祖实录》16年8月19日(乙酉)记载：

> “以皇朝副摠兵邓子龙，配于康津诞报庙，遣官致祭。教曰：近阅李忠武遗事。追想露梁之战，不觉抚髀长叹。天朝副摠兵邓子龙，以七十老将，提二百勇士，纵咨于沧海上，唾手而矢灭狡夷，其气豪胆麤，可谓大丈夫哉！况欲居首功，跃上忠武之舟，直前奋突，所俘获无计。偶触火器，中流延爇，贼乃传之而犹力战。忠武驰救之，与之同死，其详在徐希辰《东征记》。予尝愍之，取考《明史》本传，有庙食朝鲜之语，而未始有庙食焉。康津之都督祠堂，又未之配，其爲欠典阙事，孰大于是？平壤武烈祠，以追配骆参将尚志事，道伯建请，朝廷即许之。同时同事之人，酬功报德之典，岂或一爲一否，使天将之英爽，无所寄泊乎哉？天朝副摠兵邓公子龙，陞配于陈都督祠，而初闻祠在于南海。迨今箕城骆公追配之时，欲与之同擧矣，更闻都督，与忠武配享于康津地诞报庙之傍。然则邓公别祀，尝配于是祠。陞配日，遣官致祭，忠武即同享，一体致祭。祭文皆当亲撰矣。致祭虽有命，此时厨传有弊，献官以附近文倅中差送。邓摠兵与忠武公，同时捐躯于露梁，而忠武专享于南海忠烈祠云。忠武遗事，近令内阁，撰成全书。待活

印，藏一本于本祠,仍行致祭。”

正祖命在康津诞报庙供奉丁酉再乱中立下战功的明朝副摠兵邓子龙。近日，读李舜臣将军的遗事(指即将完成的李忠武公全书)时，了解到邓子龙的战功以及祠堂配享事宜。邓子龙将军和李舜臣将军一样，都是在露梁海战击退日本战船的时候壮烈战死的。据《明史·邓子龙传》记载，在朝鲜虽然也祭祀邓子龙，但却没有供奉邓子龙将军的祠堂。正祖认为只供奉某一个出征援朝的明朝将领或不供奉都是不符合相关典礼规定，因此命为邓子龙将军建祠堂进行供奉。

在决定为邓子龙建祠堂设配享之前，正祖批准了平安道观察使洪良浩请求在平壤武烈祠供奉壬辰倭乱中做出贡献的战死参将骆尚志的奏折。骆尚志也是参加壬辰倭乱的明朝将军。因骆尚志在明朝将领中最为勇猛，因此又被称为骆千斤。和倭军的战斗中，骆尚志尤以击败敌军、攻下城门的战功居多。在武烈祠还供奉着向朝鲜给予帮助的兵部尚书石星、摠兵李如松等6名明朝人士。

正祖对选定供奉邓子龙的配享地点非常慎重。当时，本来打算将邓子龙配享地点放在都督陈璘的祠堂，但听说祠堂位于南海后，决定在平壤武烈祠同骆尚志一同供奉。后来，又听说陈璘祠堂位于康津诞报庙，于是最终决定邓子龙配享设在此地。

忠武祠，旧关王庙(© 朴现圭)

正祖指定的邓子

龙配享康津诞报庙到底是什么地方呢？简单来说，康津诞报庙是原来的康津关王庙，今天的古今岛忠武祠。古今岛在朝鲜王朝时期隶属于康津县。1896年(建阳1年)被编入新设置的莞岛郡。古今岛是朝鲜水军的大本营所在地。1598年(宣祖31年)2月17日，李舜臣将军率8千名水军，在古今岛德洞里设置了水军大本营。同年6月，明朝陈璘率5千水军来到了古今岛。有一天，陈璘称自己在梦中获得关羽(关云长)的托梦，获得在这次战争中获胜的妙策，并把数百两金子交给游击季金，让他在古今岛涌金山下建关王庙。1666年(显宗7年)，在关王庙东庑供奉的是陈璘。1683年(肃宗9年)，又在关王庙西庑供奉了李舜臣将军。1940年，受日本帝国主义打压，关王庙被废除，变成了玉泉寺。1953年则变成供奉李舜臣的忠武寺。

重新回到本文主题，了解一下正祖追拜邓子龙的过程。如前所述，正祖十分慎重地选择邓子龙配享地点，并积极推进了诞报庙追配事宜。正祖不仅在文官中严格筛选出在祭祀时向祭坛准确传递祭品的献官，而且还亲自编写了在诞报庙祭祀邓子龙的祭文。在《弘齐全书》第22卷《邓揔兵子龙，追配康津县陈都督祠，致祭文》(康津县都督陈璘祠堂追拜总兵邓子龙的祭文)中写道：

桓桓将军，躬蹈大难。
姓忆南阳，名符常山。
敦诗说礼，馀事翰墨。
樟镇铜鼓，苗蛮迺服。
摅我甲藏，摺彼丁改。
孰敢婴者，四旷气翳。
倭奴匪茹，瞰玄东隅。
剡釜剷莱，熠岭燬湖。

帝曰咨汝，副摠兵官。
汝救属国，如吾边关。
公拜稽首，投袂而起。
誓众沧海，舳舻千里。
矍铄哉翁，气盖溟碣。
露梁夜潮，赤毬适适。
沙苍一围，烛龙掀风。
水神河伯，后先艟艨。
南船顿足，北船其歌。
公曰首功，我不让多。
亟提勇夫，踔入东师。
并力而前，强亦不支。
火器一掷，非战之故。
烈焰所及，贲育无补。
大树飘零，三军雨泣。
赠以都督，帝亦于邑。
千秋南海，尚有怒涛。
峒僚溪猓，戢矢争逃。
于乎伟绩，莫与为侣。
漠然高清，妥灵无所。
惟予夙钦，钜鹿馀思。
升而享之，于陈之祠。
酹以斗酒，庭有铙笳。
永卫我服，气作山河。

正祖的祭文里详尽地记述了邓子龙的生涯和业绩、战死及悼念内容。邓子龙不仅继承了后汉光武帝时期著名将领邓禹的传统，同时又传承了楚汉之争中著名将军赵子龙(赵云：子龙)的威名。早在福建、云南时期，邓子龙就积累了很多战功。爆发壬辰倭乱后，明朝神宗赐邓子龙副摠兵官职，并强调援朝击败倭军等同于固守边防。

于是，老当益壮的邓子龙可以说在露梁海战重镇雄风、抛洒热血，实现了为国捐躯的夙愿。邓子龙按照礼仪规范，完成出征仪式后，率领大规模战船来到韩半岛，并在露梁海战联合朝鲜水军击退倭军，立下了赫赫战功。不幸的是，因我军误射喷筒，造成邓子龙将军战死战场。据传，邓子龙将军战死后，巨大的树木瞬间被风刮倒，三军将领和士兵无不泪如雨下。明申宗也对邓子龙将军之死哀叹悲痛不已。朝鲜正祖为纪念伟大战功，下令在都督陈璘的祠堂供奉邓子龙。正祖还通过从远处敲打酒杯，安抚邓子龙将军的阴魂，并祈求其灵魂能够长久庇佑南海居民。

在诞报庙祭文中也有正祖提及邓子龙将军的内容。关王庙里供奉着陈璘、李舜臣的牌位，以表其功德无量。一天晚上，祠堂刮起强风，涌进凶猛的潮水。因为时间紧张及考虑不周，在祭祀典礼方面有很多欠缺，但终究有了供奉邓子龙摠兵的配享。正所谓“人居伯仲、泽均黔黎”。为了完善祭祀典礼，正祖将邓子龙将军同陈璘和李舜臣将军一道供奉于关王庙，并祈求邓子龙将军的恩泽常伴左右，实现国泰民安。

活跃在朝鲜的明朝将军

陈 璘

朴现圭(顺天乡大学)

概论

1592年（宣祖25年）到1598年（宣祖31年）的壬辰倭乱是朝鲜、明朝和日本等东亚三国兵戎相戈的国际战场，日军虽然一度以破竹之势扩大战果，但朝明盟军在历尽艰辛后最终取得胜利，明神宗在庆功宴上论功行赏时，曾当众宣布战功最为显赫者为露梁海战中大获全胜的陈璘，而且还特别提到了与陈璘一同指挥露梁海战的朝鲜水军统制使李舜臣。

陈璘，字朝爵，号龙崖，广东翁源县人，1532年（嘉靖11年）生于周坡镇龙田村，父为陈本琳，自幼习武，精通剑术和兵法。1562年（嘉靖41年）潮州、韶南等地豪绅动乱，陈璘向朝廷献策平乱，被总督提拔为把摠，动乱平息后升任为韶州都护，后历任韶州指挥佥事、拓林守备、肇庆游击、东安参将、狼山副总兵等职位。1592年（万历20年）壬辰倭乱事发，因为陈璘熟悉倭寇战法，被提为神机七营参将，负责防守蓟辽保定山东，1593年（万历21年）升任为负责闽粤海域的南澳副总兵，1594年（万历22年）被兵部尚书石星揭发，被罢官后回到了故乡。

广东翁源县陈璘像(© 朴现圭)

1597年（万历25年）丁酉再乱事发，明朝决定派兵援朝，1598年（万历26年）陈璘被提为钦差统领水兵御倭摠兵官、前军都督府都督佥事统帅五千广东兵进军韩半岛，其子陈九经也以坐营都司的身份率领两千水兵一同参战。陈璘与李舜臣共同指挥战场，在露梁海战中痛击倭寇，1599年（万历27

年）因丁酉再乱时功勋显赫被提拔为都督同知，后于1606年（万历34年）升任为广东都督，1607年（万历35年）在广东去世，因战功无数赠太子太保，葬于东安莲花山（今广东省云浮市六都镇）。

陈璘的故乡翁源县立有陈璘石像和陈璘将军纪念馆，翁源县一带还留有陈氏宗祠、陈璘故居、安公祠、陈璘祖坟等多处遗迹。1576年（万历4年）陈璘任东安参将时，携家人从翁源县移居东安（今云浮市）六都乡，所以云浮是陈璘的第二故乡，现今云浮市云安一带依然留有陈太保祠、陈璘父母之庙、魁岩、明朝城郭等遗迹。

明朝灭亡时，时任监国守卫使的陈璘之孙陈泳溸携一家老小乘船前往韩半岛定居，成为了韩半岛广东陈氏的始祖，陈泳溸一家刚开始在南海长承浦暂居，后迁至陈璘曾驻军的古今岛，陈泳溸的儿子陈硕权和陈允权则在日后再次搬至海南皇朝里，该地由于聚集着明朝游民，故得名皇朝村，1871年（高宗8年）当地人民为了纪念陈璘和子孙们的功德，建造了皇朝别庙，该庙于2003年被指定为海南郡乡土文化遗迹第十号。2014年7月4日，中国主席习近平在首尔大学进行演讲，在讲到中韩友好事迹时，还特意提到陈璘的子孙们如今在韩国生活着，这里的陈璘子孙是指广东陈氏一族。

韩国海南皇朝别庙(© 朴现圭)

陈璘在南澳岛开展的环保活动

南澳岛位于广东汕头前海，素以“潮汕屏障，闽粤咽喉”闻名，是一座海上交通枢纽，从古至今，南澳是东南沿海一带与台湾、东南亚等地通商的必经泊点。1576年(万历4年)副总兵晏继芳在南澳县深澳镇建立了闽粤南澳总镇府，又称总兵府，以总兵府为准，左营管辖福建海域，右营管辖广东海域。

陈璘在1593年(万历21年)被任命为第九代南澳副总兵，由于一直以来的战场都集中在内陆地区，很少需要动用水军，所以以此次任命为契机，陈璘开始积累水军训练、战船航行、海上气候等水军作战知识，将其卓越的陆战领导能力拓宽到了海战中，凭借着这段经历，陈璘在日后的韩半岛南海岸海战中一次又一次地击退了日军舰队。

陈璘在南澳岛还是一名环保运动家，陈璘在上任后巡视了一圈南澳岛，被其优美的风景深深吸引，回来后就开始制定南澳岛绿色发展长期规划，命福建漳州御指挥侯子悦、澄海所千户袁子庆、广东潮州镇抚杨子汪等人在南澳岛实行大规模种树。陈璘认为在土壤肥沃的南澳岛种树就等于育人，因为树木能够让土地免受大风和沙尘的侵袭，进而营造出一个美好的环境，为子孙后代们提供诸多福利，三名部下都觉得陈璘言之有理，积极响应了种树活动。陈璘购入4万株松树苗和3万株杉木苗，与部下士兵们一起将这些树苗种在了总兵府所在的深澳一带，最终于1594年(万历22年)1月完成植树工程，随后还编写了记录种树经历的《南澳山种树记》，并将六个大字刻在了石碑上，该石碑如今立于南澳岛深澳镇天后宫的左侧。

人类如果想要在未来继续维持舒适宜居的环境，就要学会与自然共存的方法，而陈璘早在当时就认识到了这一点。为了长期保护自然环境，陈璘在岛上开展了一系列环保活动，如今的南澳岛之所以依旧环境幽美，所见之处一片葱绿，是因为后人们很好地继承了陈璘的环保精神。

还有一点值得关注的是植树在战略物资储备方面所具有的意义，陈璘曾说过“今日所植树木，日后必有所用，且毋需从远处调用”，这里指的用途是指用于建造战船，由于传统战船均是木质船，所以为了克服狂风和巨浪等不利气候因素，上好的木材是必不可少的，所以陈璘选择了松树（*Pinus* sp.）和杉木（*Cunninghamia lanceolata* Hook.）。

陈璘在广东南澳所写的 <南澳山种树记>（© 朴现圭）

松树和杉木木质硬实，非常适合船舶，尤其是战船的建造。2005年位于山东北部海域的蓬莱水城中发掘出土了明朝时期的战船，纵观整个船身，从起到支柱作用的龙骨到翼板和船板，使用的木材都是松树，甲板的木材则是使用了杉木、松树和榆树（*Ulmus* sp.）。

活跃在韩半岛战场上的水军都督陈璘

1597年（宣祖30年）1月，日军再次大举侵略韩半岛，引发丁酉再乱。日军曾以14万陆军连占庆尚道和全罗道的大部分地区，随后矛头直指忠清道，但于9月在稷山被明朝军队所击败，兵败后日军退兵至庆尚道和全罗道的沿海岸，开始筑城准备长期战斗。另一方面，日本的水军在漆川梁海战中大获告捷，掌握了南海的制海权，开始进军西海岸，但好景不长，在9月的鸣梁海战中被李舜臣的水军击溃，只得退回南海沿岸。

丁酉再乱事发后，明朝再次向韩半岛派遣大规模援军并重新制定了整体战略，为了防止日本水军直接通过海路侵略中国大陆，在各沿海岸修筑防御工事，同时编制用于派遣韩半岛的水军，制定水陆协作战略，为此都督陈璘和他所率领的水军被派遣到了韩半岛。

1598年(宣祖31年)初，陈璘率领广东兵抵达天津桥，启程奔赴韩半岛战场，4月到达辽东，6月抵达汉阳谒见宣祖，7月16日抵达李舜臣所在的古今岛，朝明联合水军自此正式启动。陈璘麾下的大将分别是游击将军季金，率领广东兵的张良相，引领浙兵的沈茂，指挥狼山兵的福日升，太常尉出身的王元周等人，水军总兵力根据不同的记录略有差异，不过应该在一万三千人左右。

7月18日，在收到百余艘日军战船欲侵犯鹿岛的战报后，朝明联合水军首次出动，不过没想到日本水军在见到朝明联合水军后选择逃跑，所以未能打起来。7月24日，折尔岛(高兴巨金岛)的朝鲜水军击沉了6艘日军战船，而明朝水军则因不熟悉海域而未能出征，随后两军就战功问题产生了分歧，最终李舜臣做出让步使得事态圆满得到解决，陈璘通过此事高赞李舜臣的人品，积极参与了随后的一系列战斗。

9月至11月，朝明联合水军遵循四路并进战略，开始攻打小西行长把守的顺天倭城，明朝的刘綎和朝鲜的权慄负责陆地，明将陈璘和朝将李舜臣负责水路，朝明联合水军率先占领了位于顺天倭城前海的猫岛，完全封锁住了海上入口，随后一度攻到了倭城前的海岸，但由于双方的消极应战态度和互相不配合的问题，最终未能突破小西行长顽强的守城，含恨而退。

小西行长在得知丰臣秀吉死亡，战况变得愈加不利后，一心想要确保退路，撤回日本，但无奈联合军已将海域封锁，所以别说是撤退，连驻守南海倭城的侄子宗义智也联系不上，不过由于联合军内有人受贿私自放行日军小船，导致驻守四川的岛津义弘以及宗义智、立花宗茂等日军将领联合派出五百余艘(也有记录是三百余艘)大规模援军前来解围。

李舜臣在得知小西行长的求援小船突破包围后，预测到日军将会派遣支援舰队，逐邀请明军一同前去应战，陈璘刚开始没有同意，但在李舜臣的再三恳请下，改变了主意，决定共同迎战，朝明联合水军解除了顺天倭城前海的包围，移动至日本援军舰队必经的露梁海峡。

18日晚，陈璘的明朝舰队埋伏在左侧竹岛，李舜臣的朝鲜舰队则蛰伏于海峡右侧的观音浦，19日凌晨联合军遭遇日本舰队，战斗正式拉开了帷幕，而这一战便是中韩两国历史上名垂千古的露梁海战。

朝明联合舰队率先利用季风对日本舰队实施了火攻，遭受打击的日军在撤退的过程中驶进观音浦浦口，在发现没有退路以后，以破釜沉舟之势开始反攻，两军激烈交锋，战况异常焦灼，不过随着时间的流逝，局势慢慢倒向朝明联合舰队这一边，过了正午后，日军的部分战舰趁乱逃到南海，也有一部分干脆弃船登陆，逃窜到南海倭城内。

申炅的《再造藩邦志》记录下了朝明联军在露梁海战中与日军决一死战的情形：

> 賊悉船來戰於觀音浦，戰酣，行長乘船從外洋脫出，都督督水兵，鏖殺泗川之賊。賊圍李舜臣船累重，都督換乘我國船，犯圍直入救之。賊又圍都督船，賊攀都督之船，幾及都督，都督子九經以身捍之，至被賊刺血淋漓，猶不動，旗牌官世煒以鎲鈀刺其胸膛投海中，九經得免。賊船鱗集於都督船下，都督令下碇，王元周·福日昇二將，亦換我船，挾都督船。都督令軍中吶喊放大砲，諸賊仰放鳥銃，都督令諸軍依挨牌而伏。諸賊見之，一時挺劍以上，天兵以長槍俯刺之，墜水死者，以千數，諸將出死力薄戰，已而都督搖鐸收軍，城中寂然無聲，賊疑之稍却。天兵從高傾噴筒於賊船，風急火烈，賊艘數百，頃刻煨燼，海波盡赤。舜臣望見都督被圍，亦衝圍而進，合力血戰。鄧子龍船火起，一軍避火驚擾，賊乘之殺子龍燒其船。

这段描述充分体现了朝鲜和明朝的将领们舍生忘死的感人交情，明将陈璘、邓子龙和朝鲜将领李舜臣拼尽全力保护彼此，陈璘的战船被日军包围时，李舜臣奋不顾身地前来营救，协助其突破包围，当李舜臣身处危险时，陈璘也换乘了朝鲜水军的板屋船义无反顾地杀入重围，成功救出了李舜臣。

陈九经舍身救父的场面也非常令人感动，陈璘在换乘朝鲜板屋船后被发现，日军攀上该船欲夺陈璘首级，此时陈璘之子陈九经以身挡剑，纵使被刺得全身是血也巍然不动，救下了陈璘的性命。

露梁海战是壬辰倭乱海战史中最为激烈的一场血战，朝明联军和日本水军在近距离展开了殊死搏斗，战况空前惨烈。露梁海战中朝明联军缴获一百多艘日本战舰，击毁两百多艘战舰，溺死的日军不计其数，但联军的伤亡也颇为惨重，朝鲜痛失李舜臣、李英男、方德龙、高德蒋等十余名大将，明朝的邓子龙和陶明宰等将领也浴血殉难。

《征倭纪攻图》中的朝明联合水军

《征倭纪攻图》目前有两个版本，一个是丁酉倭乱时期明朝从军画家所画的《征倭纪攻图卷》；另一个是19世纪重画的《征倭纪攻图屏》，前者是一名华裔美国人的个人收藏物，后来通过竞卖转手给了一名香港人，美国哥伦比亚大学的教授 Gari Keith Ledyard 用相机照下了这幅作品的11张照片，这些照片后来也传到了韩国。而后者则是由荷兰驻日公使在20世纪从日本购买后带回了欧洲，《征倭纪攻图屏》总共由十二幅画组成，后来韩国国立中央博物馆从伦敦购买了其中的六幅，剩下的则在瑞典斯德哥尔摩远东古物博物馆收藏着。

那么又是谁指使明朝从军画家画下《征倭纪攻图卷》的呢？陈璘、刘綎、王士琦等名字均付诸公论过，但画中真正的主人公是丁酉

《征倭纪攻图屏》(© 韩国国立中央博物馆收藏)

再乱时期担任明朝兵部尚书的邢玠，该画作为纪念丁酉再乱胜利的凯旋画，最开始画的是丁酉再乱事发后邢玠在军帐中(或是亭子)指挥明朝将领们的身影，随后分别画下了东路军攻占蔚山倭城，中路军攻破四川倭城，西路军和水路军占领顺天倭城的情形以及朝明联合水军在露梁海战获得大胜的场景，最后以邢玠引领明朝诸将在北京皇宫向明神宗汇报胜利的场面结尾。

《征倭纪攻图卷》生动地再现了历史事件，具有很高的史料价值，整体描绘细腻生动，顺天倭城之战、露梁海战和南海一带扫荡战尤为如此，逼真的画风给人带来身临其境的感觉。画作中的人物多达四千四百名，明军高举长枪向前进击的场面，巢车里的士兵攻击城门的场面，日军通过城墙上的垛口射击的场面，每一个场景都栩栩如生。画中的顺天倭城看起来非常坚固，用石头笔直砌成的城墙外围着几层木栅，入口呈“ㄱ”形，顶部建有能将四周情况尽收眼底的天守阁。

《征倭纪攻图屏》中还可以看到朝明联合水军在海战中的飒爽英姿，画中共有船舰共235艘，朝明联合水军船舶136艘，日军船舶99艘，明军战船的旗子上写着“天兵”二字，双方军队在海上展开殊死搏斗，明军按照陈璘的指挥向日军实施火攻，取得了显著的效果，被火焰包围的日本战船，正在沉没的战船上不知所措的日军，海上漂浮的日军尸体……这些画面都重现了朝明联合水军取得大捷的历史现场。

在《征倭纪攻图屏》中登场的人物和船舶数量与《征倭纪攻图卷》相比要简略不少，但依然很好地重现了丁酉再乱的历史性场面，每一幅画上都贴有介绍该战场的签纸，有关朝明联合水军的部分就贴有“露梁大捷”和“倭兵浮海”等字眼，“副将邓子龙、朝鲜统制李舜臣没阵”的字句纪念着露梁海战中浴血奋战，壮烈殉国的明将邓子龙和朝鲜将领李舜臣。

陈璘在古今岛修建的关王庙

丁酉再乱时期，明朝水军都督陈璘在自己所驻的古今岛上修筑了关王庙，确切的修建时期是1598年(宣祖31年)9月，李天常的〈古今岛关王庙创建事实〉详细描述了陈璘修建关王庙的事迹。

1598年(宣祖31)初，陈璘率领五千广东兵抵达天津桥，准备启程前往韩半岛。有一天，陈璘梦到面若重枣，髯长二尺，相貌堂堂，威风凛凛的神将，这名自称关云长的神将在梦中向陈璘传授了必胜秘策，陈璘醒来后仍记忆犹新，逐动身前往位于北京正阳门的关羽之像，发现梦中所见者正是关羽，于是在丝绸上画下了关羽像，在军中奉安。

陈璘到达古今岛后又做了个梦，梦到关羽拜托自己为其修建庙宇，梦醒后陈璘交给季金数百两白金，令其在涌金山(现勇劒山)修建庙宇，关王庙于次年秋天顺利竣工，陈璘亲自前去祭拜。庙宇入口挂着“威扬万里”的牌匾，旁刻“万历戊戌(1598年)晚秋和浙直水营官兵一起修建”，15尺长的木板题有陈璘、季金的姓名和职位。

1666年(显宗7年)，陈璘神像供奉在关王庙的东庑，1683年(肃宗9年)李舜臣供奉在西庑，自此两位在露梁海战获得大胜的朝明首将在关王庙重新相聚，1791年(正祖15年)，正祖御笔赐予“诞报庙”匾。1792年(正祖16年)明将邓子龙也供奉在关王庙，邓子龙是在露梁海战中与李舜臣一起殉国的明朝将领。1940年，关王庙受到日帝的压迫，香火中断，神像和灵牌被撤。1942年关王庙改名玉泉寺，得以保住庙宇建筑。1953年，忠武契改为忠武祠，供奉李舜臣，追加供奉于1959年在露梁海战中殉职的加里浦佥使李英南。

关王庙正殿中央供奉着关羽像，关羽是三国时期的蜀国大将。东侧供奉着三官大帝灵牌，三官大帝是道教掌管人间祸福的多能神，是民众崇拜天、地、水的信仰。西侧供奉着妈祖灵牌，相传妈祖的真名为林默，诞生于宋建隆元年，逝世后被神化。妈祖信仰发源于福建湄洲岛地区，后逐渐传播至中国沿海和内陆地区，曾获中国历代朝廷褒封，清朝时达到了无人不知晓，无神能代替的程度。如今除了中国内陆以外，还在台湾、香港、澳门等地区和日本、东南亚以及其他华人较多的国家，均可见到妈祖庙的身影。陈璘的《南澳山种树记》石碑正位于深澳镇天后宫(妈祖庙)旁。

刻有陈璘名字的东征磨崖碑

庆尚南道南海邑船所里码头的北侧海边，伫立着在巨大的岩石上雕刻碑文而成的〈东征磨崖碑〉。该地曾是造船泊船的地方，所以得名船所里，如今被用于码头。〈东征磨崖碑〉原来所在的位置并非是海边，而是位于轮山山顶，2003年的一场台风导致轮山发生山崩，位于山顶的石碑也随之被大浪冲至海边。轮山位于日军在丁酉再乱时为准备长期战而建的南海倭城一带，当时南海倭城的守城将领是来自对马岛的宗义智。

〈东征磨崖碑〉的名字源于碑文中的第一个单词“东征诗”和石碑的形态，有时会加上碑文作者的名字称为〈张良相东征磨崖碑〉或简称为〈东征诗碑〉，目前是庆尚南道有形文化遗产第27号。整个碑身呈长方形，宽131厘米，高253厘米，厚5厘米，唐草纹精致地镶嵌于石碑四角，刻字部位的岩石打磨平滑，碑文为行书字体，共17行，末尾刻有“皇明万历二十七年阳月上浣吉旦日建”，“征倭游击将张良相”，标注了完成的时间和碑文作者的职位、名字。

碑文的作者张良相在壬辰倭乱结束后的次年，也就是1599年(宣祖32年)以钦差统领浙江水兵御倭游击将军的身份率领一千五百名水兵来到了韩半岛，主要目的是防止日军通过海路再次侵朝，后于1600年(宣祖33年)回国。

与〈东征磨崖碑〉相似的还有〈釜山平倭碑铭〉，1599年(宣祖32年)秋，明朝经理万世德引领文武将领在釜山击退日寇，〈釜山平倭碑铭〉是为了纪念此役而建的胜战碑，原来立于釜山子城台，在朝鲜末期被毁。〈釜山平倭碑铭〉上刻有丁酉再乱时参战将领们的名字，其中也包括陈璘。

〈东征磨崖碑〉中实名登场的仅有万世德、邢玠和陈璘三人，万世德是丁酉再乱时期的明军总督，邢玠则是在韩半岛统帅明军的军门，而陈璘虽然只是参战将领之一，却在碑文上留下了名字，这是因为石碑所在的南海是露梁海战中获得大捷的历史性场所，南海倭城又是明朝水军在胜战后进驻的场所，所以管辖该地区的陈璘自然具有名分。还有一点就是碑文的作者张良相是陈璘的麾下水军将领，考虑到〈东征磨崖碑〉是为了纪念明军击败日本水军而建的胜战碑，所以张良相在题文时刻意提到上官的名字，以显示自己也具有一定的功绩。

在中国传播朝鲜诗文的明朝官人

蓝芳威和吴明济

朴现圭(顺天乡大学)

概论

提起“战争”一词，我们大部分都会想起破坏、痛苦、伤害等负面形象，但要知道虽然是极少数，但该词也还蕴含着恢复、再生、重建等正面形象，参战国会在战争过程中引进对方国家的文化，同时也将自己的文化传播至该国。

壬辰倭乱可谓是东方三国兵戎相戈的国际战场，随着三国的大规模军队相继涌入韩半岛，自然而然地形成了人文和文化方面的互相交流，明军和日军长期入驻韩半岛，为进一步了解朝鲜的文化和国情提供了契机，当时朝鲜和明朝是盟友，明军在朝鲜政府的协助下，与朝鲜人士紧密交流，朝鲜政府也竭尽全力为明军提供诸多便利。

明军在韩半岛执行的任务除了击退日军外，还包括了解朝鲜的整体国情，从明军收集来的情报中可以发现大部分内容都是朝鲜朝廷和军事动态，但也有一部分是关于文献的，明军所收集的这些韩国文献自然而然地带回中国大陆并传播至本国文坛，这进一步加深了明朝朝廷和民间对朝鲜的理解，与朝鲜相关的出版物也随之大增。

明朝的蓝芳威和吴明济堪称是将朝鲜诗文传播并推广到中国文坛的文化传道士，他们都是在壬辰倭乱时期明朝派驻到韩半岛的明军，平时就具备很高的文化素养，所以对朝鲜的诗文也颇感兴趣。两人利用战争期间的空隙时间接触了多名朝鲜文人，收集了很多资料，回国后加以筛选，各自编纂了《朝鲜诗选全集》和《朝鲜诗选》。

当然，此前也有部分朝鲜诗文通过往返朝鲜和明朝的使节介绍至中国文坛，但这些使节所接触的人士有限，带来的诗文数量也并不多，所以一直存在着瓶颈。《朝鲜诗选全集》和《朝鲜诗选》是蓝芳威和吴明济在韩半岛长期滞留时通过各种途径收集整理而出的，所以与之前相比实现了量与质的飞跃，《朝鲜诗选全集》和《朝鲜诗选》

都曾出版发行，并在文坛中广为传播。

蓝芳威和吴明济收集的朝鲜诗文后来在中国文坛掀起了一股热潮，明朝文人潘之恒的《聚沙元倡》、郑文昂的《古今名媛汇诗》、钟惺的《名媛诗归》，清朝文人钱谦益的《列朝诗集》、朱彝尊的《明诗综》、孙致弥的《朝鲜采风录》等明清文献均传抄或摘录了蓝芳威和吴明济收集的朝鲜诗文。

蓝芳威和吴明济出征韩半岛

蓝芳威，字云鹏，号万里，昌江景德镇人，1598年(宣祖31年)1月以钦差统领浙兵游击将军的名衔，率三千三百南兵派遣至韩半岛，于2月进驻稷山，并奏书宣祖，誓将尽忠职守，重建箕子的故土朝鲜，3月途径公州，入驻南原，8月率军成功击退入侵咸阳一带的日军，9月又于南江战役中告捷，在10月的泗川海战中虽以中路先锋出战，但铩羽而归，后于1599年(宣祖32年)5月从南原上京，7月离开咸阳回国，在金陵(南京)度过晚年。

蓝芳威以清正廉洁闻名，不仅两袖清风，而且为人正直，处事严谨，带兵有方，从未殃及百姓。在忠南公州山城的山顶可以看到“明国三将碑”，该碑是为感谢明朝三将即提督李公、委官林济、游击将蓝芳威在壬辰倭乱时期驻军公州一带抵御日军侵略，保护百姓不受战乱之苦而建成的，本

韩国公州山城明国三将碑(© 朴现圭)

来是立在公州的锦江岸边，但在日帝强占期被日军埋在邑事务所后院内，后来在朝鲜复国后重新被挖出并迁至公州山城，其中“游击将蓝公种德碑”正是为纪念蓝芳威的善政而立的，该石碑是由成均进士郑霅于1599年(宣祖32年)4月完成的，上面刻有“游击将蓝公种德碑”8个大字，整个石碑高168厘米，碑身高157厘米，厚15厘米，宽70厘米，字径3×4厘米。

壬辰倭乱期间，咸阳儒林义兵长郑庆云将自己亲身经历的战乱过程以日记的形式写成《孤台日录》，据此书记载“游击将蓝芳威于1598年(宣祖32年)在泗川海战中遭遇埋伏，战死沙场。”但这是错误的记录，蓝芳威虽在此战败北，但并未战死。1599年(宣祖33年)5月，咸阳百姓们将造石碑纪念蓝芳威功德一事付诸公论，郑庆云亲自提笔碑文，从中可知蓝芳威的善政深得朝鲜百姓们的民心。

吴明济，字子鱼，号玄圃山人，会稽人，1597年(宣祖30年)赞画主事徐中素出征朝鲜，宾客吴明济以参军的身份随行，于次年3月渡过鸭绿江，暂居义州，4月结识李文学等几名文学之士，接触朝鲜诗文并深感兴趣，开始收集相关资料，不久后到达汉阳(首爾)，期间得到许筬、许篈、许筠、尹根寿等文人赠送的诗文，多达一箱之余，7月徐中素为奔父丧返回豫章，吴随其回国，居住长安。后来在1599年(宣祖32年)为了正式收集诗文，重新来到韩半岛，投宿李德馨在汉阳的家中，期间收集百余首诗文，于同年回国。

蓝芳威和吴明济的朝鲜诗文集编纂过程

丁酉再乱时以明军游击将身份参战的蓝芳威对朝鲜诗歌相当感兴趣，收集相关资料编纂了《朝鲜诗选全集》，蓝芳威的《朝鲜诗选全集》目前共有2種藏本，分别为美国加州大学伯克利分校的朝鲜刊本和中国大学的清朝手抄本，后者与前者相比内容过于简略，尤其是后半部的内容严重缺失，不能说是一个完整的版本；而伯克利的朝鲜刊本也存在着标记错误的著者名，诗句误录等问题，亦不能视为善本，此外虽然传言日本爱知大学图书馆目录中也收藏着《朝鲜诗选全集》，但实物却无迹可寻。

下面笔者以收藏于伯克利的朝鲜刊本《朝鲜诗选全集》为准，整理出了著录项目，《朝鲜诗文全集》共分为8卷，卷一到卷六是根据诗体分类，卷七和卷八则是根据著者分类，收录了从箕子的《麦秀歌》到朝鲜宣祖时代的各类诗文，包括编纂当时尚在世的尹根寿、梁亨遇、许筠等人的作品。

每一卷的下方都陈列着参与编纂的人物名单，蓝芳威负责作品摘录，祝世禄负责阅读，吴知过和韩初命负责校正，在祝世禄和韩初命的名单后面有部分削除的痕迹，下面留有“仝”字，这里的“仝”意味着还有两人或两人以上的人物参与了编纂工作，但具体名单则无从得知。

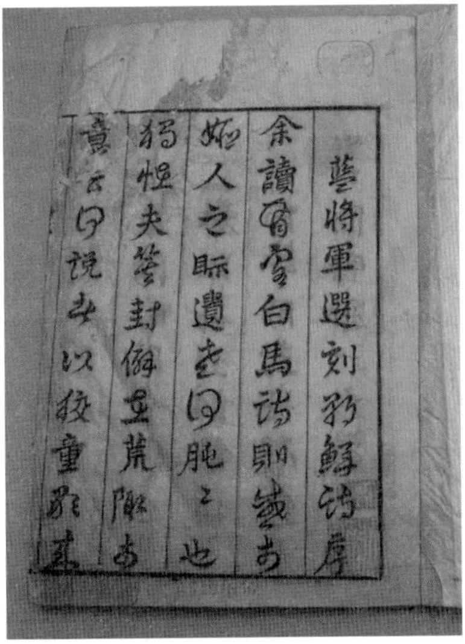

收藏于美国加州大学伯克利分校的蓝芳威《朝鲜诗选全集》(© 李钟默)

韩初命是丁酉再乱时期参战的明朝将领，于1598年(宣祖31年)8月以管粮同知的身份来到韩半岛，于1600年(宣祖33年)10月回到中国大陆，期间还在吴明济编纂的《朝鲜诗选》中负责校阅，《朝鲜诗选全集》和《朝鲜诗选》的校阅者系同一人，所以有很多重复的作品，至于祝世禄和吴知过是否曾到过韩半岛则无从考察。

接下来是蓝芳威收集的朝鲜诗文资料和收集途径，《朝鲜诗选全集》的书首收录着吴知过的《蓝将军选刻朝鲜诗序》和蓝芳威的《选刻朝鲜诗》，两篇序文均记载蓝芳威是在战争期间结识朝鲜文人并通过他们收集诗文的，《朝鲜诗选全集》第7卷〈游仙曲〉中记录着"凡三百首，余得其手书八十一首 "，《朝鲜诗选全集》中收录作品最多的诗人是许兰雪轩,蓝芳威在滞留韩半岛的期间久仰许兰雪轩的名声，而且也非常欣赏其作品，所以除了〈游仙曲〉81首外，还收录了许兰雪轩的〈白玉楼上樑文〉，据推测许兰雪轩的诗文应该是通过许筠入手的，因为许筠每次在与中国文人们见面时都会力荐许兰雪轩的作品，吴明济也是从许筠那里得到许兰雪轩的多篇诗文和正在背诵的朝鲜诗。

下面是明朝潘之恒在过目蓝芳威的朝鲜诗文后留下的感想，潘之恒在1608年(万历39年)编纂了与国内版《兰雪轩集》属不同体系的许兰雪轩文集《聚沙元倡》，潘在通过黄上珍的引荐结识身居金陵(南京)的蓝芳威后，从其口中了解到许兰雪轩的作品，当时蓝芳威的手中收藏着在高丽茧纸上精抄的〈白玉楼上樑文〉第1卷，〈白玉楼上樑文〉是许兰雪轩在年幼时完成的作品。1611年(万历39年)潘之恒在屯山遵晦园与蓝芳威见面，亲眼见到〈白玉楼上樑文〉的实物，该诗册是青川子李盘在75岁的高龄抄于朝鲜茧纸上的版本，字迹苍劲有力，方挺规整。

相传〈白玉楼上樑文〉是许兰雪轩在年幼时梦到参加广寒殿白玉楼竣工宴后，因仰慕其梦中情形而写下的作品，通过描述旷世奇才们在天上的白玉楼谈笑风生的场景，摆脱了痛苦的现实世界，沉浸在天上人间的幻境中，当时朝鲜文坛有很多书法名家挥毫〈白玉楼上樑文〉，足以窥见该作品的影响力之深。

蓝芳威收藏的〈白玉楼上樑文〉是朝鲜李盘的手抄本，入手的时间是在韩半岛参战的1598年(宣祖31年)至1599年(宣祖32年)，该手抄本比目前收藏在韩国国内多处的韩石峯(本名韩濩)手抄本还要早几年，韩石峯手抄本是朝鲜书法名家韩石峯于1605年(宣祖38年)在辽山完成的，后来被刻在木板上付梓。〈白玉楼上樑文〉在明清文坛上广为流传，蓝芳威和周围的文人们共赏的是李盘手抄本〈白玉楼上樑文〉，潘之恒的《亘史》、赵世杰的《古今女史》、钟惺的《名媛诗归》、钱谦益的《列朝诗集》均摘录或介绍了〈白玉楼上樑文〉。

丁酉再乱期间吴明济两次拜访韩半岛，大量收集朝鲜诗篇，编选出又一篇诗选集《朝鲜诗选》，据传吴明济的《朝鲜诗选》最少存在两种版本，其中之一便是发行于1600年(宣祖33年)的朝鲜刊本，现今收藏在中国国家图书馆内。

笔者以中国国家图书馆收藏的《朝鲜诗选》为准，整理出了著录项目，《朝鲜诗选》共分为7卷，卷一和卷二是五言古诗，卷三是五言律诗、卷四是五言排律，卷五是七言律诗、卷六是五言绝句，卷七是七言绝句，收录了从新罗到朝鲜时期的120多名作家的作品，其中还有编纂当时在世的人物，收录作品中许兰雪轩的诗作居多。

每一卷的下方都陈列着参与编纂的人物名单，吴明济负责作品摘录，贾维钥、韩初命、汪世钟负责仝阅校正，汪世钟的本籍是蘇州，于1593年(宣祖26年)来到韩半岛，随后回国，1599年(宣祖32年)以原任郎中的身份辅佐万世德再次访韩，于次年7月回国，期间编选朝鲜诗歌集《古今诗》，可惜如今已难寻踪迹，后来贾维钥的孙子贾琛为了躲避丙子胡乱来到韩国定居，成为了韩国蘇州贾氏的始祖，韩初命则是同时参与了《朝鲜诗选全集》和《朝鲜诗选》的编纂。

《朝鲜诗选》的书首收录着吴明济的《朝鲜诗选序》，书尾收录着许筠的《朝鲜诗选后序》，吴明济在序文中详细记述了编纂《朝鲜诗选》的整个过程，吴明济在1597年(万历25年)跟随赞画主事徐中素出征朝鲜，于次年3月渡过鸭绿江，4月结识李文学等从事官，收集他们所背诵的朝鲜诗文一两百首，到达汉阳后投宿在许筠家中，开始正式收集朝鲜诗文，当时收集到了许筠所背诵的朝鲜诗数百首和许兰雪轩的诗作两百多首，同时还通过尹根寿等从事官获得了其他相关资料，7月徐中素为奔父丧返回豫章，吴随其回国，居住长安，与长安的文人墨客共赏自己带来的朝鲜诗文和许兰雪轩的《游仙曲》，后来在1599年(万历27年)重新来到韩半岛，投宿李德馨在汉阳的府邸两月之久，致力于资料收集和编纂工作，期间摘选从新罗到朝鲜时期的一百多名诗人的作品，许筠的后书中也收录着上述内容，许筠时常与吴明济相约，为其提供自己所背的数百篇诗作，李德馨也向吴明济提供过资料。

除了《朝鲜诗选》外，吴明济还编纂过记录韩国历史题材的《朝鲜世纪》，台湾国家图书馆收藏的《四夷广记》卷四中收录着吴明济的《朝鲜世纪》，钱谦益的《列朝诗集》中〈朝鲜〉解题部分也记载着《朝鲜世纪》，《朝鲜世纪》共分为两卷，上卷首题的著者栏上写着“会稽吴明济子鱼甫撰”，下卷首题则写着“会稽吴明济撰”，上卷记载着檀君朝鲜到后三国时期的历史，下卷记载着高丽时代的历史。

蓝芳威和吴明济编纂朝鲜诗文集的意义

中国的文人墨客们自古就对周边国家的文化深感兴趣，对享有高文化水准的韩国更是如此，明朝初期和中期两国主要通过互派使臣的方式进行人文交流，朝鲜每年都会向明朝派遣使臣，明朝也是如此，到达对方国家的使臣们留下吟诵异国风光的诗文，与该国的文人们赋诗唱和，切磋学问，但两国使臣能够见到的人士数量有限，活动地区也局限在两国首都和经行路线，从这一时期明朝使臣们的使行文献如董越的《朝鲜杂志》、《朝鲜赋》、倪谦的《朝鲜纪事》、黄洪宪的《朝鲜国志》等即可窥知一二。

一般的中国文人能够接触到的朝鲜文化无论是从质量还是数量上来说都是非常局限的，虽然他们能够通过古代文献中记载的朝鲜相关信息大致了解朝鲜文化，但这些内容大部分都是很久以前记录下来的，所以对了解最新的朝鲜文化起不到多大帮助，虽然偶尔也会有朝鲜当代文献流入中国，但其数量少之又少，成为了信息扩散的瓶颈。

这种局面一直持续到壬辰倭乱事发，随着战争的进行，两国的交流变得日益频繁，中国文人们能够接触到的朝鲜文化相关信息实现了量与质的飞跃。壬辰倭乱事发后，明朝识破了日军向朝鲜提出的“假道入明”的诡计，为了在境外抵御日寇，接受了朝鲜的求援，派军进驻朝鲜战场，1592年(宣祖25年)明朝派辽阳副摠兵祖承训率军赴朝，随后又分数次相继派遣了数十万兵力，直到壬辰倭乱终结，这一期间明朝与朝鲜的文化交流迎来了巨大的变化，前来参战的明军在韩半岛长期滞留，与当地的文人学士进行交流，与过去的使臣们相比，这次的交流地区扩散到了全国各地，明朝人士们也因此接触到了更加多样化的朝鲜文化，明军中有很多文学爱好者都想要去了解与自国使用相同文字的韩国文献，这股好奇心和热情推动了韩国文献流入中国本地的潮流。

明军在接触韩国文献时会作何感想呢？第一是同文意识，他们从很久以前就知道朝鲜与自国同属一个汉字文化圈，所以这次在韩半岛亲眼所见后，大大刺激了同文意识，这也成为了明军在韩半岛收集并鉴赏韩国汉文文献的重大动力。

第二是敬畏之心，由于在壬辰倭乱之前明朝与朝鲜的交流具有局限性，明朝人士们能够接触韩国文献的机会非常稀少，当这些明军到达韩半岛正式接触到韩国文献后发现朝鲜的汉学水准已相当之高，深感敬畏，吴明济在看到多名朝鲜从事官的作品后评价道“优雅、素朴、值得一看”，蓝芳威和吴明济也正是以此为契机，开始正式收集朝鲜文学资料。

第三是优秀性，韩国的汉文具有韩国固有的特征，所以用这种汉文写成的文献也是如此，举个例子，蓝芳威曾多次赞赏许兰雪轩的作品，尤其是对〈白玉楼上樑文〉赞不绝口，同时还提到李盘手抄的〈白玉楼上樑文〉字迹苍劲有力，方挺规整。

明军收集韩国文献的过程大可分为两种：一种是通过偶然的机会或单纯地出于好奇，朝鲜作为明朝的盟国，双方在战争期间交流了不少文件和书信，明军在回国时携带着朝鲜发来的各种文件和书信，明军也会在游离于各战场时通过偶然的机会发现自己感兴趣的韩国文献并将其收集。

另一种是具备明确的目标意识进行收集，明军中的文学之士们对韩国文献相当感兴趣，所以他们是具备明确的目标意识收集韩国文献的，举例来说，吴明济在首次到达韩国后迷上了朝鲜诗文，开始收集相关资料，随后在第二次访韩时更是以编纂朝鲜诗选集为目的，紧锣密鼓地进行资料收集工作。

接下来将解析具有明确目标意识的明军在收集韩国文献时所用的方法，最为普遍的是向朝鲜接伴使(包括从事官)提出收集文献的邀请，当时来到韩半岛的明军高官身边都会有负责接待和翻译的接伴使，明军高官们常常会通过这些接伴使获得关于朝鲜的各种信息，其中部分具有较高文化素养的高官关注到了韩国文献，开始收集相关资料。

比这种方式更为积极的是明军中的文学之士亲自拜访朝鲜的文人墨客，收集文献资料，蓝芳威和吴明济就是典型的例子，那么当时的朝鲜文人们是如何接待这两位明朝学士的呢？不同的阶层表现出了不同的反应，以许筠为例，许筠在见到两人后觉得这是让更多的人认识到自己和家人文采的好机会，所以将自己背诵的作品和姐姐许兰雪轩的诗文送给了蓝芳威和吴明济。

最后，笔者想探讨一下将韩国文化传播到国外的最行之有效的途径，这里面存在很多方式，最为常见的就是韩国国内的学者和相关机构用外语翻译韩国文学作品，然后将其传达至外国学者和相关机构，不过还有一个比这个更有效的方法，那就是外国学者亲自研究韩国文学作品，并将研究成果介绍给当地文坛，如果外国学家的研究成果能够在该国出版发行的话，能够进一步加快传播速度，吸引更多的读者，从而获得更大的效果和影响力，而且外国学者会从截然不同的角度和观点看待问题，所以还能保证韩国文学的多样性发展。

蓝芳威和吴明济为韩国文学在中国的推广做出了很大的贡献，《朝鲜诗选全集》和《朝鲜诗选》已经在中国大陆出版发行并在中国文坛广为传播，前面也提到过有很多中国文献在记录中提到过这两本诗集，不仅如此，《朝鲜诗选全集》和《朝鲜诗选》在中国发行后还重新“出口”到了韩半岛，成为了朝鲜文人之间脍炙人口的佳作，这就是文化传道士蓝芳威和吴明济成就的伟大功绩。

与韩国文士的真诚友谊
张 謇

徐毅、徐乃为(南通大学)

张謇

中国近代史上的张謇(1853-1926)，是有名人物，是重要人物：在科举上，有北直隶乡试南元与光绪甲午年殿试状元的桂冠；在仕履上，他所经历的晚清、民国孙中山临时政府、袁世凯政府，都曾被委任重要的政府阁员；在著述上，留有六百万文字之巨，是文章大家，誉为晚清四才子之一(另王闿运、缪荃孙、赵尔巽)。更重要的是，作为著名实业家、教育家、社会革新家，其实践、其业绩及其综合作为，对中国近代社会的变革与演进产生着重大影响，从而赢得崇高的历史地位。

在近代中韩关系史上，张謇也是一位重要人物，他曾因一桩公务而驻留过韩国(朝鲜)，却与不少著名的韩国朝野文士产生真诚的友谊，有的还保持了一生，堪称佳话。

张謇的韩国渊源，始于光绪八年(1882)夏天的朝鲜“壬午事变”，当时的张謇还只是一介秀才，年龄也未届而立之年。他是作为应邀平变的清淮军吴长庆部的主要幕僚入朝的，平息事变只在一段不长的时间内就基本结束了；而光绪十年春，吴长庆军已回国移防大连，总历时不到两年；此期间张謇还得经常奔赴国内处置相关事务，且以在国内的时间为多，他在韩的时间总共不过几个月，此后再也未去韩国；而且张謇并不懂得韩语，交往只能依靠笔谈。纵然在这样的背景下，张謇犹能真诚结交那么多韩国的文人朋友——或者说能获得那么多韩国友人的真诚友谊，实属罕见。

今对张謇这一时段的经历细加考察分析，我们可以获知个中情由。

首先，他在随军处置“壬午事变”中起到了关键的作用，立了大功，清军统帅吴长庆致国内总指挥张树声的信函中说道，“赖张季直(謇字)赴机敏决、运筹帷幄、折冲尊俎，其功在野战攻城之上”。因此，张謇此行获得朝鲜王室及其属官、文士的充分认同。朝鲜国王赐其三品职衔，朝大臣曾欲荐张謇留朝作朝王之“宾师”；朝方与清军接洽处理“壬午事变”的首席代表领选使金允植致信张謇，谓“当今用人之际，如吾先生之才，谁不欲以礼致之”。朝方还为吴长庆立生祠，属下数十位之中，张謇名列第一，这是朝方对张謇“平变”作用的高度赞许。可见，张謇是被韩国人视如帮助清军统帅吴长庆取得成功的人，是为韩国带来和平与稳定的人，是有恩于韩国的人。这样的人，自然被认可，被接受，被尊崇，这是张謇获信于韩国人的前提与基础。

其次，张謇在两国交往中，能真诚、严正与恭奉礼仪，因而大获韩方朝野的好感。

张謇是宗主国代表，但他绝不高高在上或盛气凌人，而是有礼有节，谦恭持正，表现出礼仪之邦而来的礼仪之使的风范。有这么一个小故事：鉴于张謇与袁世凯平定“壬午事变”的贡献，朝鲜国王特赐宫廷酒馔与张袁二人，几天之后，张謇发现韩王室的一只酒器仍留在营中。张謇当即还去，并郑重地呈上《谢启》：“往拜大王盛馔之赐，今见盛酒瓷盎尚在军中行厨。列讯庖丁，云：比还役，仓卒遗此。廋上宫之屦，既审辨乎是非；还合浦之珠，宜叙明其来去。反璧为例，削简增惭。”此《谢启》本身就表示了张謇处事的端方严正，一丝不苟，一切遵循规矩法度。加线句用了《孟子》中“上宫廋屦”以及“合浦还珠”、“完璧归赵”三个典故，用得十分得体，意思是，我们帮助贵国平息事变，可不是为了贪恋微利，贵国器具或遗或存，均当“完璧归赵”；还对自己一方的疏忽表示了愧歉之意。这自然表示了清军的正当之举、正义之师、秋毫无犯、真诚为人的形象；“谢启”内容的得体与雅致亦足以让韩国人产生良好的印象。

再次，张謇的才学与睿智深为朝鲜文士所钦佩。

张謇一到朝鲜，便随吴长庆与朝鲜首席代表金允植、吏部判书(犹尚书)金石菱、兵部判书赵宁夏、弘文馆侍御鱼一斋等接洽谈判，获得朝方高层的高度认同。而他善于见缝插针，拉近与朝鲜友人的距离的交往艺术，令人称赞。张謇八月五日的《日记》(新版《张謇全集》第八集)记载了他与金石菱的交往佚事：

> 是日与金石菱谈。石菱不识金品，戏以“论金不辨青黄赤”属之对，石菱大喜，谓肖其生平，转属成联贻之。石菱于同治初曾使中朝，遂应以“观乐能知雅颂风”，益大喜；问更能属对否，随以“标卷平分甲丙乙”、“贡赋犹区下上中”、“闻乐徐参肉竹丝”、“品酒能分碧白红”(石菱善饮，朝酒红上碧中白下)应之。

张謇因金石菱不识金品，以“论金不辨青黄赤”属对，这是文字之交的技巧：称颂姓“金”的金石菱“不识金”，即说他不是“喻于利”的“小人”，而是“喻于义”的“君子”；金石菱理解其内蕴，因谓“肖其平生”，并转属张謇成对书联，并更请以他句对：这也是尊重张謇，让张謇尽其联才，尽其书才。张謇竟片刻对出六联之多。这是十分雅致的交往，是君子之交，是学问之交。张謇因与金石菱成为好友，金与张多有诗歌唱和；金还请张謇为他的笔记类著述《谭屑》作序；甚至让他的儿子金教(敬)献前往张謇处领教求诗。

张謇与朝鲜文士的友谊就是通过这样的细节，通过这样真诚而高雅的交往建立起来的。翻阅张謇的《日记》与张謇的诗文集，可以作出这样的判断，当时韩国朝野文士，以结交张謇这一青年才俊为幸。

韩官员黄道园、李浣西是国王的近侍，在与张謇的公事交往中成为好友，正是他俩竭力推荐张謇留朝做宾王之师的。张謇回国，他俩乘船护送张謇到烟台。张謇诗集中留下赠与他俩的多首诗作，这些诗表达了对对方国家前途的关切，对对方人生的关心。张謇在朝鲜期间写下的重要文章《朝鲜善后六策》等也是交与黄李二人，并通过黄李二人交与国王的。

而以下两例足以证明张謇与韩国文士交往之广与交往之深。

参判赵冕镐玉垂是朝鲜资深高官，又是著名的诗人；足足长张謇五十年，想来两人间很少产生交游的客观基础，然而赵老主动将诗集《异苔同岑》赠予张謇，张謇还题了两首绝句表示颂赞；特别是后来发生赵冕镐小妾跟人私奔之事，张謇还写诗“慰问”，用苏轼晚年放还小妾柳枝以自由之身作譬喻，“谁凭骰子易通犀，开阁原应放柳枝。从此安心参佛祖，爱河清净见摩尼。”这自然表明两人的忘年交的程度已然十分深厚；也侧面反映了张謇的雅誉流传极广。

在韩国边远地区的南海岛(今韩国南海县)有一个年轻气盛的徐姓少年，也慕名拜访张謇，张謇十分用心地写了一首七律《少年 · 赠南海徐生》相赠：“少年海外剧相逢，瑙勒珊鞭意气雄。不信文开生仲祖，但闻邹忌慕徐公。微词赋色璘㢈上，顾影怜花宝镜中。却忆初明论七贵，几回怊怅道边翁。”此诗前半首称颂他的才貌，结尾化用中国六朝时期沈炯的《长安少年行》，告诫南海少年，人生的制约因素极多，难以预料人生的起伏盛衰；要做到发迹而不得意忘形，挫折而不消极丧气。可谓语重心长，情真意切。

这说明在当时的朝鲜，无论出身贵贱，无论年龄老幼，无论相交亲疏，均愿意结识张謇。

虽然张謇去韩国只一次，仅几个月，但是有迹象表明张謇与韩国的一些友人保持终生的联系与友谊。金允植应当即是一例。

张謇在壬午事变稍竣返国处理他事，曾托金允植买书籍等事，足见相交不同一般。而在吴长庆军回驻大连，吴长庆病逝，张謇彻底完成使韩使命以后的光绪十年冬、十一年春，张謇还曾以私人名义给金允植去过长信，谈的均是“壬午事变”以后韩国又发生的“甲申新乱”，表示自己的忧虑与建言，其眷眷之意，如对待自己的祖国。此后虽未能找到他俩联系的影蹟；但在公元1922年，张謇已经古稀，这年的正月二十六日，他收到这位四十年前老友金允植的讣文，因而沉痛地写下《朝鲜金居士赴(讣)至，年八十七矣，哀而歌之》一首长诗：

破晓飞来尺一纸，开缄叹嗟泪盈眦。
朝鲜遗民老判书，生已无家国俱死。
国何以死今匪今？主孱臣偷民怨深。
强隣涎攫庇无所，昔尝语公公沈吟。
自是别公四十载，癸未与公别。东海风云变光怪。
居州独如宋玉何？楚人甘受张仪绐。
一窜投荒不复还，国社夷墟犹负罪。
李家兴废殊等闲，河山辱没箕封贤。
白发残生虏所假，赤心灰死天应怜。
噫吁嚱！朝鲜国，平壤城；
李完用不死，安重根不生，运命如此非人争！
居士低头惟诵经，诵经之声动鬼神。
后生拔剑走如水，亡秦三户岂徒然？

从会九京良有以，公胡遽化九京尘？淬患缠忧八十春。

回忆南坛驻军日，肠断花开洞里人。花开洞，居士昔居处。

这首诗弥足珍贵：第一，应当证明着张謇与金允植保持一生的联系与友谊，否则，金允植家怎么可能发讣文给四十年前交往的外国人呢？第二，充分证明了张謇一直关注同情邻国朝鲜的国家命运，他熟悉这个国家四十年来的坎坷变化，他用“后生拔剑走如水，亡秦三户岂徒然”，歌颂当时朝鲜人民反抗日本殖民主义而谋求国家独立的斗争。这就再次印证了张謇是确实真心的关心韩国的独立、繁荣与安定的中国友人。

这里还得介绍张謇的待人之道以及极重情义的两个细节。

其一，张謇接待过由金允植介绍的类似于上文举及的徐生的青年诗人金泽荣(下文中主角)，两人笔谈诗艺而极尽欢洽，临别张謇赠予“三方福建印石和两块徽州松烟墨”。张謇本出身寒素，并因“寄籍风波”而积下巨债，当时他犹有债务未清。但为人十分慷慨大方，好结交天下朋友；并且十分用心，带上这些雅致的、适合于文人交往的小礼品，这从细节之侧面说明张謇的人格魅力。

其二，上文说及张謇在“甲申事变”后致金允植的信中，有以下一段：“如报所言，方乱党肇事，妃若、世子若、闵氏父子、赵惠人(宁夏)、李浣西、尹葵堂、韩圭稷，并以十月十八日同时与难。……桑中三宿，且有情焉，矧与贵国君臣曾通款悃，闻此之耗，能不系心”，这里表示对当年老友在变乱中不幸遇难的痛惜。特别是信末特别问及“浣西、葵堂家尚在否？”这是对老友遗族的关心，让人温暖却酸鼻。而“石萱昆季尚居官否？一齐无恙否？令子景鲁学业何如？”则表示对其他朋友的思念，延及对方的儿子的学业。而信最后还不忘金允植当年竭力推介的金泽荣，“沧江(泽荣号)计安善，

中国金泽荣的墓地

其所征寿文、诗序缘事不能便作，终当有以报之，烦语沧江。”由此可知，张謇对韩国朋友的情义是真诚深挚的，而其赢得韩国朋友的高度认可与尊重也是必然的。

这里，我们要特别郑重地介绍张謇与金沧江的堪称“刎颈之交”的友谊。

金沧江(1850-1927)，名泽荣，字于霖，沧江其号；在1891年(大韩帝国光武二十八年)会试中进士。曾任编史局主事、内阁主事、中枢院参事官、内阁记录局编史、史籍课长、中书院参事官兼内阁参事官；领正三品通政大夫衔。金泽荣是与张謇年岁仿佛的近代韩国重要的文学家、诗人、史学家；他才华富赡，却是个性格奇崛、脱离现实的文人，一生沉浸在从中国传来的儒家王道的社会理想之中，他热爱自己的祖国；但对日本国咄咄逼人的觊觎，只能沉痛而莫有所为。1905年，韩国在日本的逼迫侵占之下濒临灭亡，看到国势愈益不可为，就流亡中国。张謇收留他，并妥善地安置了他的后半生。

金泽荣之流亡中国，或者说来华的目的与根因是个复杂的问题，中韩两国的学者都有论及；本人曾经专门作过认真、细致、深入的思考与研究，得出的结论是：

> 金泽荣自许于自己的诗文著述，渴望于自己的声名传扬，恐惧于人生的来日无多，景仰于中华的儒家文化。于是，在日本殖民侵略使祖国每况愈下态势的刺激之下，来华谋求诗文著

述的刊印流传，与中国文士切磋交流，乃至徜徉山水，而度过余生。(请参《金泽荣离韩来华的目的与根因辨正》载《南通大学学报》2013. 4)

金泽荣与张謇最初的结识，上文已经说及；在张謇离开韩国以后，直至金氏前来流亡的二十年间并无联系。

金泽荣来华那年五十五岁，在当时已算是渐入晚景的老人，在一无余羡、二无长技的境况下，贸然携带家眷来华，从自身生计说，是草率的，也是十分冒险的。而且，其最初拟以投靠的是一个已风烛残年的苏州的民间耆宿俞樾。目的是“玄亭载酒”，向俞樾问学论道，然后徜徉山水“得终老于苏浙之间”，八十五岁的俞樾对金泽荣的前来投靠自是十分错愕，老人只能满足为其诗集作序的请求，而通过序文对他发出婉拒并忠告：

> 君以异邦之人，航海远来，衣冠不同，语言不通，寄居吴中，踪迹孤危，似乎可虑。与其居苏，不如居沪；沪上多贵国之人。旅居于此，有群居之乐，无孤立之忧，所谓因不失其亲也。俞樾《原序》

金泽荣只好悻悻然地从苏州返回上海，陷入困境，在踌躇十几天后，通过种种周折，打听到张謇的通信地址，方写信与南通的张謇联系；张謇随即来沪见到了金泽荣。张謇自然是欣愉之中也不乏诧异，乃据金泽荣之所长，先建议他在沪上作报社主笔；而金氏辞曰：“吾安敢与贵国文士论战哉！”原来，那些韩国文人以上海为基地的反日独立运动并非金氏之所愿。金泽荣实际上到了无以谋生的窘境，乃至绝境。生性好客并珍视友谊的张謇马上接纳了他。张謇知道，他之对待金泽荣，并不是救其“一时之急”，给他盘缠让其回国，而是满足他在华度过余生的愿望，要解决他、他全家的生存问题。可是，金氏是“一无余羡，二无长技”的文人，而且，他又不懂中文口语，谋生会有很大的困难。张謇更深知金泽荣是有气节、骨气的而又个性鲜明的文人，绝不会接受“嗟来之食”。张謇思之再三，为他谋划到一件“惟一适合”的工作。在自己旗下本来专门刻印教材与杂项印务为主“翰墨林”书局中，为他独自创设“督校(张謇《自订年谱》中语)”的职位，这是不会中文口语而认识汉字的金泽荣惟一可做的岗位。这与其说是为他量身定做，还不如说是因人设岗。由此看出张謇的好客仗义与智慧。

张謇深知飘零于异国他乡又语言不通的孤独与困窘，乃千方百计，创造条件让金泽荣融进南通社会，乃至江苏、上海、全国的社会。

张謇主持的聚会，凡所适当的，必会邀请金泽荣出席。以下几首诗题便可说明。《因视林溪工，约丁禾生沙健庵金沧江潘葆之张景云同游，遂憩精舍》(二首)，自己的山林别墅完工验收，把寄情山水的文人请来，不忘这个韩国的朋友。“莲社已谐元亮约，辋川疑待右丞逢。水云佳处吾堪共，高兴还来策短筇。”“衹怜朋辈皆苍老，正要春风劝酒卮。”这两首诗简直就是专门为原拟来华徜徉山水的金泽荣所作。民国八年中秋节，正是人们团圆赏月的节日。张謇的诗集中有这么一首诗：《己未中秋，约沧江叟、吕鹿笙、张景云、罗生、退翁，与儿子泛舟。用东坡八月十五日看潮五绝句韵》，通过宴饮、赏月、吟咏，慰藉这位异乡的友人。

张謇还有五首《林溪精舍诗》五律，今存诗题、诗内容中不见招邀金沧江，而实际上金泽荣还以一首五律唱和；张謇如皋籍好友沙元炳的和张诗中亦说金氏在招邀之列。可见这种邀请金泽荣参与的情境与场合未在记述中留下的情形必然还有很多，由此可知，金泽荣是经常作张謇的座上之客的，这自然是张謇对他的尊重与友谊。

民国八年冬天，张謇邀请著名艺术家梅兰芳来通演出，张謇郑重设宴为梅兰芳洗尘，邀请南通的名人作陪，金泽荣列首位，其诗题是《梅欧阁一月一日，招金、吕、方、刘、欧阳诸君暨怡儿，就阁小饮，即席各有诗》。民国十一年，张謇的朋友吴眉孙从北京来，张謇邀约朋好作陪，也有金泽荣。诗题是《十月三日，吴生眉孙至，邀同沧江星南烈卿小集观万流亭，烈卿先有长律，因赋》。这里除了借机款待金泽荣以外，也有把金泽荣推介给自己的“区域外”、“行业外”朋友，让其有更广大的交流平台的意思。诗中还专门点出金氏，“不如沧江叟，语嚛默坐隅”，一方面说他的矜持，另一方面对其不会用中文交流的同情。值得注意的是，金泽荣往往列于众朋友之前，由此可知张謇对他的尊崇。梅兰芳是张謇的忘年交好朋友，张梅两家常有世俗的礼节来往，梅兰芳的祖母生日，张謇奉贺诗，赠贺礼；张謇不忘代金泽荣写上贺诗，张謇所代作的另一首是替他的独生儿子张孝若所作，可见张謇对金泽荣的关心、器重与推介。诗的开头是“平生惯见张夫子，言孝言慈劝有加”，此模拟金泽荣的口吻，说是从张謇的口中听到你们梅家“孝慈”的美誉，极为得体。

今从金泽荣的诗集中，还能见到金泽荣多有与南通文人的交往唱和的诗歌，这显然出于张謇的“中介”。

后来，金泽荣的交往，走出南通，走到扬州、常州、上海，到常州拜访屠敬山，还与梁启超、严复、郑孝胥等名人有交游或诗词唱和，尽管我们很难找到张謇从中介绍的影踪，但是其出于张謇的介绍，至少缘于张謇的间接关系，譬如他的翰墨林书局督校的身份，那是毫无疑义的。实际上，这都是张謇为金泽荣细心运作的结果。

张謇对金泽荣生活的、身心的关心是体贴入微的。中韩两国的风俗，都十分看重生日的庆贺。而生日是由他人庆祝的，对金泽荣而言，自然是不敢惊动人家，不敢麻烦人家，不敢破费人家。但是，作为主人的张謇，应该主动关心。在张謇询问金泽荣生日而遭“推托婉拒”的情形之下，张謇自己作主挑选一个好日子，出资设宴，为他邀客，给他祝寿；自己奉诗，并请各客人同作共贺，安慰那位孤寂的外国友人，那是何等的感人！诗题即是“沧江翁今年七十，不以生日告人；八月一日为延客觞翁于观万流亭，赋诗为寿，属客与翁和之”。

其一

六十七十翁发皤，旧运新运天旋螺。
春秋惟有乱可纪，(指翁作《韩史》)忧乐合以诗相磨。
看花老辈应逾共，载酒佳时莫厌多。
槛外朝来云物好，从容等视万流过。

其二

东北浮云屡变更，秋风落日汉阳城。
南坛幕府萦吾梦，左列词曹系子情。
一局烂柯嗤对奕，几时得尽话长生？
引年送日须歌舞，准备缠头听玉笙。

金泽荣生病了，张謇还看望他，留下诗歌慰藉他：

闻病抛诗叟，来探借树亭。
填栖书亩被，烧匠柮连扃。
扶掖怜参术，荒寒满户庭。
余年犹兀兀，史笔耿丹青。

张謇的诗集中还有清宣统二年正月二十九日的三首《金沧江同在退翁榭食鱼七绝》，跟张謇一同打理实业的哥哥张詧，获得江鲜刀鱼、银鱼、江蚌，请金泽荣尝鲜。这自然说明张謇对金泽荣的礼遇已经影响到张謇的家人，表明张家人已经视金泽荣如自己家的一员。

张謇对金泽荣的关爱，不仅是生活方面的，还体现在学术等领域，这足以表明对他人格的尊重与对他学术的器重。张謇与他切磋学问，甚至向他请教。张謇是清末民初的诗文大家，是著名诗人，与当时的著名诗人郑孝胥、张之洞、沈曾植、陈三立、范当世等齐名，其诗名有“郑张”、“二张”、“张范”之并称。几人中只张之洞长于张謇，其余均与张謇年相若。可是，张謇于民国三年出版的第一本诗集《张季子诗录》，并没有请自己的好友沈曾植、郑孝胥、陈三立等人作序，而是迳由金泽荣作序，这是张謇对金泽荣的敬重，而且有为金泽荣“推介”的成分。张謇自己则为金泽荣的其他著述、出版物作序，这都是对金泽荣的支持与帮助，这种情谊堪称“管鲍之交”。

而且，他们之间学术交往的探讨，常能深入、直接，没有客套与虚假。张謇诗集中有这么一首诗《沧江示所和诗复有赠》，值得玩味：

爱客攻吾短，论诗数尔强。
时时惊破的，炯炯达升堂。
蜡屐吟山出，蜗庐借树藏。
众人怜寓衞，后世有知扬。

金泽荣是寄人篱下者，竟直抒己见，直接指出张诗的短处！张謇不仅毫不介意，金氏的评诗的态度与水准都得到张謇所称扬！这是多么纯正的真挚的文友关系。最后一句用了春秋故事，黎国为狄人所灭，黎侯弃其国而寓于卫国。此用于比作金氏从朝鲜来寄居于南通。整句说金泽荣的遭遇为南通的朋友爱怜并得到中国朋友的传扬。

张謇的文艺素养极高，又特别喜爱戏曲，此由其创办“伶工学社”、建造“更俗剧场”，以及与演剧艺人如梅兰芳、欧阳予倩等的广泛交游可以看出。而戏曲是以歌唱、舞蹈为主要表演手段的艺术。显然，戏曲的渊源、歌舞的渊源、舞蹈的渊源亦是张謇所关注的。可是，中国的典籍中关于这方面的记述极为简略。张謇的理解是“乐经云亡乐记隐，乐尚器传舞则剩(张謇诗《舞两生行》)”：古乐由于乐器的流传而流传，而古时舞蹈却由于时代久远与乐曲的变化而只能剩一些影蹟了。张謇深知朝鲜民族能歌善舞，认为在传承古舞方面必有独到之处，于是，趁著一个契机，用笔谈的方式，向金泽荣请教古舞在朝鲜民族流传的问题。于是留下《与金沧江论舞笔谈》一篇重要文章。整个笔谈都是张问金答。笔谈的过程中，两人深入到中韩两国舞蹈的渊源、演变、存失等话题。整个笔谈充分体现张金两人的学说的广博，以及两人对学问的执著。

张謇对金泽荣最大的帮助，莫过于“促使”金泽荣完成了事关韩国文化的文、史、诗的著述与出版，使金泽荣成为韩国近代史上文史著述成就最为丰硕的大家之一；为中韩两国留下丰厚的文史遗产。

金泽荣有渊博的学养，其主观条件足可以成为文史大家，但是在当时动乱贫弱的国内是无法完成文史的著述的；也就是说，纵然有这一能耐与想法也未曾想到去实现。当初他到中国来带的只有其前辈诗人申紫霞的诗集与自己的诗集，其初衷并不是为了出版，因为那要许多具体的客观的物质条件的，那是需要钱的！金泽荣的“私意”是：你们中国人不要小瞧咱韩国人 — 申紫霞与我的“中文诗”是可以与中国的文人作平等交流的。

张謇给他“因人设置”的翰墨林书局“督校”，实际上是体面的可以“只拿薪水不干事”的岗位，恰正好给金泽荣以机会，让他只管耕种自己的“一亩三分”地。他在南通张謇处站稳脚跟，觉得可以在著述出版方面一展宏图后，便马上回韩国拿来自己的著述原稿与其他文史资料。金泽荣在中国的二十几年间，著述、整理出版了《韩国历史小史》13卷、《韩史綮》6卷、《校正三国史记》50卷、《重编韩代菘阳耆旧传》2卷、《沧江稿》14卷、《合刊韶濩堂集》15卷、《梅泉集》7卷、《丽韩十家文钞》11卷、《申紫霞诗集》六卷等三、四十种！这是了不得的巨大成就！因此，梁启超称赞他能使“东国一线文献，庶不坠地也”，严复则称扬他“笔削精灵聚，文章性命轻。江南春水长，魂断庾兰成(庾信字)”。而李氏王朝的著名古文家李建昌则谓金泽荣的著述堪称“举一世无一人”。金泽荣所以有此重大成就，外在的客观原因确实全是由于张謇；他自己也非常清楚：

以韩之产老中土，非缘何以能致然。
啬翁馆我清净地，水南花北三四椽。(啬翁张謇晚年号)
于此偃仰二十载，重重纂述书齐肩。

……………………

因此，可以说，金泽荣之遇张謇，是金氏一生之幸；也是韩国的文史之幸。

但是，令人痛心的是，这位著述等身的大学者，这个自以为能终老中土的金泽荣最后以悲剧收场。1926年夏天，张謇不幸因病而先他逝世；此前三四年起，由于国内外时局变化以及市场的双重挤压，张謇的实业已经不堪重负，迅速衰落；本来并不景气的翰墨林书局更是难以为继，遂使金泽荣骤然失去双重依恃，同时他的病体使他不复再有苟延残喘的勇气；在第二年春天，金泽荣用自杀了结自己的一生。

张詧与以及金泽荣的南通的朋友们，还是以非常隆重的仪式安葬了他。显然，金泽荣自杀本身，正侧面证明着张謇对金泽荣的至关重要，正证明着张謇对金泽荣的深厚诚挚的情义。

中国地藏菩萨道场的开山祖，新罗僧

金乔觉

吕圣九(国民大学)

佛教强调自利利他。放到现代的语境中，也可以说是双赢(win-win)。倚重某一方，就会破坏和谐，大乘的教义是要接受一切，并加以融合。不分国籍与身份，不分出家与在家，都要公平对待，地藏(696-794)是一位将大乘的教义付诸于实践的僧侣。

中国四大佛教圣地是山西省五台山文殊道场、四川省峨眉山普贤道场、浙江省宝陀山观音道场、安徽省九华山地藏道场。地藏是九华山地藏道场的开山祖，被尊为地藏菩萨的化身，至今依然被尊崇为肉身菩萨。

对地藏的关注程度，中国高于韩国，论文献，源自中国的资料也远多于韩国，韩国国内关于地藏的文献几乎全无。关于地藏行迹与足迹的传说流传至今，后人编修了数十种《九华山志》来颂扬地藏的丰功伟业。

地藏入寂后，九华山里建起了化城寺、祇园寺、甘露寺、百岁宫等寺庙，形成一带丛林，如今这一带有80多座寺庙。中国的历代皇帝也对地藏表示重视，唐肃宗与明神宗为地藏下赐颂扬地藏济度众生的教旨、铜印、经典等。吴用之与地藏的友谊深厚，他的子孙后代依然高度崇仰地藏。2013年建成了99米高的地藏菩萨像，以纪念地藏菩萨的功德。

杭州灵隐寺地藏(金乔觉)像(© 张日圭)

九华山以肉身佛像之多而著称，这本身也源于地藏。化城寺护国肉身宝殿里供着地藏的肉身佛像。肉身佛像奉安于三层木塔，然后将该木塔奉安与七层石塔。百岁宫里供着无瑕肉身佛像，说是地藏的应身，便称之为应身菩萨。

九华山是中国四大佛教圣地之一，不仅是受中国人青睐的名胜，韩国佛教徒及游客也络绎不绝。1997年，中国安徽省政府给地藏的故乡庆州佛国寺赠予了地藏菩萨铜像。最近韩国也受到中国的影响，开展地藏的显扬事业。韩国全罗南道宝城大原寺、南杨州柏泉寺、金仙寺等多座寺庙建筑地藏殿，奉安按照其形象雕塑的佛像。

出家与入唐求法

地藏出生于新罗孝昭王时期，并于元圣王时期入寂，是一名留学僧。关于地藏的本名，两国学者的说法不一。中国学者认为他的本名是金乔觉，而韩国学者则认为是金守忠。围绕他的出身，也有王族说与王子说两种说法。考虑新罗当时的政治环境，也曾追溯具体的人名，但因资料的缺失，无从考证。综合至今的研究成果可推测，他出身高贵，是与王室有关的真骨出身，地藏是其法名，乔觉应该是其尊号或谥号。

他头顶高耸奇骨，身高七尺，才力过人，力大能敌一百名汉子。就当时而言，他的身材是相当魁梧的。他入唐于开元年间(713-741)。关于他出家与入唐求法，费冠卿的《九华山化城寺记》上写道："尝曰，六籍环中，三清术内，唯第一义，与方寸合，落发涉海，捨舟而徒，睹玄山于云端。"

地藏入九华山，大约是八世纪中叶，开元末期至天宝初期(742-755)。他入山时，九华山曾名九子山，754年李白与其好友青阳县监韦仲堪同游长江，看到九子山的九个山峰如莲花般美丽，就更名为九华山。

得到周边老百姓的帮助，于756年建造了寺庙，780年又得到地方官的支援，唐德宗敕赐寺额名“化城寺”。地藏在化城寺建成后，五十多年以来，收徒纳众，进而广施教化、济度众生，声名远播，于794年入寂。地藏菩萨垂迹九华一千二百多年来，朝山进香者接踵而至，岁无虚日，香火之盛甲于天下。

时代背景与地藏的课题

当时唐玄宗的“开元盛世”与唐太宗的“贞观之治”相媲美，政治上相对稳定。而在唐玄宗末年，748年宠爱杨贵妃及其家族，乱政误国，形成外戚干政的不正常局面。地方节度使形成独立势力，掌握地方的军事、民政及经济。当时的唐朝可谓是内忧外患，经常遭到回纥、吐蕃、契丹等外夷的侵扰。

贵族之间的权力斗争体现为安史之乱(755-763)。安禄山一人兼任平卢、范阳、河东三镇节度使，而他以讨伐宰相杨国忠为目的，带着15万军起兵，次年便占领了洛阳与长安。而763年，史思明之子史朝义为唐军所败，为期九年的安史之乱，由此告终。但其影响力十分深远，几乎动摇国家体制之根基。

安史之乱后唐朝户口数减少了三分之一，叛军到处掠夺、杀人、放火，百姓惨遭痛苦，而唐朝派回纥援军，而援军酒瓮之意不在酒，一心掠夺钱财，而非镇压叛军，百姓的生活陷入水深火热当中。

安史之乱结束后，节度使由十个增加到四十五个。自781年起，河北河南的藩镇再次谋反，全国再次陷入混乱之中。藩镇势力摆脱中央的控制，带有分权或半独立的色彩，拒绝向中央政府上报户口，也拒绝纳税。这个期间深陷痛苦的便是一般老百姓。因户口减少，均田制难以为继，贵族、地主等既有势力采取非法兼并的方式，拥有大片土地。而且唐朝府兵制崩溃，不得不实行了募兵制，国家需要向士兵发军饷，导致国家财政进一步恶化。除此之外，唐朝想方设法征收各种税金，如盐税(至德年间)、酒税(764年)、间架税(783年)、茶税(793年)，甚至对竹木漆也征税。780年唐德宗将过去的租庸调法改为两税法，以减轻农民的课税负担，而从结果来看，两税法承认了地主拥有大片土地的合法性，实际上加重了农民的负担。

观察唐朝佛教的特点，七八世纪，即唐太宗在位期间，玄奘的唯识学、智严的华严学等教宗大为盛行。而八世纪末禅宗中，慧能系列的南宗禅的地位高于禅宗中神秀系列的北宗禅。以江湖为代表的江西宗马祖道一，四川省无相的净众宗、无住的保唐宗也得以繁盛。以华严宗中受到禅宗影响的澄观为中心，也呈现出教禅一致的倾向。

地藏所处的时代背景如上所述，中央权力分散至地方，藩镇的势力日益高涨，彼此争斗，形成混乱局面。而老百姓的生活日益窘困。在宗教思想上，教宗势力没落，禅宗得势发展。在这样的时代背景下，地藏无法满足于自身的修行，不忍心眼睁睁地看着百姓受苦。他要拯救苦难中的百姓，以稳定混乱的世道为己任，承担起了协调融合教宗与禅宗的责任。

学习儒教、道教、佛教三大宗教

地藏提及六籍、三清、第一义，因第一义与自己的想法契合，于是决心出家。这里所指的六籍是儒家经典(诗经、书经、礼经、乐经、易经、春秋)，三清指的是道教的三位天神，即玉清(元始天尊)、上清(灵宝天尊)、太清(太上老君)。由此可知，地藏在出家之前，已经对儒教及道教有所了解。据推测，地藏发现有些问题是无法通过儒教与道教解决的，而正是佛教为他指明了方向。

通过流传至今的诗《送童子下山》便能了解他对儒教的理解程度。

空门寂寞尔思家，礼别云房下九华。
爱向竹栏骑竹马，懒于金地聚金沙。
瓶添涧底休拈月，钵洗池中罢弄花。
好去不须频下泪，老僧相伴有烟霞。

《全唐诗》卷808

《送童子下山》讲述童子因腻倦于修行而要回俗世，道出哀伤的惜别之情。这是一首七言律诗，道出了师徒间的真挚情谊，押韵和谐，对句紧密，流露真情实意，受到高度评价。

他多年修行于道教之圣地九华山，由此可推测，他对道教的理解水平也相当高。窦伯玉与葛洪等道士兴建了开元关、白云观等道观，李白又将九华山赞颂为“灵仙往复”的地方。宋朝的《九华诗集》中写道，九华山中有醮坛(窦子明创建)与莲华观(道士赵知徵创建)等与道教有关的遗迹。后来有记载道,道教的灵官替代护法神韦驮守护祇园寺、甘露寺、肉身殿等位于九华山丛林的寺庙。由此可见佛教与道教的融合。在佛教流传之前，九华山就已盛行道教信仰与民俗信仰，而之所以地藏能够在此开山，应该是因为他调和了佛教与道教的对立关系。总之，应该说他的佛教思想起源于对儒教与道教的深刻理解。

他把四部经作为传法与教化的方式。早期，他为抄写四部经前往南陵。而此时，他的在家弟子俞荡将抄写的佛经送给了他。他带着四部经回到山里之后，再也无法在村里见到他的身影。自化城寺建成后，在放生池周边建起南台，烧香深究四部经的涵义。

关于四部经，尽管难免片面之嫌，但有传说言道，他在古拜经台学习过《华严经》，“化城寺”这个名字可能源于《法华经》中“化城喻”的内容，因此可推断，四部经中应该包括《华严经》、《法华经》等经书。除此之外，应该还包括《涅磐经》与《宝积经》。总之，可以知道的是，他并没有强调某一特定的所依经传或宗派。

化城寺的创建于济度众生

地藏入唐后，本着“学无止境”的态度，走遍中国的佛教圣地，行头陀行。在化城寺建成之前，便在九华山石室设有居室，即使被毒蛇咬也豪不动摇，雷打不动地坐禅。该石室现在称之为地藏古洞，长数尺，宽十多尺，高七尺。地藏渴饮涧水，饥食名为观音土的白土掺大米。看到地藏去远处提水，山神便给他赐了泉水，这股泉水至今在化城寺被称为“龙女泉”。据说，给地藏献泉水的女人就是《华严经》中“无量诸天大龙王”的女儿。

如果说地藏的石室的所行为自利行，济度众生的传法则是利他行，随着化城寺的建成，他的利他行便步入正轨。

756年，村老诸葛节与土豪、长吏为地藏的苦行所感动，痛改前非，要为他建寺庙。于是出钱购买僧檀公旧地。听到这一消息的老百姓就前来主动伐木筑石。他的弟子胜谕开渠辟田，在佛殿供奉释迦牟尼像，立挂着钟的朱台与门楼。此后，780年，太守张严请唐德宗赐寺额名，便得“化城寺”一名。

地藏住进化城寺以后，垦荒种地，开垦十亩水田，种自新罗带来的黄粒稻。九华山一带食粮相当短缺，为解决百姓的食粮问题，他与弟子们付出了不断的努力。通过化城寺这个名字，也可看出当时与食粮短缺有关的社会问题。

> 释迦摩尼与弟子一同下山普教，弟子饥渴难耐，拒绝前行，释迦摩尼用手向前方一指，便成了城邑。此时，释迦摩尼便道："前面有城，便可去乞食。"《法华经》

上述记录是关于释迦摩尼教育弟子有方，化城来鼓励弟子前进的内容。地藏建起化城寺后，开垦荒地，种植黄粒稻的事迹，在张严看来可能与《法华经》的内容有异曲同工之妙，便上奏下赐化城寺这个名字。而在九华山附近的宣州宣城郡当涂县还有一座化城寺。住持僧清升和地方官李有在天宝年间(742-756)铸造寺庙的钟，李白则写了著名的《化城寺大钟铭并序》。而太守张严改用了老寺庙的名字，是否就是指位于当涂县的这座庙，并无确凿的依据。两座寺庙的关系，还有待考察。

首先，他致力于开垦工作，整顿灌溉设施，以确保农耕地。由此可知，地藏为解决当时食粮短缺问题作出了多大的努力，也可看出他对当地经济关注程度之高。而且他还将从西域带回来的金地茶种植在寺庙附近。金地茶如今称九华山空梗茶。是九华山一代最具代表性的名茶。当时很流行茶文化，而且唐朝自793年起征收了茶税，想必金地茶为当地地区经济做了不少贡献，后来也使更多檀越入门成为可能。

被赐"化城寺"一名后，除了青阳县的人士之外，池州的地方官与学者、江西地区的商人、邻村的土豪、富商、大族等周边很多地方的人士也都慕名而来，获得尊崇与施斋。

作为化城寺的檀越，闵让和以地惠施。诸葛节则引领化城寺的建设工程，吴用之为地藏惠施大米。仪润所引用的《神僧传》中记载着，闵让和以地惠施，地藏便建起了化城寺。有一天，地藏下山托钵，一只老虎要攻击闵让和之子道明，地藏则让从新罗带来的白狗善听赶走了老虎，救出了闵公的儿子。闵公为报答救子之恩，便以地惠施。而且让儿子出家，辅佐地藏。后来，闵公他本人也出家，拜地藏为师。还有一种说法是，闵让和的传说从中国禅宗第六祖惠能(638-713)建立宝林寺时，陈亚仙以地惠施的传说借鉴而来，因此也难以断言闵让和传说的真实性。

地藏曾作了《酬惠米》与《送童子下山》两首诗，吴用之则是出现在《酬惠米》中的人物。而将此诗与宋朝的苏轼赠循州的太守周彦质的诗《答周循州》加以比较，可以发现两首诗相当类似。因此有人怀疑《酬惠米》是否地藏亲自所作。而陈亚仙的传说与《答周循州》中出现的人物，皆为惠能。因此，闵让和与吴用之的故事很可能被后人所捏造。但也不能断定闵让和、吴用之是与地藏毫无关系的人物，因为现在九华山附近有与闵公相关的闵源这一地名。也有与吴氏相关的源清莊、吴氏新城宅、新城精舍等建筑。由此可推断，闵让和与吴用之应该出身于青阳县九华山附近的名门家族，能够确定的一点是，他们作为地藏的檀越，接受了他的教诲。

池州的官吏与学者看到他，对他的尊敬之情就越发浓厚。江西商人也以绸缎与钱财惠施，虽然相隔甚远，也极力支持地藏的教化活动。村里的富豪们每当来看望地藏时，也以礼相待，必施桑田。被地藏教化的富商及豪门子弟，也努力学习地藏的德行，视钱财为身外之物。听闻他的事迹后，很多新罗僧也纷纷入唐，拜地藏为师。

追求教宗与禅宗的融合

地藏研究佛经并没有留下著作，但通过念佛与祈祷，后人评价他自行修禅、教学。他在九子山独自行艰苦的头陀行，坚持自我节制的修行，他的修道生活在成立化城寺后，也毫无改变。

夏则食兼土，冬则衣半火无少长。畲田采薪自给，中岁领一从者。居于南台自缉麻衣，其重兼钧，堂中榻上，惟此而已。

《九华山化城寺记》

他的生活勤俭节约，凡事尽量自给自足，他以身作则，为一般百姓之楷模。自给自足体现在他在九华山修建灌溉设施、种植黄粒稻的事迹上。他的寺院生活兑现了“勤俭节约”、“自给自足”的精神，可以看出禅宗寺院处处节约的面貌。他同弟子们的修道生活更为彻底。在建成化城寺之前，地藏与弟子将白土掺上大米来食用。弟子们瘦得皮骨相连，故当时称之为“枯槁众”。寺中大众只是一心为求佛法，而完全放弃了物质享受的要求。

地藏如此节俭的生活与唐代僧侣百丈怀海(749-814)及石霜庆诸(？-887)有异曲同工之妙。怀海大师强调僧侣的生产劳动，跟一般百姓一样劳作，如果没有劳作，那一天就拒绝进食。而枯槁众则是比喻庆诸及其门下弟子的措辞。值得注意的是，从地藏与其弟子的身上已能见到上述两位大师的身影。庆诸在石霜山而十年如一日，与大众长坐不卧参禅，据推测，地藏的修行也有过之而无不及。虽然没有文献记载地藏与怀海的交流，但清朝仪润的《百丈丛林清规证义记》中记载着地藏的事迹，可推测仪润承认地藏与怀海确实有类似之处。他的生活模式为禅宗寺院提供了一定的行为规则，可能也对怀海所编写的《百丈清规》产生了一定的影响。

地藏对儒教、道教有着浓厚的兴趣，他对儒教、道教的理解渗透于他的佛教思想当中，深化了他佛教思想的深度。在佛教领域，他也没有差别对待教与禅，也并没有拘泥于某一特定经典或思想，广泛接纳各种思想。他海纳百川的精神与行动，仿佛大原菩萨，誓愿救济地狱众生后成佛。他就是新罗僧地藏。

地藏菩萨的化身

地藏出生于新罗王室，却舍弃王室华丽的生活，自主选择了苦难之路。入唐后，没有师父的引领与教诲，他自行走遍天下，到处求道，始终也没有回到祖国的怀抱。他之所以没有回国，是因为就像求道不一定要拜师一样，济度众生也不必分祖国与他国。

地藏以九十九岁入寂，人们称，他在石室修道时，地里冒泉水，而他入寂时，山鸣石陨，扣钟嘶嗄，入寂后则异动骨节，是地藏大师成为菩萨的特有征兆，便把他尊仰为地藏菩萨。而他们深知，这一切神异迹象都源于地藏清洁的心境与坚持修行的结果。

安史之乱之后，唐朝大部分财政收入依赖淮南、江南地区，因此地藏所栖息的九华山地区也受到不小的影响。特别是他生活五十多年的池州九华山一带，因缺乏农耕地，食粮短缺问题相当严重。当时的老百姓因安史之乱，度日如年，深陷痛苦之中。除此之外，该地区的土豪势力与道教势力根深蒂固，对外来民族带着偏见。据推测，当地老百姓对僧侣的反感也相当大。地藏选择这样的地方，传法、济度众生是他毕生最大的课题，也不断探索如何向该地区的老百姓传授释迦摩尼的教诲。

除了佛教，他还关注儒教与道教，也把儒教与道教作为教化普众的方式之一。他不拘泥于某一特定的经典或思想。对禅宗也有很深的造诣。他常年拜读四部经，生活悠游自得。地藏为贫穷饥饿的人们，开垦农田，奠定富足生活的基础，与老百姓同甘共苦。得到教化的人们，更为注重如何修道，而非物质上的富裕。弟子们只是一心为求佛法，而完全放弃了物质享受的要求。作为一个外来僧侣，能够在唐朝备受尊崇，被尊仰为地藏菩萨绝非易事。

当时，除了地藏之外，无相、无漏、神行、慧超等不少新罗僧都入唐求学。安史之乱之际，唐玄宗逃难至成都，想借佛力克服国难，创建大圣慈寺。净众宗宗祖无相制定了大圣慈寺的规章制度。唐肃宗曾在灵武内道场避难，无漏则在内道场为克服国难祈福。神行是第一个将北禅宗传至新罗的僧侣，唐肃宗甚至下赐称颂他的诗，赞扬他坚定的求法意志。以西域巡礼记《往五天竺国传》著称的慧超也在同一时期在唐求学。他们都为教化中国社会做出贡献，济度众生，在中国佛教史上留下伟大的足迹。而地藏之所以如此脱颖而出，是因为如誓愿救济地狱众生后成佛的地藏菩萨，他为济度众生而献出了一生。他为中韩佛教文化交流和两国人民的友谊竖立了一座历史的丰碑。

东亚海上国王

张保皋

崔熙俊(高丽大学)

韩国和中国两国自古以来在政治、经济、文化各领域相互交流、彼此影响，建立了深厚的友谊。1992年两国建交以来，通过加深友好关系、增强合作，正朝着“全面合作伙伴”不断向前发展，为促进21世纪东北亚繁荣奠定了坚实的基础。值此之际，关注9世纪韩中和平交流标志性人物的张保皋具有十分重要的历史及现实意义。

张保皋的出身及生涯

张保皋画像(© 国立现代美术馆收藏)

张保皋原名为弓福或弓巴。弓福是张保皋在去大唐之前用过的名字。因为身份低下，张保皋只有名，而没有姓。到了大唐后，张保皋觉得有必要给自己加一个姓，所以取一个和“弓”自相近的汉字“张”为姓，以“福”为名。日本的相关史料记录里，张保皋的名字被写成“张宝高”，意思是拥有很多金银财宝。由于没有对张保皋的家族或故乡的具体记录，因此张保皋的出生信息无法详细考证。张保皋在8世纪生于今天的全罗南道莞岛，并在莞岛度过了童年生活。长大后，张保皋和故乡后辈郑年一起怀揣青云之梦，去了中国大唐。

在大唐，张保皋和郑年一起加入了唐朝军队，后升至徐州武宁军小将。据悉，在武宁军服役期间，张保皋和郑年两人武艺超群，尤其擅长骑马挥枪，军中几乎无人能比。从武宁军卸甲退伍的张保皋，以山东半岛作为根据地，领导在唐新罗社会，开始经营起连接唐朝-新罗-日本的国际海上贸易。828年4月张保皋回到新罗，拜见兴德王(在位时间为826-836年)时，获准在莞岛设立清海镇。于是，张保皋率1万士兵前往莞岛，成立了清海镇。自此，清海镇成为连接唐朝-新罗-日本国际海上贸易的中心，张保皋也以故乡莞岛为根据地，通过中介贸易，积累巨额财富的同时，逐步掌握了东北亚海上商圈。

836年，新罗兴德王在未指定王位继承者的情况下驾崩。于是，兴德王的堂弟上大等金均贞和兴德王的侄子金悌隆开始了争夺新罗王位的角逐。最后，金悌隆杀死金均贞后，登上王位，成为僖康王(在位时间为836-838年)。金均贞的儿子金祐徵为了日后东山再起，携家人逃到清海镇，投靠了张保皋。

僖康王在执政第3年因金明造反而自杀。而后，金明自己登上王位，成为闵哀王(在位时间为838-839年)。得到这一消息后，金祐徵向张保皋提出想借清海镇兵力征讨篡夺王位的金明。张保皋将其下5000兵力交给郑年，让郑年帮助金祐徵抢夺王位。金祐徵和张保皋的

清海镇大本营莞岛的将岛(© 张日圭)

军队以破竹之势直击王都，杀死了闵哀王。随后，金祐徵登上王位，成为神武王(在位时间为839年)。神武王登基后，为报答张保皋的鼎力相助，封其为清海镇大使感义军使，赐予2000户食邑。自此，张保皋华丽登上新罗政治舞台，开始了他的政治生涯。

但神武王登基仅6个月就病逝，由神武王的儿子金庆膺继承新罗王位，成为文圣王(在位时间为839-857年)。文圣王也十分敬重张保皋，为感谢张保皋帮助神武王登上王位的功劳，本想迎娶张保皋的女儿，封为王妃，但朝廷大臣以张保皋身份低下为由反对，最终未能成功。听到这一消息后，义愤填膺的张保皋瞬间起了造反之心。于是，为了除掉张保皋，新罗朝廷雇佣刺客阎长，派往清海镇。846年，阎长到达清海镇后假装归降，然后借着张保皋醉酒之际，杀死了张保皋。圆仁在《入唐旧法巡礼行记》中的记载张保皋死于841年11月，这与上述内容有所不同。张保皋死后，新罗朝廷在851年2月废除了清海镇，将居住在莞岛的百姓强行迁移至碧骨郡。从此清海镇也逐渐丧失了作为国际贸易港的功能。

镇压李师道之乱，立下赫赫战功

张保皋来到大唐的9世纪初，位于边境的节度使频繁作乱，直接威胁着中央政权稳定，可以说处在一个朝局不稳定的混乱时期。当时，势力最大，且唐王朝造成重大威胁的藩镇是盘踞山东半岛的平卢淄青节度使李师道。

李师道是凭借着自身实力登上平卢淄青节度使位置的李正己的孙子。在765年，李正己用武力将当时的上级侯希逸赶下台后，被唐朝廷任命为平卢淄青节度使兼海运押新罗渤海两蕃使。此后，李正己所管辖的平卢淄青拥有山东半岛一带15个州和10万大军，发展成为最强大的藩镇国。于是，李正己不再听命于唐朝廷的统治，甚至成为威胁唐王朝统治的巨大反唐势力。李正己死后，平卢淄青节度使由其儿子李纳和孙子李师古，李师道接任，到李师道已世袭第三代。约在半世纪左右的时间，平卢淄青成为号令山东半岛的强大藩镇。

当时，唐朝对反唐藩镇采取的是赐予官职和官阶的怀柔政策，因此容忍了藩镇的胡作非为。但805年，宪宗(在位期间为805-820年)登基前后，唐朝廷一改此前对藩镇的包容政策，开始了征讨藩镇的打压政策。815年，以征讨淮西节度使吴元济为开始，加大了对独立藩镇的打压。逼入绝境的吴元济向近邻李师道发出救援请求。为了攻打吴元济，唐朝廷把洛阳的全部兵力转移到蔡州。借此机会，李师道在洛阳通往长安的大运河重要粮库河阴仓放火烧毁了军粮，而且还制定了占领洛阳宫的计划。另外，李师道还向长安派刺客，刺死宰相武元衡，刺伤大臣裴度。

815年12月，唐宪宗动员江淮地区各藩镇和归顺的藩镇势力，下令围剿李师道叛军。818年下半年，随着投向唐朝廷的藩镇加强包围攻势，李师道变得越来越被动，败事已成定局。819年2月，由于朝廷不断加大围攻，最后承受不住压力的部下刘悟将李师道杀害后，向唐朝廷投降了。至此，从765年到819年约达半世纪的唐朝最强大的藩镇势力平卢淄青开始走向没落。这也意味着李正己家族在山东半岛地区长达55年的统治的终结。

当时，张保皋作为武宁军的小将，也参与了镇压李师道的唐军行动。815年12月，武宁军节度使李愿给其属下王智兴8千兵力，命其镇压李师道叛军。李师道军队和武宁军进行了多达11次的激烈战斗。参加战斗的张保皋骁勇善战，通过发挥超群的武艺，为平定反唐藩镇立下了汗马功劳。

歼灭黄海海盗

在李正己家族走向衰落的时候，在环绕山东半岛的黄海一带海上贸易因海盗出没，受到严重威胁。当时，借着管制权缺失的空隙，在黄海一带出现了多个海盗集团。这些海盗不仅掠夺过往船舶的财务，甚至还绑架新罗人，当做奴隶卖到大唐。由于受害规模不断扩大，海盗问题成为新罗和唐朝两国间敏感的外交问题。

新罗宪德王(在位时间为809-826年)派王子金张廉向唐朝廷提出扫除海盗、禁止贩卖新罗人的要求。对此，唐宪宗(在位时间为805-820年)在816年颁发了禁止买卖新罗奴隶的谕旨。821年，新罗又向唐朝廷上书，痛诉黄海海盗掠夺财务、绑架新罗良民贩卖到登州和莱州一带的罪状。于是，唐穆宗(在位时间为820年-823年)再次颁发了禁止贩卖新罗人的诏书。823年正月还颁发了将贩卖到大唐的新罗奴隶放回新罗的诏书。即便如此，黄海上贩卖新罗奴隶的现象也没有得到中断。

于是，张保皋决定亲自率兵参加歼灭黄海海盗的行动。早在武宁军服役期间，张保皋就亲眼目睹过新罗人被海盗强行抓来，贩卖到大唐各地的情况。但作为从事海上贸易的一介商人，张保皋虽然义愤填膺，却爱莫能助。张保皋意识到只有国家出面，才能解决贩卖新罗人的问题。

> 在中国各地都有新罗人被当做奴隶的情况。请求在清海(现莞岛)设置镇营，防止海盗绑架百姓贩卖到唐朝。
>
> 《三国史记》列传张保皋 · 郑年传

828年4月，在拜见新罗兴德王的时候，张保皋提出为消除海盗，在莞岛设置镇营的建议。兴德王采纳张保皋的意见，给了他1万兵力，让他在莞岛设置清海镇。张保皋设置清海镇后不久，就歼灭了成为新罗和大唐两国遗患的黄海海盗。据《新唐书》新罗传记载，在太和(在位时间为827年-835年)年间海上掠夺财务、贩卖新罗人的现象销声匿迹了。

领导在唐新罗人社会

唐朝一直以来对外来民族采取了较为开放的政策，而且新罗和唐朝始终保持着友好的睦邻关系，因此新罗人以各种缘由移居到唐朝生活，并在大唐边境地区交通发达且对外来文化排斥较少的地区定居下来。新罗人移居大唐的最大理由是国内经济困难。从9世纪开始，新罗周期性地发生了多次大规模饥荒。为了逃荒，很多人离开了新罗故国，来到大唐。此外，因不堪忍受新罗朝廷王位争夺和频繁的造反而逃到唐朝的人也不在少数。往返新罗和唐朝进行贸易的商人、被海盗贩卖到大唐的新罗良民、留学生和求佛僧当中也有很多人定居大唐，未回新罗。这些新罗人逐渐在唐朝形成了新罗人社会。

来到唐朝的新罗人主要定居在距离本国较近，且能够通过大海和运河维持生计的黄海沿海地区。最具代表性的地方就是位于长江下游的扬州、淮河流域的楚州和涟水县、台州黄岩县、山东半岛的登州和莱州一带以及密州等地。虽然各地新罗人社会的居民构成和从事的行业有些差异，但他们通过使用新罗语、继承新罗风俗等方式，加强内部团结，保持了对彼此新罗人的认同感。

张保皋在9世纪成为了在唐新罗人社会的核心领导者。9世纪初，之所以黄海海盗猖獗、掠夺新罗人的财物并贩卖新罗人，是因为唐朝廷和藩镇势力对立，唐朝廷对黄海海洋管制权变得名存实亡。当时，从事各种商贸活动、维持生计的在唐新罗人对海盗的掠夺毫无搏击之力，成为最大的海盗受害者。为了维护在唐新罗人的安全和生计，张保皋决定率军并扫除无恶不作的黄海海盗。

张保皋在今天的山东省荣成市石岛镇赤山山脚创建了赤山法华院，把山东半岛一带打造成在唐新罗人社会的中心。法华院是在设立清海镇的828年前后创建的。在日本僧侣圆仁逗留在法华院的840年前后，法华院住着30多名常住僧，拥有法堂、可容纳200多人的大规模讲堂、可容纳数十人起居的僧房、保管佛经的藏经阁、食堂和仓库、钟楼等设施。

法华院在唐新罗人社会里发挥了很多作用。首先，法华院在夏季和冬季分别通过2个月的定期讲经法会，开展了针对散居山东半岛各地新罗人的教化活动。其次，基于观音信仰建立的法华院，成为在海上维持生计的在唐新罗人及张保皋船队祈求平安和繁荣的祈祷院，同时也是在唐新罗人寻求内心平静的安息处。最重要的是，法华院成为在唐新罗人聚会的场所。借助这一平台，新罗人彼此交换生活信息、

山东石岛的赤山法华院(© 张日圭)

相互给予安慰，彼此确认同为新罗人的认同感。一言以蔽之，法华院在凝聚在唐新罗人方面发挥了重要作用。

在唐新罗人社会的领导张保皋后因卷入新罗朝廷的政治斗争，在841年11月在被杀害。在唐穆宗会昌年间(841-846)，因刮起毁寺灭佛风潮，844年赤山法华院也遭到毁弃。张保皋之死及赤山法华院的没落，造成了在唐新罗人社会的迅速解体。

主导东亚海上贸易

张保皋之所以能够成功缔造并运营商业帝国，是因为积累强大的军事实力、组建出色的船队，并有效利用了老练的商人集团。这些人力资源大部分都是居住在唐朝黄海沿海地区的在唐新罗人。也就是说，张保皋在820年初，集结从藩镇军队退役的出身新罗的军人，并从新罗沿海岸将被抓贩卖到唐朝的新罗人征召为船员，笼络在黄海沿岸独自从事贸易的在唐新罗人组成的商人集团。此后，张保皋逐渐把清海镇周边的海民和食邑壮丁及郡所的贸易从业人员纳入旗下，为缔造其商业帝国奠定了坚实的基础。

从地理位置上看，山东半岛的登州在张保皋进军对华贸易方面发挥了重要的桥头堡作用。首先，正如前述，张保皋在文登县赤山建立了法华院，将其作为团结在唐新罗人的中心。其次，将赤山脚下的浦口 — 赤山浦作为船员出航和返航的专用国际港口。张保皋回到新罗后，由张咏代替张保皋管理登州一带的新罗人社会。楚州是大运河和淮河河流相遇的水陆交通要塞，在这一带也聚居着很多新罗人。此地的总管薛诠和后任总管刘慎言在管理新罗社会的时候，始终和张保皋保持着密切的联系。所以，登州和楚州成为在唐新罗人社会的两大轴心，在张保皋的对华贸易中发挥了重要的桥头堡作用。

张保皋在新罗把清海镇当做国际贸易中心，并在大唐赤山浦和日本博多津建立了自己的贸易基地，主导了东亚三国的国际贸易。张保皋船队主要从事的是通过中转贸易开展的商品零售业和海运业。张保皋船队不仅仅经营大唐的产品，而且还经营西域和东南亚，还有西方的产品，并把这些唐物提供给新罗和日本。张保皋船队经营的产品种类繁多，例如铜制餐具、陶瓷、产自塔什干的翡翠木梳、产自波斯的地毯，可以说各类商品应有尽有。张保皋船队在新罗和日本售卖这类高价豪华奢饰品，不仅给9世纪30年代的新罗人和日本人的生活方式也带来了变化，而且实现了唐朝-新罗-日本东亚航线与全球航线“南海航路”的相连。另外，张保皋船队还搭载往返唐-新罗-日本的旅客，为东亚人员交流及文化交流也作出了重要贡献。

韩中知识界人士对张保皋的评价

唐朝著名诗人杜牧(803-852)在他的著作《樊川文集》收录的《张保皋郑年传》中，对同时代人张保皋给出了较高的评价。在这篇传记文中，杜牧将张保皋和郑年的关系比作安禄山之变后的郭汾阳和李临淮的关系，对张保皋作出“仁义之心既胜，复资之以明”的评价。不仅如此，还大加赞赏张保皋，称其为一国不可缺少的人才，有这样的栋梁国将不亡。此外，杜牧还提及张保皋干预新罗王位争夺战的事例，将这一事件视为平定叛乱分子的忠义之举。对张保皋回到新罗后，杜牧依然对张保皋给予关注和关心。从杜牧对张保皋的评价中，我们可以看出在当时唐朝知识界对张保皋的评价是非常友好的。

杜牧对张保皋的评价，还被载入此后编撰的史书中。11世纪中期，宋祁在编撰《新唐书》列传的时候就引用了杜牧的评价，并加上了自己对张保皋的评价。

> 即便有怨恨，无法阻止彼此奉公。心系国家安危的晋国有祁奚、唐朝有郭汾阳和张保皋，谁言夷国无人。

高丽的金富轼对《三国史记》金庾信列传中关于张保皋的记录不多而感到遗憾，发出“虽有乙支文德的智谋和张保皋的骁勇，但若没有中国史书的记载，恐怕两人的事迹无法流传至今”的感慨，并对张保皋给出了义勇之人的评价。在新罗张保皋虽然被视为叛徒而杀害，但在高丽时期，对张保皋重新做出了客观的历史评价。

结束语

张保皋在青年时代前往大唐，镇压反朝廷李师道的叛军，而后回到新罗后，为了惩罚篡夺王位的势力而起兵。此外，张保皋为扫除黄海海盗也做出了重要的贡献。张保皋把散居在大唐各地的新罗人集结在一起，率领他们在新罗西南海岸建立了清海镇。作为对外贸易基地，清海镇开展了连接大唐-新罗-日本的国际海上贸易。由于张保皋等人的出色表现，在9世纪新罗和大唐两国迎来了前所未有的海上贸易繁荣时期。

张保皋的一生可以说是韩中两国友好交流的典范和象征。因此，我们应该再次关注韩中两国交流的代表性人物——张保皋。张保皋不仅是符合21世纪东北亚繁荣时代要求的人物，而且也是促进韩中两国友好关系和长期合作的历史典范人物。

中国道教的象征性人物
金可记

金晟焕(群山大学)

金可记(? - 859)是统一新罗时期的人，名为金可记或金可纪。据传，金可记赴唐留学且及第进士，但隐居长安南侧的终南山子午谷，修行修道而升天。金可记是在留唐新罗人中修炼道教的象征性人物。

中国文献中的金可记

有关金可记的记录，中国文献年代较为久远，且内容也详尽。五代(907-960)时期编撰的《续仙传》和引用这一文献的宋代《太平广记》就记载着《金可记传》。道教典籍《云笈七籤》和《历世真仙体道通鑑》也有类似的记录。《全唐诗》中收录有唐朝诗人章孝标为送别回新罗的金可记而写下了《送金可纪归新罗》。

819年(元和14年)章孝标及第进士。在《续仙传》中记录的金可记升天日为唐宣宗执政时期，即858年(大中12年)2月25日。由此可推测金可记是生活在9世纪的历史人物。《续仙传》中记载的金可记的行迹如下。

《续仙传 · 金可记传》：金可记，新罗人也，宾贡进士。性沉静好道，不尚华侈。或服气鍊形，自以为药。博学强记，属文清丽。美姿容，举动言谈，迥有中华之风。俄擢第，遁居终南山子午谷中，怀隐逸之趣。手植奇花异果极多。尝焚香静坐，若有思念。又诵《道德》及诸仙经不辍。后三年，思归本国，航海而去。复来，衣道服，却入终南，务行阴德。人有所求，无阻者。精勤为事，人不可谐也。大中十一年十二月，忽上表言：臣奉玉皇诏，为英文台侍郎，明年二月二十五日当上昇。时宣宗极以为异，遣中使徵入内，固辞不就。又求见玉皇诏，辞以为别仙所掌，不留人间。遂赐宫女四人、香药、金綵。又遣中使二人专看侍。然可记独居静室，宫女、中使多不接近。

每夜闻室内常有人谈笑声，中使窃窥之，但见仙官仙女各坐龙凤之上，俨然相对。复有侍卫非少。而宫女、中使不敢辄惊。二月十五日，春景研媚，花卉烂熳，果有五云、唳鹤、白鸽、箫笙、金石、羽盖、琼输、幡幢满空，仙仗极众，昇天而去。朝列士庶观者填隘山谷，莫不瞻礼叹异。

韩国文献中的金可记

韩国的记录金可记的相关文献晚于中国，多为朝鲜时期的文献。最早的是韩无畏(1517-1610)的《海东传道录》和洪万钟(1643-1725)的《海东异迹》。此外，《择里志》、《东史纲目》、《练藜室记述》、《五洲衍文长笺散稿》等偶有对金可记的记述。

但是其内容并没有脱离《续仙传》的内容，而且虚构成分比较多。例如，据《海东传道录》记载，金可记在唐开元(713-741)年间，同崔承祐、僧侣慈惠一道入唐，此后及第进士后，历经华州参军升任长安尉。但是三个人的生卒年代并不符，其他内容也缺乏说服力。

根据《续仙传》等内容，金可记于858年(唐宣宗大中12年)白日升天。但崔承祐是在890年(唐昭宗龙纪2年)入唐，于893年及第进士。(《三国史记》〈崔承祐传〉)由此可知，金可记和崔承祐不可能一起入唐，二人也不能相见。另外，《续仙传》中写道"承右从事李德裕于西京"，这也是虚构。因为，李德裕生于816年(唐元和11年)，于850年(大中3年)病逝，而崔承祐是在李德裕病逝40年后入唐的。

据《海东传道录》记载，金可记、崔承祐、慈惠是在终南山广法寺同申元之相识，又经介绍结识钟离权。但据杜光庭的《仙传拾遗》

记载，申元之比金可记早一个世纪的开元(713-741)年间，受皇帝之命，一度停留在开元观。由此可知，申元之和金可记不是同时代人。

另外，崔承祐“以口诀授文昌候”的记述也难以置信。‘文昌候’指的是崔致远。但崔致远早于崔承祐20多年的868年入唐，在885年回国后，一直在新罗朝廷任职。而崔承祐晚于崔致远回国后，成为了后百济甄萱王的策士。由于两人分别居于彼此敌对的国家，因此不容易相识且有私交。另外，作为年长者崔致远，从崔承祐处获得道教口诀，这一内容不缺乏说服力。

撰写于1610年(光海君)左右的《海东传道录》充满了虚构内容。韩无畏通过收集中国和韩国的多个典籍以及收罗中国文献的片断记录，创立了虚构系谱。那生活在17世纪朝鲜时代的韩无畏为何要编造这样的系谱呢？借助《海东传道录》的钟离权口述内容，可一窥其意图。“但新罗国道教无缘，更过八百年，当有还返之旨，宣扬于彼．其后，道教益盛，佛教渐微，地仙二百，或拔宅，或昇气，以弘大教。”

一言以蔽之，韩无畏想通过《海东传道录》，实现自己修炼道教的正当性。韩无畏不仅阐述了很早以前，中国神仙钟离权预言道教将兴于朝鲜，而且暗示了韩无畏本人的道法源自唐朝道教。当然这是一种宗教神秘主义叙述方式，绝非历史写实主义叙述方式。因此，我们万万不可以此类记录为根据，论证金可记的历史行迹和思想影响力。

洪万钟在1666年出版的《海东异迹》是记录韩国仙家系谱的书籍，其体系和性格堪比中国的《列仙传》。在这本书上，洪万钟如是写道。“按事林广记， 天下道士，皆以可记上升日，荐冥喜云。然则天下之人，虽妇孺，无不知其为真仙，而我东独不好，古书籍无传。初不省无有，甚至华人有问而不能答，不亦可羞乎哉？”

洪万钟是在《事林广记》中看到有关金可记的记录。《事林广记》是南宋时期福建人陈元靓写的书籍。在此书〈道教流〉中把2月15日定为“金可记真人升仙日”。中国的道教和民间如此推崇金可记，但在朝鲜他却成为早已忘却的人物。有关金可记，洪万钟写道“我东独不好，古书籍无传”，韩无畏也表示“新罗同道教无缘”。本人认为这种观点更接近真实历史。

‘金可记’文化象征

在韩中两国文化交流史上，金可记是重要的人物。尤其，中国学界认为金可记是向韩国传播道教的代表人物。但在韩国却几乎很难发现有关金可记的历史痕迹，不仅新罗文献以及相关文物中也难以找到关于金可记的记录，而且以《三国史记》和《三国遗事》为代表的高丽文献中也找不到有关金可记的记录。虽然朝鲜时代的部分文献中偶有对金可记的论述，但正如前所述，其大部分源自中国的记录或多为虚构内容。

金可记在终南山修道3年后一度回新罗，但不久又重返终南山。《续仙传》等文献中的《金可记传》中都有这样的记载。如前所述，唐朝章孝标写下送别回新罗的金可记的诗《送金可纪归新罗》。但是这些文献中并没有关于金可记回新罗多久后重返唐朝的具体内容，而只有“归新罗”的表述。

但在上世纪80年代，在终南山子午谷发现了刻有《金可记传》和杜甫《赞元逸人玄坛歌》的“金可记摩崖碑”(或称为“金可记摩崖石刻”)，成为研究金可记的重要转机。据推测，刻有“兴隆碑”的这一刻字摩崖碑刻于唐末五代时期。由此可知，金可记不仅是实存人物，而且他的求道事迹也获得部分证明。

据悉，摩崖碑上刻有金可记在终南山子午谷隐居数年后回到故国

(新罗)不久又回到终南山，经隐居修炼最终悟道的内容。从“未几”这一简短的刻字中，可以确认金可记在新罗并未久留，短暂停留后就回到终南山。在这么短的时间里，金可记不可能向新罗传播唐道教。鉴于各种情况，金可记之所以重返唐朝，可能是因为无法在新罗修道。

那从中韩文化交流角度，我们应该如何评价金可记的地位和作用呢？我认为不能单纯地评价金可记是向韩国传播中国道教的人物，我们应该重新界定金可记的贡献。从历史角度来看，金可记对新罗和高丽的道教几乎没有产生任何影响。因为没有可以考证金可记把中国道教引入新罗的资料，也无法确认金可记对新罗文化产生何种影响。

到了朝鲜时代，金可记受到关注而重返历史舞台。如前所述，17世纪朝鲜的《海东传道录》和《海东异迹》等都有金可记的记录。即便是《海东传道录》中的故事是虚构的，相关内容还是有参考意义的。尤其需要关注的是金可记的文化象征(符号)意义。

金可记不仅是现存历史人物，而且在韩中两国文化交流中占有十分重要的象征意义。因此，我们不应该混淆其历史意义和文化象征意义。在历史上，最重要的是区分事实和虚构，然而文化象征注重的是如何解释其意义。象征反映特定时代和文化，而且其背后含有一定的意图和思想。

众所周知，朝鲜时代崇尚儒教，尤其性理学思想占主导地位。但在16世纪，朝鲜接连发生了壬辰倭乱(中国称为万历朝鲜之役)和丙子胡乱(中国称为丙子之役)。历经战乱，朝鲜王朝濒临国土荒废、纲纪崩溃、民不聊生的窘境。与此同时，因厌恶腐败无能的政治环境而远离世俗、过隐居生活的有识之士不断增多。在当时，在林中求仙炼丹的风潮很是流行。后人将这一学派称为“朝鲜丹学派”。

但是，因为朝鲜王朝把神仙术视为异端邪说，因此朝鲜丹学派成为儒学家排挤和攻击的对象。在这样的时代背景之下，朝鲜丹学派为了建立自身的思想体系，试图追溯韩国仙家本源并构建韩国仙家系谱。在这一过程中，被后人完全遗忘的金可记重返人们的视线。金可记不仅作为历史人物重新获得关注，而且被推崇为代表中国道教和韩国仙道的象征性人物。《海东传道录》和《海东异迹》等书籍都反映了这一时代背景，而且从不同角度讲述金可记事迹，因此有着重要的参考意义。

古文献一般都需要历史考证，应根据严格客观的标准鉴别历史真相，不可断然臆测史实。当然，有的时候也应该发挥历史想象力，因为传统在传承的过程中不断变化、被赋予新意、被重新解读。虽然过去历史事件是客观的，但对历史事件的解释可以是多样的。在故国被遗忘已久的金可记，在朝鲜中期被丹学派从历史的角落里重新召唤回来，可以从上述观点上加以理解。

金可记和中国道教

如前所述，20世界后半叶，金可记摩崖碑被后人发现，由此引发了韩中两国对金可记的关注。发现摩崖碑不久，韩中两国就实现邦交正常化(1992年)，两国各领域交流得到快速发展。韩中友好交流合作成为两国学界再次关注金可记的重要契机，而且促使双方扩大道教交流。但韩中两国学术界关于金可记的研究成果匮乏，而且还存在不少误解。

最近几年，学界开始关注被认为向韩国传播道教的金可记，也十分认可金可记在两国文化交流史上所占的重要地位和意义。作为唐朝长安城内修炼道教的新罗人，相比韩国，金可记在中国更具有威望和影响力。从摩崖碑石刻内容可以看出，金可记早已成为长安城备受推崇的道士。

据传，金可记在858年(宣宗大中12年)得道升天。20多年后的884年(唐僖宗4年)，杜光庭道士编撰的《历代崇道记》记录了当时道教概况。根据这一书籍介绍，唐朝自建国以来建立1900多个道观、道士多达15000余人，而王公贵族私建的道观更是数不胜数，道教呈现一派繁荣景象。

在如此众多的道士中被推崇为真仙的外国人只有来自新罗的金可记。《续仙传》中列举了36名真仙，其中大部分是道教的专职道士，也有从事各行各业的不同阶层求道的人士。由此可以了解在唐朝道教很是盛行。《续仙传》的36名真仙又分为16名“飞升”和20名“隐化”两大阵营。

其中，白日升天的“飞升”属于道教仙化中最高境界。金可记在16名飞升中位列第九。在“飞升”中“仙官”和“仙民”的地位是不同的。在《续仙传》16名飞升中，只有极少数人可以荣升仙官。例如，受玉皇大帝召唤，侯道华成仙台郎、马湘升天、金可记成英文台侍郎。

仙官品系反映的是当时唐朝官职等级观念。由此可以判断，金可记的仙系和官位非常高。可以说，金可记的仙官品系比侯道华、马湘还要高。但毕竟《续仙传》不是史书，因此书中记述的主要人物和事件并非都符合历史事实。以道教独特的表述方法编写的《续仙传》不仅包括科幻因素，同时还运用了想象和夸张手法。

这是道教特有的表达方式，反映了道教对理想人格的追求。另外，《续仙传》中描述的“真仙”各有其特点，其精神面貌和形象也各不相同。其中最具特色的当属金可记。金可记才艺出众、博学多才、擅于写作，而且修炼、言行、阴德、宗教等样样精通，是一个德才兼备、完美无缺的人。不仅如此，金可记最终悟道成仙，成为在

“飞升”中品系非常高的仙官。

这样的表述方式不仅提升了人们对高贵神仙的期望，而且也能看出金可记在道教方面所取得的成就获得了唐朝人的极高评价。在《续仙传》众多升天道士中，明确记录升仙日期的只有金可记。从中可窥见金可记在道教中的显著地位。金可记对中国道教的影响是深远的。

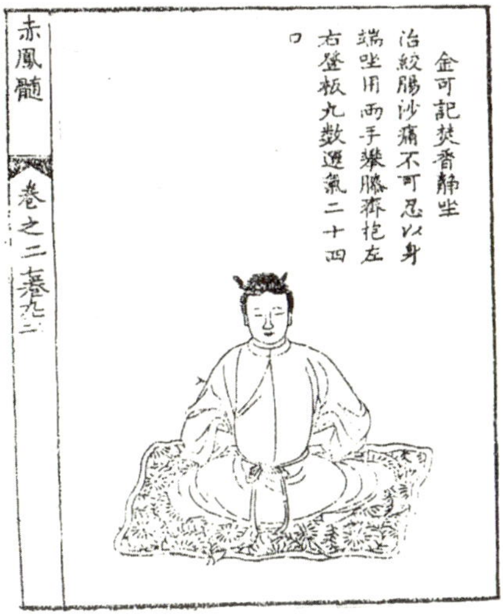

金可记焚香静坐法〔《赤凤髓》卷2〕

例如，以其名命名且流传至今的《金可记焚香静坐法》。明朝万历25年(1597)周履靖编写的从书《夷门广牍》中就包括《赤凤髓》修炼书，其中所列的46中修炼法之一就是“金可记焚香静坐法”。这表明金可记的修炼法一直流传到明朝。

海外移民以及神仙

最后，有必要搞清楚一个容易忽略的问题。一般情况下，留唐新罗人大体可分为两种类型。第一种逗留型，就是在国外学习和掌握逗留国的文化后返回本国。例如，义湘、崔致远等新罗僧侣和学者就属于这一类型。第二种移居型，就是在国外定居，成为世界居民，参与当地文化发展和繁荣。例如，新罗僧侣圆测、金乔觉等属于这一类型。

除了新罗，来自日本、渤海等各地的精英也大体可分为逗留型和移居型。他们以各自的方式为亚洲各国文明发展做出了重要贡献，同时也丰富了兼容并蓄的唐文化内涵，促进了唐文化的开放包容性发展。“有容乃大”的精神是唐朝繁荣发展的重要动力来源。唐太宗李世民曾说道：“自古皆贵中华贱夷狄，朕独爱之如一。”

盛唐时期，中国境内各民族交流非常活跃，而且同亚洲、欧洲乃至非洲也开展了广泛的交流，呈现出全球文化彼此交流融合的发展态势。唐朝并没有阻止外来文化的流入，而是允许外国人来唐留学，进而吸引大量外国优秀人才，将其转化为唐朝发展的原动力。

金可记是典型的移居外国人。从新罗的立场来看，他是远离故土，在异国他乡开启新人生轨迹的海外移民。尤其令人可敬的是，金可记因其在道教方面取得的显著成就，在中国受到长期推崇。从金可记的事迹中可以了解到唐朝对道教采取非常开放而宽容的态度。

终南山子午谷的金可记摩崖碑和《续仙传》的内容互为补充，记录了中国道教史和韩中文化交流史。学界几乎没有人怀疑金可记是实际存在的历史人物，但有关他的事迹内容却寥寥几笔，多以神仙传记形式流传下来，充满了神话和宗教色彩。即便如此，这些有关金可记的记录并不都是虚构的。

神仙故事作为道教文化的核心构成因素，数千年来通过人们的口口相传得以保存下来。这不仅是研究东亚道教的重要史料，而且也是承载着祖先思想和情感的宝贵遗产。金可记的神话故事也具有同样的价值，不仅承载着韩中两国相互交流中形成的道教想象力，而且也是激发两国未来文化想象力的文化资产。

与中华为友，新罗留学生
崔致远

张日圭(东国大学)

新罗留学生，渡海求学

2007年7月，已经是十年前的事情了。那一天我访问了中国四大书院之一 — 湖南省长沙的岳麓书院。众多访客中，有一位青年匆忙前往大成殿。毛泽东主席曾寄读于岳麓书院，而这位青年身穿英国国家足球队的队服，显得有些格格不入。他站在大成殿前面，我便对他说，“你穿着英国足球国家队的队服，很有个性嘛！”他回答说，“我喜欢英国足球队。我是清华大学的学生，马上就要去英国留学了。所以就穿上了这个球服。”紧接着，我问，“你为什么来这里呢？”，他回答说“为了在孔子面前许下诺言，去英国后，要继续为祖国努力学习。”说完，青年则站到在“万世师表”孔子画像前，鞠躬道别。当我要离开，看到“千年学府”牌匾，便想起崔致远的诗《泛海》。

挂席浮沧海，长风万里通。
乘槎思汉使，採药忆秦童。
日月无何外，乾坤太极中。
蓬莱看咫尺，吾且访仙翁。

崔致远坐船泛海。立志找到仙翁，不远万里，渡海赴唐，一心求学。留学是一段艰苦的旅程，需要下破釜沉舟的决心。

新罗占据汉江下流后，独自与中国开展交流，便派使臣建立友好关系，派留学生学习中国的新事物及制度。640年(宣德王 9)要求唐太宗接受留学生入学于国学，唐太宗请天下名儒为师，扩建学舍后，便接受了来自周边国家的留学生。此后，直到灭亡，新罗坚持派遣留学生赴唐求学。“负笈忘疲，乘桴涉险”的新罗留学生穿梭于长安与洛阳的街市。来自新罗的留学生“憧憧往来，多多益办，至今国子监内，独有新罗马道，在四门舘北廓中，蠢彼诸蕃，阒其中绝”活动十分活跃。

新罗留学生在唐时期，学习唐朝的新事物及制度，希望回国后谋得官职。新罗王室在与百济、高句丽开展统一战争时，施行官僚制。在原有的身份制度“骨品制”中，真骨势力日益凸显，国王为了牵制真骨贵族的势力，则重用仅次于真骨的六头品。自然而然地，六头品势力通过学习儒家政治思想及佛教思想，参与到以国王为中心的国家体系的设计上。此后，新罗王室成立儒家教育机构“国学”，788年设立读书三品科，整顿官僚选拔制度。在这个过程中，六头品出身的赴唐留学生渐渐多了起来。

新罗留学生归国后，多半被聘用为中央官人或地方官。因为他们擅长编写外交文书，主要陪伴在国王的左右，担任文翰职。此后，留学生数量日益增加，840年(文圣王2)，唐朝把随质子修业年满(十年)的105名学生送还本国。留学生数量的增加，引发更为激烈的竞争，争先恐后地考取宾贡进士试。中举者，便能在唐朝朝廷谋得司马、长史、县刺史、员外郎等官职，这又在归国谋取中央官职起到举足轻重的作用。821年(宪德王13)至唐末时期，在宾贡进士试中金榜题名的新罗留学生共计58人，现在能够核实身份的有36人，其中出身六头品家族的庆州崔氏最多。他们大部分在景文王-真圣王时期渡唐求学，其中最为有名的留学生便是崔致远。

崔致远，生活在两国动荡的年代

崔致远出生于857年(宪安王1)，其父为崔肩逸，其兄为僧侣贤俊(贤儁、贤隽、玄准)，崔仁滚(崔慎之、催彦撝)与崔栖远(崔棲远)为

崔致远画像(© 国立现代美术馆收藏)

其堂兄弟。崔肩逸参与始于861年(景文王2)的重建鹄寺项目，而贤俊则从880年代中期起，栖身于海印寺，从事王室主管的佛事。崔栖远在884年(宪康王10)担任遣唐使随行员一职，而崔仁渷曾为文翰官及中央官署的次官。

崔致远一家主要为官僚与僧侣，与王室的关系甚为紧密。得益于此，年仅12岁的崔致远也在868年入唐求学。崔致远入国子监太学，于侍郎裴瓒主贡时，作为留学生宾贡的资格，在生徒试的进士试金榜题名。

崔致远在就读于国子监时期，致力于学习诗赋与策问。即使在他进士及第后，生活在洛阳的两年以及876年冬天上任从九品下的地方官 — 宣州溧水县之县尉后，也并没有怠慢学问。当时唐朝吏部设置考察诗赋论三篇的博学宏词科，以选拔优秀人才。这是一门晋升为高级官僚必须通过的考试，而崔致远希望晋升为高级官僚，于是在877年，他辞掉县尉的职务，入山进一步潜心深究诗赋策问。

当时唐朝皇帝的权力被削弱，地方藩镇势力膨胀，各地节度使的影响力日益凸显，人才选拔并没有按照国家所制定的步骤去进行。879年博学宏词被中断，而崔致远已经辞掉官职，失去了固定收入，加上黄巢叛军掠夺溧水附近的庐州，崔致远难以维持入山读书的生活。崔致远注意到淮南节度使高骈，而与崔致远同年考中进士的诗人顾云曾为高骈手下的观察支使，崔致远便拜托顾云去向高骈举荐自己。因此于879年，崔致远被高骈署充淮南节度馆驿巡官，从880年5

月至884年8月担任了监察与文翰之任务。882年正月，高骈离开兵马都统之位，丧失兵权利柄，沉溺道教，淮南幕府日趋混乱，崔致远难以继续栖身于高骈之手下。崔致远遂上书请求归国，885年10月，告别生活17年之久的唐朝，次年春天，回到了祖国新罗。

崔致远归国后，受到了新罗宪康王的器重，被授为侍读、在文翰机构担任文翰官一职，主要掌管王室主管的佛事，撰写各类文章。特别是在885年-893年间，崔致远受王命撰写“四山碑铭”。而在886年正月，崔致远又将编写的《桂苑笔耕集》献给宪康王。889年(真圣王)新罗各地盗贼蜂起，社会极为动荡，真圣王在丈夫兼叔父魏宏死亡后，致力于安定地方社会，高度评价了崔致远在唐时期的经验。崔致远在889年-890年，担任兵部侍郎一职，致力于镇压叛军，防御王京。随着地方豪族兴起，崔致远为亲自治理地方社会，截至893年，主动担任大山郡(泰仁)、富城郡(瑞山)等西海岸一带的太守。但随着地方社会动荡加剧，893年以贺正使身份再度入唐，却以失败告终。

江苏省扬州崔致远纪念馆(© 张日圭)

庆州上书庄(© 张日圭)

归国后，崔致远担任文翰机构的高官 — 知瑞书院事，第二年进谏真圣王时务策10余条。

时务策是牵制、抵制贵族与豪族势力、保全王室与国家的方案。这样一来，崔致远受到曾经反对真圣王即位势力的排挤。895年10月，宪康王立庶子峣为太子之后，崔致远便被贬至边远地区，主要生活在魏宏的原堂 — 海印寺。而新罗与渤海的外交关系日渐僵化，真圣王被太子周边的势力所排挤，考虑禅位，895年10月左右-898年正月，崔致远致力于重整新罗与渤海的关系，撰写告知唐朝皇帝真圣王禅位及孝恭王继位的外交文书。898年正月以后，真圣王驾崩，崔致远为悼念真圣王，与家人入海印寺，辞官归隐。从此摆脱政务，尘嚣尽洗。后来撰写关于重建海印寺佛事相关文章及华严僧传，主张重建新罗，在908年(孝恭王12)以后的某一时期，离开人世。

奉家父之言，艰苦求学

新罗第48代国王景文王为宪安王之驸马。在新罗王朝历史中，身为驸马即位的国王只有脱解王与景文王。真骨贵族势力对景文王作为驸马即位一事，不断提出质疑，认为不符合正统性。人们造谣称，景文王长着毛驴的耳朵，且盖着蛇睡觉。景文王为了平息谣言，烧掉了

谣言的发源地 — 竹林，并种上了山茱萸，而且强调自己如果不盖着蛇便睡不好。除此之外，景文王奉先王之意，致力于崇奉佛法，孝心可表，以证明自身的正统性。后来又重建鹄寺，以为元圣王的在天之灵祈福。而崔肩逸则受王命，在宗庙告重建鹄寺。他大力扶持景文王，以证明他即位的正统性。崔致远赴唐求学，自然也反映了其家父的意志。崔致远对此感慨万千，在《桂苑笔耕集》予以表露。

> 淮南入本国兼送诏书等使、前都统巡官、承务郎、侍御史、内供奉、赐紫金鱼袋。臣崔致远进所著杂诗赋及表奏集二十八卷具录如后。……右臣自年十二。离家西泛。当乘桴之际。亡父诫之曰。十年不第进士，则勿谓吾儿。吾亦不谓有儿。往矣勤哉。无隳乃力。臣佩服严训。不敢弭忘。悬刺无遑。冀谐养志。实得人百之己千之。观光六年。金名榜尾。

崔致远12岁赴唐求学，行前其父崔肩逸严训：“十年不第进士，则勿谓吾儿，吾亦不谓有儿”。 崔致远经历千辛万苦，不忘父训，入于唐朝太学，刻苦攻读六年，实现了父亲的愿望。因此，虽然未满修学期限(10年)，已经可以回国，但他没有选择回国，他将当时的心情也写入了《桂苑笔耕序》

> 此时讽咏情性，寓物名篇，曰赋曰诗，几溢箱箧，但以童子篆刻，壮夫所惭，及忝得鱼，皆爲弃物。寻以浪迹东都，笔作饭囊，遂有赋五首诗一百首，杂诗赋三十首，共成三篇尔后调授宣州溧水县尉，禄厚官閒，饱食终日，仕优则学，免掷寸阴，公私所爲，有集五卷。益励爲山之志，爰标覆篑之名，地号中山，遂冠其首。及罢微秩，从职淮南，蒙高侍中专委笔

砚。军书辐至，竭力抵当，四年用心，万有馀首，然淘之汰之，十无一二。敢比披沙见宝，粗胜毁瓦画墁。遂勒成桂苑集二十卷。

崔致远在宾贡进士试及第后，在洛阳“笔作饭囊”。其实在他及第之前，便潜心写作，诗赋溢箱，及第以后，依然以作诗赋为谋生的手段，潜心研究。他上任溧水县县尉后，依然马不停蹄，练习诗赋。禄厚官闲，饱食终日，公务赋闲之余，仕优则学，专心创作，写下了不少脍炙人口的诗文，后编成《中山覆篑集》五卷。崔致远在淮南担任馆驿巡官的四年多时间里，勤于政务，精于笔耕，写作了一万多首诗赋。回国后，从他带回的一万余篇中，筛选其中的一成至两成，编撰成《桂苑笔耕集》二十卷传世。

“桂苑”指的是文人汇聚的地方，“笔耕”指的是在戎幕生活，解决温饱问题。崔致远在桂苑笔耕集的题目便强调他与高骈手下的众多文人切磋文学。高骈曾编写一卷诗集，“幼而朗拔，好为文，多与儒者游，喜言理道”。他的上述特点吸引了崔致远的眼球。

① 某东海一布衣也。顷者万里辞家。十年观国。本望止于榜尾科第。江淮一县令耳。前年冬。罢离末尉。望应宏词。计决居山。暂爲隐退。学期至海。更自琢磨。俱缘禄俸无馀。书粮不济。辄携勃帚。来扫膺门。岂料太尉相公迥垂奬怜。便署职秩。迹趋郑驿。身寓陶窓。免忧东郭之贫。但养北宫之勇。去年中夏。伏遇出师。忽赐招呼。猥加驱策。许随龙旆。久倚鷁舟。每恨布鼓音凡。铅刀器钝。纵倾肝胆。莫副指踪。遽蒙念以慕善依仁。特赐奏荐。重言天应。忝获超昇。若非九重倚赖于功名。十道遵承于法令。则其恩命亦岂肯许。某自江外。

一上县尉。便授内殿宪秩。又兼章绂。且见圣朝簪裾。烜赫子弟出身入仕二三十年。犹挂蓝袍。未趋莲幕者多矣。况如某异域之士乎。

② 今者乍离一尉。欲应三篇。更愿进脩。且谋退缩。独依林薮。再阅丘坟。课日攻诗。虞讷之诋诃无避。积年著赋。陆机之哂笑何惭。俟其敦阅致功。琢磨成器。……窃见万物投诚。八紘向德。不谒相公宾閤。不游相公德门者。词人之所怀惭。群议之所发诮。某固敢隳肝沥胆。进牍抽毫。不避严诛。辄申素恳。谨録所业杂篇章五轴兼陈情七言长句诗一百篇。

崔致远原本制定目标，在十年之内进士及第后，成为唐朝地方县令。而被聘为县尉后，他把目标调高，希望成为高级官僚，决定参加不分修学期限都可以报名的博学宏词试。但因经济上的困难，他不得不向德高望重的贤人求助。

当时的节度使为掌管管辖区的政治、军事、财政权，聘请富有才华的文人。士大夫进入藩镇幕府，充当文职僚佐，进而取得进仕，这是文人求取仕途的独辟蹊径。有意谋官职者，多半希望投靠有实力的节度使。20-30年里，有很多有志之士，都希望步入幕府。崔致远希望为高骈做事，正如汉朝的官人当时宽带门下文人。面对虞讷的诋毁与陆机的冷嘲热

河东双蹊寺《眞鉴禅师大空塔碑》(© 张日圭)

讽，崔致远依然坚持作诗赋。他听说高骈经常与文人、有识之士来往，为了让高骈看到自身的文才，便向高骈献出了杂篇章五轴、陈情七言长句。最终崔致远深得高骈赏识和喜爱，成功走进了高骈的幕府。

桂苑行人，为汉中文人的交流奠定基石

865年御史中丞胡归厚与裴广一道，奉唐懿宗之圣旨，以册封使的身份，来到新罗。他回国后，对宰相言道："自愚已往，出山西者不宜使海东矣！何则？鸡林多佳山水，东王诗以印之而为赠，赖愚尝学为缀韵语，强忍丑酬之，不尔，为海外笑必矣，君子以为知言，是惟烈祖以四术开基，先王以六经化俗，岂非贻厥之力。"可见，崔致远赴唐之际，新罗的文艺已经达到备受唐朝使臣赞赏的水平。

崔致远在唐时期，与唐代各阶层儒吏文人，如顾云、裴璹、裴璙、裴拙、裴瓒、宋绚、王棨、李琯、杨赡、吴峦、张翱、张雄等等过往甚密。他们大部分是都统、观察使、节度使手下担任判官或巡官的文人。崔致远之所以能够与上述文人结为至交，在参加宾贡进士试主贡的裴瓒，发挥了举足轻重的作用。进士考试中，容易结成座主、门生、同年等关系，形成一股特殊的势力，强调其特权，因此被称为衣冠户。高骈曾给裴瓒送去文章，强调选拔人才的重要性。崔致远得到同年登进士第的顾云之帮助，走进高骈的手下，崔致远自然十分感激裴瓒。

> 伏承荣膺宠命。伏惟感慰。……某伏思万里无依。久劳漂荡。十年有遇。幸遂奋飞。异鄉荣垂白之亲。达路忝披朱之饰。昔名士爲李公御者喜抃犹多。今远人称尼父生徒光辉无

比。陈至恳而喙输三尺。望深仁而肠结九回。下情无任抃贺踊感激之至。伏惟俯赐念察。

崔致远恭贺裴瓒晋升为吏部侍郎，感激他从不求回报的照顾。崔致远在回国之际，表示能够成为恩师裴瓒门下生徒之一，深感荣幸，并下定决心回国后，致力于德化新罗。流传至今的文章中，除了写给高骈的之外，写给裴瓒一家的多达15篇，可见崔致远对宾贡进士试的座主裴瓒心怀感激。

高骈手下有众多文人，如进士及第后担任从事官一职的宋绚和担任盐铁出使巡官的王棨，他们和崔致远的交情也甚为密切。崔致远与杨赡、吴峦的交情始于国子监，直到他回国，共同探索谋官之路，往来十分频繁。继而与罗隐、张乔等结交。通过顾云，也结识了杜荀鹤与皮日休。他们也都是当代杰出的诗人兼文人。顾云、宋绚、王棨、杨赡、吴峦、罗隐、张乔、杜荀鹤、皮日休等人大部分进士及第后，在节度使旗下担任官吏，或到处流浪，致力于作诗赋。崔致远与他们为伍走上了官职之路，自然而然勤于切磋诗赋。特别是在洛阳、宣州、扬州等地，陆机、白居易、杜牧等人活动的时期早于崔致远，他便自然而然地关注到他们的诗文风格。崔致远与著名诗人、文人开展交流，学习唐朝的文艺，也传播了新罗的文艺。

扬州崔致远纪念馆的崔致远铜像(© 张日圭)

884年新罗国入淮南使金仁圭与堂弟崔栖远来到淮南，以接崔致远归国。崔致远突然接旨归国，便与他们一同踏上归国之路。新罗宪康王备受真骨贵族势力的牵制，便要求崔致远早入回国，希望得到他的辅佐。崔致远虽迫于无奈，决定归国，但对一直以来与他切磋诗赋的好友，感到十分不舍。他对吴峦说“莫嗟歧路蹔劳身，今朝远别无他语，一片心须不愧人。”深表惋惜之情。

崔致远归觐请求得到批准，唐朝廷特任命他为淮南入新罗兼送国信等使前都统巡官承务郎殿中侍御史内供奉赐绯鱼袋。在唐朝度过了十六年岁月的他，于这一年冬十月启航归国。

海槎虽定隔年回，衣锦还乡愧不才。
暂别芜城当叶落，远寻蓬岛趁花开。
谷莺遥想高飞去，辽豕宁惭再献来。
好把壮心谋后会，广陵风月待衔杯。

在《酬杨瞻秀才送别》中，崔致远本着“同心相应”的亲密友谊，祝愿好友杨瞻“谷莺”高飞，并和杨瞻相约“好把壮心谋后会，广陵风月待衔杯”：崔致远在此诗当中屡屡和杨瞻相约“海搓虽定隔年回”、“好把壮心谋后会”。897年，崔致远作为遣唐使再度入唐，是否与好友重逢，这就无从知晓了。崔致远的文采，备受称赞。中国《新唐书·艺文志》有其传，记述他宾贡进士及第几编撰《桂苑笔耕集》的内容，作为新罗人，他是唯一记载于《新唐书》的人物。他的作品也流传至明清时期。

想起崔致远的《泛海》，好奇当时那位清华大学的学子，是否已学成归国，还是依然身穿英国足球队队服深造于英国。

打开与宋朝交流之路的高丽王子

义 天

朴鎔辰(能仁大学院大学)

义天大觉国师生平

义天(1055-1101)生于1055年9月28日，是高丽第十二代王文宗与仁睿王后李氏(门阀贵族仁州李子渊长女)的第四子。十一岁出家为僧，随侍华严宗烂园(999-1066)，学习华严学，以及大小乘教法。但他对儒教、道教等异学的造诣也很深。高丽文宗至肃宗时期，门阀贵族形成，王权稳定，高丽文化在东亚诸国间的交流中具有国际性与普遍性，同时也释放出独有的文化特色。

出家后习佛讲学的义天了解到高丽虽有大藏经的经论，但严重缺乏解释经文的疏钞，严重阻碍正常教学。他计划收集高丽现存疏鈔和宋辽两国新旧章疏，整理目录并编撰刊行。为此，义天想前往大宋与当地高僧交流并寻找收集章疏，却因当时的国际形势处于高丽、宋、辽三国鼎立，相互制衡的时期，身为高丽王子，义天入宋可能造成高丽与辽、宋与辽关系紧张，引起国际纠纷与冲突。

图片1. 义天真影
(仙岩寺圣宝博物馆收藏,© 高丽大藏经研究所)

1085年4月8日，义天与弟子寿介、良辩等人一同入宋，7月21日抵达汴京觐见哲宗皇帝，并拜访华严宗有诚法师、净源法师等各宗派高僧。他与大宋佛教界广泛交流思想，确立了具有国际性和普遍性的佛教思想体系。1086年5月29日，义天结束历时十四个多月的入宋求法活动，携佛典经书三千余卷回国后，奏请于兴王寺设置教藏主监，从中国和日本购入大量佛典，收集、整理并刊印。通过与周边国家开展基于宗教的文化交流，他积极推动了东亚地区佛教文化与思想的进一步发展。

随着义天以华严宗为中心开创天台宗的计划失败，他遂退居海印寺。因被仁州李氏李资义和兴王寺智炤大师势力排挤而迁住海印寺的义天，于肃宗元年(1096)赴京，复居兴王寺住持，教学如故。次年5月国清寺建成，义天兼兴王寺住持并在此初讲天台教。这一时期义天通过并立华严宗和天台宗，实现对佛教界的重新洗牌。肃宗5年(1100)在国清寺讲天台教，次年二月天台宗考试选拔40名僧侣等为开创并发展天台宗做了很多事情。

义天所做诸事中，指南馆和兼济院的重建是利民工程，他还为国家重大事务提供咨询，上凑《铸钱论》等积极支持肃宗的政治改革。肃宗6年(1101)10月，义天终因积劳成疾，走完了短暂的生命历程。

打开自高丽开京至大宋开封的求法与交流之门

虽然义天在未获准国王同意之下入宋求法，但经过所谓的高丽派使臣事后追认的程序，终得以顺利成行。此后，在高丽与大宋朝廷的鼎力支持下，于宋京开封觐见哲宗皇帝后，与馆伴一同访遍佛教界的高僧与主要古刹。义天入宋求法与交流行程详细收录在《大觉法师文集》中，这是一部记录高丽使臣入宋觐见大宋皇帝全程与具体事宜的罕见史料。

1085年5月2日，义天越海到达宋密州板桥镇，知密州朝奉郎范锷给与热情接待，同时上表哲宗皇帝，具述入宋求法之意。至5月21

日，哲宗命主客员外郎苏注廷奉诏自京城来引导。6月7日，义天到达海州，皇帝使臣来传敕旨，并为义天一行大摆筵席。6月13日，中使黄永锡来传敕旨，并赐御斋。7月6日，义天终于到达宋汴京，承蒙郊迎，获赐劳筵，奉敕住京师启圣院，中书舍人范百禄为馆伴。7月21日，宋哲宗于垂拱殿诏见义天，待以客礼，优宠有加，赐物并斋筵，差中书舍人钱勰为押伴，在启圣院主管御斋。

次日，义天即上表乞师受业。在皇帝的首肯下义天拜见有诚法师。两街僧录奉诏以华严宗法师有诚乃京城高才硕学而荐之，从其习法。义天在汴京从华严宗有诚法师相随游处学习一月有余，复上表奏请往杭州从晋水净源法师研习贤首教，恳请皇帝允诺。宋哲宗准他赴杭州慧因寺受业，并敕主客员外郎杨杰为馆伴，陪伴义天求法旅程。

8月，义天奉皇帝诏书与馆伴杨杰一同出汴京，沿汴河历淮水与泗水，来到杭州参谒晋水净源法师。至此一直到1806年2月，义天专注贤首教观，即研学华严教，收集章疏。后因高丽上表遣义天还国，哲宗召义天回汴京。2月13日，义天达京师，哲宗皇帝于永宁禅院特赐劳迎，敕就同文馆安歇，差朝散郎试中书舍人满中行为馆伴。闰2月19日，义天进宫向皇帝和皇太后辞行，获御赐银器千两，彩帛千匹并设饯筵送别。此时，正直哲宗皇帝诞辰龙兴节，义天举办祝圣寿斋，向皇帝敬献佛像与金器等作贺礼。

3月2日，义天准备离京还国，仍诏主客员外郎杨杰为送伴。3月7日宋哲宗又以高丽文宗王真影一轴、金香炉、香盒等赐与义天。途中，路过秀州，义天特至真如寺参礼，见子璿塔亭倾圮，于是慨然布施。4月再至杭州慧因寺，5月初从天台山至明州，特至育王广利寺参访云文宗大觉怀琏禅师，琏师为之升堂说法，并作诗赠别。5月12日义天离明州赴定海(宁波镇海)，19日自定海随本国朝贺回使船还国，29日还至高丽礼成江。

义天大觉国师与大宋佛教界诸宗硕德之交流

在大宋，义天与三十多位佛教高僧交流。寄居宋开封启圣院别院时，见到的第一位高僧是华严宗有诚法师，二人往返问答贤首与天台两宗判教异同及其幽妙之旨。可见他们深入探讨过华严宗和天台宗的教相判释与教学问题。此间，义天先后参谒相国寺圆照宗本禅师和兴国寺西天三藏天吉祥大师。其中，还特地向天吉祥大师详细询问宣宗与印度天竺国之事。在汴京期间，义天参访众多宗派高僧并与之广泛交流。

义天在有诚法师门下学习后，前往杭州拜谒晋水净源大师。从1085年8月到次年2月，义天向净源大师学习华严宗学，并接触到很多宗派教学。净源法师作为华严宗僧侣，是继承法藏系正统华严的长水子璿门下最重要弟子。他随净源法师学习华严宗澄观或宗密的华严教义，而且还接触了华严宗旁系李通玄的华严经纶，受子睿影响深谙《楞严经》。这一时期的义天在净源法师门下，钻研华严经和楞严经的思想，与其交流《圆觉经》或《起信论》或法话和天台思想。对当时义天的佛教活动宋僧可久说道，‘仅三个月修得正法，让文人或佛家弟子无一不心向佛祖，这是从未有过的事情。’从中可以看出义天当时与宋朝佛教界及朝廷的许多不同人物进行了密集地交流。

图片2. 晋水净源像
(玉岑山慧因高丽华严教寺志收录)

净源法师在杭州慧因寺推动贤首教发展，并为大宋中兴华严宗。

图片3. 慧因寺山图
(玉岑山慧因高丽华严教寺志收录)

馆伴杨杰协同杭州知州及同僚安排义天在杭州参礼贤首教藏和贤首教祖师像，义天还慷慨解囊并捐赠七千余卷佛经典籍。还国后，义天亦送去三本《华严经》及财物等成为慧因寺主要檀越。慧因寺又被称为高丽寺，位于杭州西湖附近。目前，高丽寺遗址建有宾馆，并将挖掘出的东坡像立在此处。义天自杭州往开封时，净源法师同行并传授华严教义，讲毕《华严经》大义，并赠炉拂、诗书等表付法之信物。

拜别净源法师后，义天来到天台山定光佛笼，在智者大师塔前发愿，必尽命弘扬天台教观，当时由馆伴杨杰和天台宗山家派明智中立法师记录并立石碑，现石碑不复。义天拜访天台宗正统山家派从谏、元净、中立、法隣等高僧，交流天台教观。中立和法隣是天台宗山家派神智鉴文的法师，隶属广智尚贤系。义天禀受从谏的天台教观，发愿他日还乡，尽命传扬。回国后，义天新建天台宗国清寺，为从谏塑像并将其作为高丽天台宗的始祖。之后很长时间，两人一直保持书信往来，义天强调正统继承了天台宗从谏。

虽然义天还亲自拜访禅宗系云门宗宗本、了元、怀琏等高僧，却无详尽记录。从了元坐受义天拜礼中，可见他以异僧对待义天，宗派间存在对立。此外，义天在宋求法亦拜谒了法相宗慧林、善渊，戒律宗择其、元照，西天梵学天吉祥、绍德等人。但是史料中对与这些人的具体交流情况及相关教学并无记录。还国后，义天继续保持与宋朝佛教界高僧在教法与佛典方面的交流。

图片4. 天台山智者塔院智者肉身塔

义天大觉国师与大宋官员之交流

义天入宋受到外国使臣之礼遇，当时皇帝所派引伴使、接伴使、馆伴使等官员皆学识渊博，佛学造诣高深。其中馆伴使杨杰、苏注廷、苏轼等和求法途中地方官员尤为令人瞩目。义天虽未经高丽国王同意入宋境，但其一行一到密州板桥镇，就受到大宋皇帝给予的外国使臣礼遇。当时，大宋朝廷将义天入宋当作‘游学非入贡’，因此朝廷对义天求法予以大力支持。他在大宋主要是寻访诸宗僧侣，收集佛教典籍。但其与大宋官员的交流，却为他回国后通过强化王权改革政治起了很大作用。

义天接触的大宋官员大可分为馆伴、地方官、皇帝使臣等。其中，地方官、皇帝使臣不可能与义天有紧密交流。相比之下，义天在大宋期间一直陪伴左右的馆伴使或杭州地方官（义天在杭州时间较长）却不可一笔带过。其中，主客员外郎杨杰、杭州知府蒲宗孟是重要人物，二人同属新法党官员。义天为慧因寺捐金并义赠佛教典籍，杨杰与杭州知州蒲宗孟助其将慧因寺改作华严道场。当时，义天正与华严宗净源法师讲论华严教学，并通过蒲宗孟的引荐，与天台宗慈辩从谏大师进行交流。

蒲宗孟是新法党核心人物吕惠卿的亲信。宋神宗登基后，任命王安石为丞相，大刀阔斧进行政治改革。吕惠卿正是王安石变法的实质性政策制定者。《宋史 · 吕惠卿传》记载“事无巨细，皆与之谋”，“凡有建请章奏，皆出惠卿之手”。从中可知吕惠卿对国家大小事皆有参与。王安石对吕惠卿也给予高度评价，‘学先王之道而能用者，独惠卿而已’。王安石主张富国强兵之变法改革论，而苏轼则拥护旧法。为证变法之正确，主导与拥护旧法的苏轼进行辩论之人，就是吕惠卿。当然，杨杰及日后将义天求法刻文立碑的章衡也是新法党人物，慧因寺和净源也和新法党官员关系密切。净源法师不仅与吕惠卿是同乡，而且很早便与其结交。义天在宋交往甚密的官员大多为新法党系，而且传授佛教教义的净源和从谏大师也与他们有着紧密的关系。除杨杰与蒲宗孟，吕惠卿也对佛学有着很深的研究。杨杰写过很多佛典序文与著述；吕惠卿早年编著《新注华严法界观》，对中外教典有着渊博的学识。大宋朝廷为接待高丽王子义天僧统，派出对佛教以及中外教典有着丰富学识的官员陪同，足以看出对义天的礼遇。

图片5. 苏轼像
(玉岑山慧因高丽华严教寺志收录)

另外，义天在京师朝见哲宗皇帝时，是由接伴使礼部郎中苏轼引伴。义天与杨杰一同前往杭州时，苏轼赋诗作别。诗中写道，‘三韩王子西求法，凿齿弥天两勍敌’。诗中将义天与杨杰比作东晋的道安和习凿齿。义天与苏轼交流的记录虽不多，但是觐见皇帝之后，义天同礼部侍郎苏轼还一同参访宗本禅师。义天还国后，1089年苏轼赴任杭州知州，与佛教界高僧交流甚多。

上述义天入宋求法的诸多活动之所以能够成行，是因为大宋朝廷的积极安排与鼎力支持。协助义天求法的馆伴杨杰是新法党系人物，在他积极引荐下，义天有幸能与新法党系官员开展较为广泛的交流。而这些官员又为义天拜访天台宗从谏等佛教界高僧提供了帮助。在宋求法期间，义天参访众多佛教寺院与高僧，并与之进行思想交流，还积极亲身体验。他还对大宋的文物、制度等怀着一颗好奇之心，特别对新法党主导的变法有着深刻的理解与认识。这一点，我们可以从回国后义天大力协助肃宗通过铸钱论进行富国安民政治改革看出一二。

东亚汉字佛教文化圈的章疏交流与刊行

文宗27年(1073)，自义天收集佛教注释书，刊行教藏以来，他大量收集包括高丽、宋、辽等诸国章疏。高丽玄宗和文宗时期，虽已编撰高丽大藏经的正藏和续藏，但自新罗以来的经论注释书却大多遗失。义天通过入宋求法，收集章疏，还国后将高丽现行章疏及自宋、辽新购章疏整编一处，重新整理目录，编撰《新编诸宗教藏总录》(简称《教藏总录》)。作为开佛教经论章疏目录先河这一点上，它具有很高的学术价值。《教藏总录》共收录1010部、4865卷章疏。据悉，目前东亚佛教界共藏有约350余册。

十一世纪到十二世纪，高丽与大宋的章疏交流在东亚汉字佛教文化圈，因大宋中兴华严宗及中国失而复得大量佛教典籍而备受关注。高丽初期，谛观和义通受吴越国王之邀，传天台教学相关典籍，振兴天台教学。大宋时，义天传华严教学书，为华严宗复兴助一臂之力。高丽与大宋有关章疏之交流案例可参见《大觉国师文集》和藏于大宋杭州慧因寺、净源法师所著《晋水法师碑文》。义天相赠的章疏大宋不曾有，其中有华严宗教学中非常重要的智俨所著《搜玄记》、《孔目章》，法藏所著《探玄记》、《起信论别记》，澄观所著《贞元新译华严经疏》、宗密所著《华严纶贯》等。

此外，义天入宋求法还国前，在木版印刷术和文化艺术极为发达的杭州花三千两银子向杭州印刻家严明定制120个《大方广佛华严经疏》版刻。该书是净源法师将澄观的《华严经疏》编入华严经文之下，便于华严教学讲义时，理解经文内容而特别编撰的。宣宗4年(1087)3月，大宋商贾徐戩等二十人将《大方广佛华严经疏》版刻交付义天，该经版共2900余块。用该经版可确认大部分《华严经疏》，朝鲜世宗6年(1424)将其赏赐给日本，藏于京都相国寺后遗失。

此外，高丽开京的兴王寺刊行辽鲜演所著《华严经谈玄决择》，后流入大宋。1123年，宋安仁大师于崇吴古寺誊写该书。目前，日本京都高山寺藏有教藏都监刊记和安仁大师手抄本资料。义天的刊印章疏及求法活动，一方面使高丽向大宋传播失传已久的章疏，重振佛教发展；另一方面也促进高丽引进宋、辽最新华严教学典籍，接纳新教义。义天的《教藏总录》是高丽中期收集并整理的东亚佛教圈诸宗教藏，对我们了解当时东亚佛教界教学水平及其佛教发展有着重要意义。

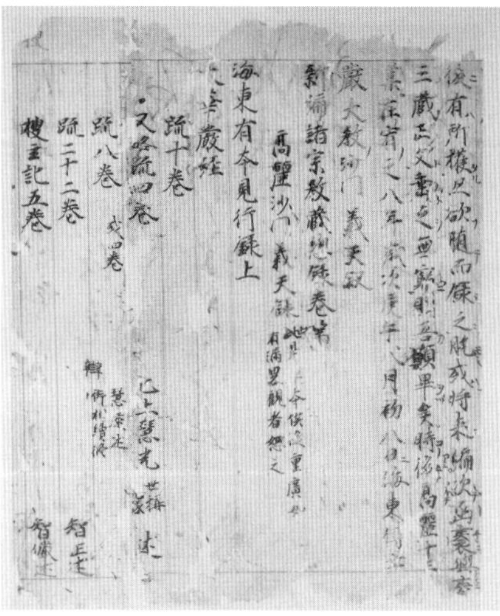

图片6.《新编诸宗教藏总录》(© 高丽大藏经研究所)

公元十一世纪的东亚地区，高丽、宋、辽三国鼎立，相互制衡。在动荡年代，义天将佛教文化作为开展与东亚汉字文化圈交流的媒介。佛教通过中国慢慢传播到周边国家，并在那些国家落地生根，为各国文化形成起到积极作用。在这样的环境下，义天向因长年战乱佛教典籍失传已久的中国逆向出口佛经典籍，实现佛教振兴的双向性，促进两国在佛教文化方面的相互交流。义天将具有人类普遍真理的佛教作为交流载体，不仅进一步丰富了各国文化，而且也增进了东亚汉字文化圈的相互信赖与理解。因此，我们有必要重新审视义天的巨大贡献。

与元朝顶尖文人高谈阔论的高丽学者

李齐贤

崔溶澈(高丽大学)

实现中国大长征的高丽大臣

李齐贤，号益斋，出生于高丽书香门第，其著作有《栎翁稗说》、《益斋乱稿》等，除了韩国著名文学家这一头衔外，还有诸多身份：既是为朱子学的引进和推广鞠躬尽瘁的儒学家；也是在中国的辽阔疆域上留下最多足迹的古代韩国旅行家；同时还是与元朝文学艺术界人士高谈阔论的文化人。

目前韩国国立中央博物馆收藏着中国著名画家所画的《李齐贤肖像》和推测是李齐贤本人所画的《骑马渡江图》。李齐贤在身居元朝首都大都(今北京)时与有名的书法家兼画家赵孟頫交情深厚，自己也与书画结下了“良缘”。

李齐贤(1287-1367)少年得志，15岁时参加成均馆科举获状元及第，随后又通过文科科举，走上仕途。当时自封上王的高丽忠宣王在元朝大都设置万卷堂，广交各地文人学士，交流学术与艺术，出入万卷堂的皆是当代名声显著之辈，如姚燧、阎复、元明善、赵孟頫等，忠宣王为了让这些文学之士与高丽年轻俊杰切磋交流，于1314年将升成均乐正的李齐贤召至北京。

李齐贤自27岁开始定居元朝，直到1324年春回国，在元朝度过十余载，虽说滞留北京的目的是身居万卷堂，协助忠宣王与当代文人进行广泛交流，但最主要的活动是遵忠宣王之旨，分三次探访中国大陆西南、东南、西端疆域的长途之旅，他以成均馆祭酒身份奉使四川峨眉山；随忠宣王到浙江普陀山历游；后来忠宣王流放吐蕃，他亦前往朵思麻探望慰问，并竭尽全力帮助忠宣王获释。

李齐贤授忠宣王之命前往北京，到过中原最偏僻的地区，成为了在中国辽阔的疆土上留下最多足迹的韩国人。李齐贤作为代表高丽的文人，与当代顶尖的中国文人学士高谈阔论，并接纳了他们的文化、艺术、思想和文化，为韩国文学史的发展做出了重大贡献，可谓是畅达民族文化的先驱。

身居北京万卷堂，辅佐忠宣王

《李齐贤肖像》国宝第110号
(© 韩国国立中央博物馆)

坐落于大都(今北京)的万卷堂既是忠宣王的个人书斋，也是中韩文学艺术界人士们交流互鉴的文化沙龙。忠宣王(王璋，1275-1325)，高丽忠烈王次子，母为齐国大长公主，系元世祖忽必烈之女，接受忠烈王禅让而即位，任内实行改革，七个月后因得罪王妃蓟国大长公主而被废，与外甥怀宁王海山滞留元朝皇宫十年之久。后怀宁王(元武宗，在位1307-1311)登基，忠宣王扶植武宗即位有功，被封为太子太师兼沈阳王，为了统治沈州和辽阳等地的高丽人，沈阳王是特意从高丽王族中册封的。1308年忠烈王去世后，忠宣王再次即位为高丽国王，5年后禅位于次子忠肃王，自称上王居住大都万卷堂，当时出入万卷堂的均是全国各地选拔出来的最优秀的人才，忠宣王感到“京师文学之士，皆天下之选，吾府中未有其人，是吾羞也”，遂召李齐贤和权汉功来中国以为侍从。

李齐贤被召至万卷堂时，先前与忠宣王交流的阎复和姚燧等人已相继去世，所以不可能与李齐贤相见，之所以会出现讹传，是因为李稿将李齐贤到达万卷堂之前与忠宣王交流的文士们的名单记入《益斋乱稿》的序文当中所致，所以在万卷堂与李齐贤进行文学交流的当代文人们应为赵孟頫、元明善、张养浩、虞集、汤炳龙、朱德润等人。

赵孟頫虽出身宋朝皇族，但却在元朝从仕，任翰林学士，以其高超的书法和绘画技艺而名声显赫，比李齐贤年长33岁，在李齐贤赴京时应是年逾花甲的元老级人物。赵孟頫应召，从1313年起在大都居留6年，期间正逢李齐贤赴京，两人相谈甚欢，后来在1319年因管夫人(赵孟頫之妻)罹患重疾，回到了江南故居。当年夏天，忠宣王带着李齐贤一行前往普陀山一游，在折返时特意迂回至湖州为管夫人吊唁。管夫人原名管道升，也是一位著名的书法家和诗人，和赵孟頫的爱情故事在民间广为流传。

李齐贤在身居大都的这段时间，托忠宣王的介绍，获得了与赵孟頫促膝交谈的机会，两人互相赠诗，结下了深厚友谊，李齐贤前往西蜀时，赵孟頫还特意为其赋诗一篇，前半部如下：

三韓望巴蜀，相去萬里餘。
棧道如登天，劍門不可逾。
誰令觸炎熱，鞍馬事驅馳。
王事有期程，吾敢求安居。
(下略)

此诗大致意为巴蜀地区离高丽相距万里，外国友人需应召穿过栈道，越过剑门，在炎炎夏日跋涉远途，希望其能顺利完成任务，平安而归。李齐贤也写了不少诗给赵孟頫，其中有载入《益斋乱稿》的《和呈赵学士子昂》等作品，后来李齐贤将赵孟頫的书帖带回高丽，加以推广，使松雪体流行一时(高丽末至朝鲜王朝)。

元明善，大名清河人，精通各种经书，任翰林学士和礼部尚书等职，在李齐贤远赴西蜀时也赋诗一首，题为《送益斋入蜀》，李齐贤也回赠了一首《奉和元复初学士赠别》，但尚未收录至元明善所著的《清河集》中。

张养浩，济南人，历仕官翰林侍读，礼部尚书等职，同样在李齐贤前往西蜀时赠与七言诗，李齐贤则以《张希孟侍郎赠诗长短句一篇以诗奉谢》作为答谢，但该诗未出现在《归田类稿》中。

虞集时任奎章阁侍书学士，系元朝知名的大儒，其作品集中有一篇名为《益斋铭》，很可能是李齐贤赋予他的诗作。

李齐贤在元朝侍奉忠宣王十年，期间幸运地结识当代最顶尖的文人画家，这些贵人中除了最年少的朱德润以外，其余都比李齐贤年长不少，所以他应该从这些元老身上学到了很多东西。万卷堂，顾名思义，是由无数卷书籍砌成的知识宝库，既是能与当代首屈一指的翰林学士切磋文艺的学习平台，也是促进文化交流的华丽舞台。以现在来看，相当于李齐贤一边以国家公务员的身份长期出公差，一边在当时世界一流的学习环境中留学，所以从中可知，推动高丽后期历史文化发展的李齐贤的学识和著作是以这段经历为基础的。

峨眉山、普陀山、吐蕃朵思麻之旅

李齐贤的第一场长途旅程是从大都出发，前往峨眉山，1316年李齐贤奉忠宣王之旨前往峨眉山供奉佛祖，7月26日从北京出发，途径太原、汾河、黄河、华山，到达西安，再往南穿过剑阁，通过蜀道到达成都，最后再沿着岷江下游途径眉州，终于9月11日抵达峨眉山。随后在返程时稍微改变了路线，于12月回到北京，整个过程历时5个月，往返跋涉达5千余公里之长，李齐贤作为首个登顶峨眉山的韩国人，通过诗作《登峨眉山》以朴素写实的手法记录下了这一历史性的过程。

蒼雲浮地面，白日轉山腰。
萬象歸無極，長空自寂廖。

当时的李齐贤是登上了海拔3077米的金顶，峨眉山是侍奉普贤菩萨的佛教圣地之一，而普贤菩萨正位于金顶的华藏寺内，所以可以推测此行的主要目的是参拜佛祖。据说当云雾依山起，日光普照之时，就能看到佛光，李齐贤历经50多天的长途跋涉，爬高山，涉恶水，终于登上山顶，并用诗作描述了当时所看到的佛光之景。

在北京启程前，通过万卷堂结识的当代学士和文人们举办了豪华的送别宴，祝愿李齐贤能够圆满完成长途奔波，纷纷献上自己的送别诗，以表达不舍和祈福，除了送别诗外，李齐贤在旅途中也从未停止过赋诗，通过当时的驿站急递铺，与北京的文人们进行交流。

在李齐贤写给赵孟頫的《二陵早发》的诗注中写到“吾动身至成都时，松雪赵子昂公曾赋古诗一篇，上曰‘勿云锦城乐，早归乃良图’，如今十月返京，径雪后二陵，忽忆那诗，故赋诗一首，送予公。”李齐贤在此正是引用了赵孟頫诗句后半部的一句，这里的锦城是指成都，成都因盛产丝绸获得了该别称。

送给元明善的诗中有一句“峨眉山色梦中青，人自鸡林使錦城”，鸡林本指新罗，但在这里意为高丽，亦或直接表达出了李齐贤的祖籍为庆州这一点。张养浩也曾在自己的诗中用“三韩文物盛当年，刮目青雯又此贤”来抬举李齐贤为高丽年轻文人之首。这些文人虽都比李齐贤年长，但均与其结下忘年之交，互相进行文学与灵魂上的交流。

第二场旅程是随忠宣王沿着大运河南下，前往普陀山，1319年3

月，忠宣王奏请皇上沿着大运河南下至普陀山，获批后乘船启程，由于是搭乘船只，所以可能也是较为轻松的一次旅行，期间忠宣王命随行的李齐贤和权汉功记下沿途的山川风景，记成《行录》，一行人在历游苏杭一带(元朝时称为江浙行省)后前往普陀山，往返旅途长达三千多公里。在经过杭州时，李齐贤还通过忠宣王的介绍，获陈鉴如所画的一幅肖像，画上更有元老学者汤炳龙亲笔所写的赞文，其意义非凡，返程时一行迂回至湖州，据推测是为了吊唁赵孟頫之妻。

次年，元英宗即位，忠宣王感知到周边的威胁，于1320年4月再次启程前往江南，但在渡过扬子江，到达金山寺时，被奉命而至的士兵们抓捕，押送回北京，随后被关入刑部剃掉头发，安置在石佛寺内，并在12月流放到位于吐蕃的撒思結，美名曰前往藏传佛地现场学习佛经，撒思結位于西藏的最西端，比省会拉萨还要偏西，一同随行的还有朴仁干和张元祉。那时李齐贤刚回到高丽，在返往北京的路上得知这一消息后惊诧不已，虽立即策马赶往，但没能赶上忠宣王，只见到了在忠宣王后面赶路的朴仁干，在送别朴仁干时将惨淡的心情写进了诗中。忠宣王在雪山之中熬过了一年多的流放时间，期间李齐贤为了忠宣王的赦免东奔西跑，鞠躬尽瘁，后来忠宣王被移监到临洮府(今青海省东部地区)，多多少少拉近了与北京的距离，李齐贤闻讯后决定前去探望忠宣王。

李齐贤的第三场长途旅行就此拉开帷幕，1323年4月，时年37岁的李齐贤从北京启程，前往位于吐蕃的朵思麻，这也是在元朝踏上的最后一段大长征之路，当时在万卷堂与其相识的朱德润通过一首《送李益斋之临洮》表达了慰问之情。此番旅程对李齐贤来说是一段伤心苦涩的旅行，既没有了过去前往四川时的期待与好奇，也没有江南之行时欣赏美景的雅兴，一想到是要去探望自己曾侍奉的上王，前往流放之地的脚步和心情应该是异常沉重的。

从北京启程，途径涿郡、邺城、洛阳、函谷关、华州，进入长安，随后再朝着西北方的兰州方向一路前行，终于到达链接临洮和河州的朵思麻，朵思麻在元朝后期的地图上被标注为脱思麻路，位于兰州的西南部，也就是青海省的东部边境，如今该地区留有一个名为下朵麻山的小村庄。李齐贤在这段旅程中所写的诗句无一不充斥着忠心与悲愤，后来崔瀣在将这些诗整理成诗集时，在序文中如是写道：

> 益斋先生于延祐初年奉命使臣赴峨眉降香，期间将所著之作编为《西征录》，由楚国僧侣可茅屋提笔序文，至治末年又为探望太尉王(上王)途径临洮，行至河州，期间编著《后西征录》并将序文一事委托与我。(收录于崔瀣的《后西征录序》和《拙稿千百》)

此番朵思麻之旅长达4,500公里，李齐贤自1323年5月25日从北京出发，于8月到达目的地，9月元晋宗(泰定帝)即位，忠宣王获赦，随后在12月初与忠宣王一同返京，后来李齐贤于1324年春回到开京(松都)，忠宣王则在1325年薨于元大都。

此后，李齐贤虽多次因公事前往北京，但均未长期滞留，而且能够写诗的机会也越来越少，纵观李齐贤的一生，侍奉忠宣王的十年是学习和积累经验的宝贵时期，同时也是能够放飞文学与艺术梦想的，才华四溢的青春时期。

与中国的著名艺术家们亲密交流

李齐贤在滞留元朝的10年内与众多诗书画领域的杰出诗人与艺术家们密切交流，互相赠予书画，目前留在韩国的作品为元朝顶尖画家陈鉴如赠予的《李齐贤肖像画》和推测是李齐贤自己所画的《骑马渡江图》。

我们可以通过李齐贤亲自在画作右上端留下的文字记录了解蕴含在肖像画中的故事。

> 延祐己未(1319)，予從於忠宣王降香江南之寶陁屈。王召古杭陳鑑如令寫陋容，以北村湯先生之贊;北歸爲人借觀，因失其所在。其後三十二年(1349)，余奉國表如京師，復得之。驚老壯之異貌，感離合之有時，題四十字爲识。

后续的诗句更是流露出了李齐贤在回顾过往青春岁月时的复杂心情，时至今日，我们在偶然翻到三十年前的老照片时也难免感慨万分，更何况当时还没有能记录逝去岁月的手段，所以也不难理解李齐贤赋诗时的心情，尤其是最后一句“儿孙浑不识，相问是何人”令人黯然神伤。

李齐贤肖像画的左上端还留有时年79岁的汤炳龙留下的赞辞，虽说是受忠宣王之托，但也表明汤老对年轻有才的李齐贤持有尊敬和赞颂之情，赞辞为四言三句七段，共八十四字，末尾写有“北村老民汤炳龙于钱塘保和读易斋所写”，不过蹊跷的是经鉴定左上端的汤炳龙所赋赞辞在先，右上端的李齐贤题词和诗句则在30年后才写上，而且《益斋集》中引用的文字记录中将该肖像画的作者名记为吴寿山，虽不知为何会出现这种插曲，但总体来看在画作上写有名字的陈鉴如应是真正的作者，该画宽93厘米、高177.3厘米，目前为韩国第110号国宝。画家陈鉴如是元朝首屈一指的肖像画大师，著作有《竹林大士出山图》、《文会图》等。

另一幅作品是《骑马渡江图》，生动描述了秀丽雪景中身穿胡服的人们骑马穿过结冰河面的情景，作品的右上端署名“益斋”，盖有“李齐贤印”印章，虽说无法断定是李齐贤的原作，但考虑到该作品的画风接近元朝的狩猎图和高丽末期的画风，所以很可能是李齐贤本人所画，尤其是画中对马匹的描绘非常细腻，而在万卷堂的赵孟頫正是画马高手，考虑到两人的深厚交情，这幅画的作者为李齐贤的可能性也就变得更大，《骑马渡江图》这一画名是进入现代后才命名的，偶尔也有人将其视为狩猎图。

朱德润也是由赵孟頫推荐给忠宣王的画家之一，随后被召到大都，在那里结识李齐贤并进行密切交流。在李齐贤前往探望移监至朵思麻的忠宣王时，朱德润曾赋予送别诗一首，如今收录在其文集《存复斋集》中，而且得知李齐贤平时对自己的画作感兴趣后，专门画了一幅《燕山晓雪图》以礼赠之，李齐贤在看到画后，赋诗一首，名为《雪》，吟到“君不见吴中朱生画称绝，短幅曾扫燕山雪”，虽然如今无法一睹该画的风采，但通过留下的诗句足以略知一二。朱德润也是代表元朝的著名画家，著作有《林下听琴图》等，这段事迹非常生动地向我们展示了李齐贤与元朝诗人画家们切磋文艺的情形。

18世纪的朴趾源在《热河日记》中曾引用李德懋的描述“三韩人踏遍中土者，无如李益斋”，并加自己的话“我东诗人用事，率皆借用，而真能目观足踏者，惟益斋一人”，极力称赞李齐贤。

李齐贤《骑马渡江图》(© 韩国国立中央博物馆)

高丽学者李齐贤在辽阔的中原长途跋涉，并将该旅途中的所见所闻所想写进了诗中。十几年前，元老级中文学者池荣在教授为了亲身体验李齐贤的中原之旅，摸索着他当年走过的路踏上了旅程，虽然与700年前相比交通与信息变得更为便利，但仍是一段艰巨的冒险之旅，归来后池教授撰写了《寻西征录》(青史，2003)，可谓是一位伟大的学者跟随伟大的诗人留下的足迹完成的又一伟绩。

李齐贤在高丽末年长期滞留元朝，与当时最顶尖的诗人画家切磋文艺，深入中国辽阔的疆域，亲身体验中国文化，是一位拥有不屈意志的高丽人，可以说李齐贤的中国之旅为中韩两国开展实质性的人才和文化交流开创了先河。

海上之路，
漂海录

崔　溥

张日圭(东国大学)

生死十字路口，海上之路

在还没有飞机的时候，人们大多是徒步或者乘船前往邻国的。中韩两国也是通过陆路和海路开始来往的。尤其海路虽危险，却能更快的运输更多的人与物资。只不过远海的航行难度很大，即使几艘船同时在一个码头出发，根据风力、海浪，很多船在海上迷路没能抵达原定的港口或者遭遇海难使船上的人丧命。不管是作了一辈子的船员还是短暂乘船的船客，若遇上暴风雨海浪都会竭力摆脱死亡的恐惧，也会祈求神的保佑，以保住自己的性命。

中韩两国的海岸是观音菩萨的圣地。因为漂洋过海的人在遇到暴风雨和惊涛骇浪时，为安全抵达彼岸，都会祈求观音菩萨保佑。韩国的观音圣地是西海的江华普门寺、 南海的锦山菩提庵、东海的襄阳洛山寺；而中国的观音圣地则是四大佛教名山之一的浙江舟山群岛的普陀山。

普陀山成为观音圣地，有几种说法。但是传播最广的就是与新罗商人有关的说法。徐兢的《高丽图经》写道“其深麓中有萧梁所建普陀院，殿有灵感观音。昔新罗贾人往五台，刻其像，欲载归其国。暨出海遇焦，舟胶不进，乃还置像于焦上。”文中涉及到普陀山和新罗商人的关系。另外《普陀山志》写道“商船就撞到新罗礁上”文中将触礁的岩石称为‘新罗礁’。后文讲到普陀山和‘高丽道头’以及高丽使臣的故事，也有高丽宗肃王与李齐贤一同畅游扬

浙江省舟山的《新罗礁纪念碑》
(©张日圭)

子江和浙江一带，登上普陀岛，也盛传在普陀岛发现高丽码头并挖出来等。

海路虽是交流的通道，但也是死亡之路。可以乘风破浪到达目的港，但有时也会触礁或被大海淹没，无法预期未来。因此就有走海路的人将其间所经历的波折苦难和看到的欣欣向荣的景象记录下来。而十五世纪后期崔溥所著的《漂海录》就是其中之一。

世界三大中国游记之一《漂海录》

《漂海录》同九世纪中叶日本僧侣圆仁的《入唐求法巡礼行记》和十三世纪末马可波罗的《东方见闻录》一并被称为世界三大中国游记是因为有很多人都关注这部游记。

《漂海录》共三卷，是按日期记录从成宗19年(1488)闰正月初三离开济州岛开始，一直到六月四日渡过鸭绿江回到朝鲜的全过程。第一卷记录了崔溥1487年11月12日到济州赴任推刷敬差官后，听闻父亲噩耗为奔丧，次年闰正月初三乘船出发，不幸遇狂风大浪在海上漂流数日，于16日在明朝浙东地区上岸，2月4日来到绍兴府的过程。包括崔溥在内的全部43名乘船者与海盗，被误以为是倭寇，接受明朝廷集中调查后，解除嫌疑，经宁海、宁波，终于在绍兴府得到朝鲜官员应有的礼遇的内容。第二卷记录了结束在杭州的最后审问后，经嘉兴、苏州、无锡、常州、镇江、扬州、淮安、徐州、兖州、济宁州、德州等地，3月25日抵达天津卫的旅程。此间，他足迹可以说以扬子江为界，遍布江南和江北。尤其，崔溥在江南地区与明朝官员进行了广泛的文学交流；而在江北地区则主要围绕政治或社会话题进行交谈。第三卷记录了抵达北京后，下榻会同馆，觐见明孝宗帝，再经辽东，6月4日穿过鸭绿江回到朝鲜义州的过程。这条路是朝鲜使臣经常往来的路线，书中还特别描述了与他们的邂逅。崔溥到北京前，朝鲜使臣贺册封使安处良回国时是知道崔溥漂流到明的事情，谢恩使成健等也将故国朝鲜的情况告知崔溥，一路上他还遇到了明使臣董越和圣节使蔡寿一行。特别是，崔溥这一路因旅途劳顿曾一度重病在身，尽管多人挽留他，他却执意带病踏上归国之路。

回国后，崔溥来不及为父办丧，奉国王之命撰写他此间的经历。然后，带着国王赏赐的50匹布，回老家罗州为父守孝。但是，后日台谏指责崔溥身为丧主，没有按照礼教先为父亲送葬，反而是戴孝编撰明朝见闻录《漂海录》。

崔溥的见闻录早年叫《中朝见闻日记》，后称《漂海录》。早在中宗 — 明宗时期，朝廷就利用铜活字刊行了《漂海录》。1569年(宣祖2年)崔溥的外孙柳希春刊行了木版《漂海录》，1673年(宣祖6年)受柳希春之托，湖南观察使等刊行了校订后的整卷木版《漂海录》。1662年(显宗3年)随着外孙罗斗春刊行《锦南先生》，将其与《漂海录》整编在一起。1724年(景宗4年)还与罗斗春的文集分别刊印出来，1873年将止菴朴氏夫人部分翻译出来后，出版了谚文版《漂海录》，1896年(高宗33年)也刊行了整编版。

该书是壬辰倭乱时期传到日本并于1769年由青田君锦翻译成日文后，书名改为《唐士行程记》正式出版的。1965年美国人约翰·迈斯凯尔(Meskill)将《漂海录》译成英文《崔溥的日记：漂海录译注》出版。中国则是在1992年出版由葛振家编译的《漂海录 — 中国行纪》点注本。

由于《漂海录》真实记录了当时的明朝社会发展风貌，对了解明初社会众生相很有帮助。尤其当时崔溥将山东黄家闸的《眉山万翼碑》全文抄录在游记中，而如今该碑文已不复存在，只能在《漂海录》找到。另外，因明永乐帝迁都北京，从徐州到北方的运河在正统

(1436-1449)年间改建的内容，现也只能在该书中查证。

一直到最近《漂海录》也在各国出版，并得到日本、美国、中国的关注。因为它是准确了解十五世纪后叶海洋势力的变化乃至明朝浙江和山东及北京一带的山川、土特产、人物、风俗等社会真实写照的宝贵资料。

崔溥，迷失在海洋中

崔溥，罗州人，字渊渊，号锦南。1454年(端宗2年)生，1504年(燕山君10年)卒。籍贯耽津，父崔泽，母骊阳陈氏。

作为朝鲜代表儒学者金宗直的门人，1477年(成宗8年)进士及第，进入成均馆扬名朝野。1482年亲试文科乙科及第，任成均馆掌管典籍的官吏。此后与徐居正等一同编撰《东国通鉴》，写下120篇史论，并参与《东国舆地胜览》修订工作。1486年文科重试乙科及第，与金驲孙等结交甚广，历任司宪府监察、弘文馆修撰。

1487年升任弘文馆副教理，11月被任命为济州、大静、旌义等三邑推刷敬差官。次年得到父亲去世的噩耗，在返回罗州老家的途中遇风浪漂流至明朝浙江沿海，6月初回到朝鲜后，奉国王之命撰写在明见闻录，完成后进呈朝廷，随便回乡为父守丧。父亲丧期未满，母亲也撒手人寰，在他1492年(成宗23年)回到汉阳前接连失去了父母双亲。

受成宗垂青，一到汉阳就被任命为司宪府持平，但因台谏指责崔溥丧中写见闻录有悖名教，使得他未能到任。随后他赴任弘文馆教理，这种指责依然没有停止，为此就连成宗也出面替他说话，称崔溥是奉命撰写见闻录，而且接连失去双亲，傍墓而居三年，已尽孝道。崔溥毕生受到成宗重用，历任承文院校理、弘文馆副应教、艺文馆应教等官职。

待燕山君即位，勋旧派和士林派矛盾激化，政局动荡。作为金宗直的门生，崔溥与金宏弼、金驲孙等士林派主要人士交际甚广。1498年(燕山君4年)勋旧派鼓动燕山君发动戊午士祸，把士林派赶出朝野。而此时，燕山君也借金宗直曾写《吊义帝文》讽刺批判世祖篡位和金驲孙将此事编入《成宗实录》之名，大肆肃清士林派势力。崔溥也被扣上与金宏弼等结朋党的帽子，发配到咸镜道端川。后1504年因燕山君为其母废妃尹氏复位之事，再次掀起甲子士祸，崔溥再次发配到庆尚道巨济岛，后被处极刑。

崔溥在和金宗直、金宏弼、金驲孙等交往过程中大大提高了学识，自然而然地汲取性理学的思想，重视儒教经典，强调义气、名分、气概。因此后世评价他'公廉正直，博通经史，富於文词，为谏官知无不言，无所回避'。作为儒学者也被认为是遵守儒家的礼教且文采出众之人。对他海上遇难有些人冷嘲热讽说，这是因为济州人不懂的山祠祭祀的缘故，对此崔溥认为'今天有船漂流，明天有船沉没，天天如此，而这样还能让人相信神无所不能？祭祀祈福就能得到护佑？'他针锋相对指出淫祀的无用。崔溥被海浪冲到浙江沿海时，手下建议以免遇到海盗惹麻烦，脱下丧服换上官服，对此他严厉斥责道'脱丧服，穿官服是不孝之举，用欺骗手段骗人绝非信义。'《漂海录》中我们能够看到他是如何谨遵礼法，一言一行奉行孔孟之道尧舜之义的。

崔溥, 文献读中国

崔溥离开济州时，原本是要立即动身回家奔丧，偏偏天公不作美，大雨伴着东风。就在他犹豫是否要出海时，镇府安义劝他说'乘私船出海的人大多数都遇海难了，但是那些奉了王命的朝廷命官，除前旌義县监李外，无一人触礁沉没。'遂要崔溥尽快启程回家。2

月23日，崔溥到达扬州府时，扬州卫百户赵鉴问道‘你是否知道朝鲜人李暹6年前也漂流到这里，然后回国的？’他说知道这件事。原来1482年(成宗13年)李暹本打算从陆路回去，就从济州岛出发了。不幸在楸子岛遇到恶劣天气，在海上漂流了10天后，在扬州长沙镇上岸。次年与千秋使朴楗先一同从北京回到朝鲜。因此崔溥自然也以为只要一到中国，就可以立即回国。他这么想是因为很早以前就读了很多有关中国的书。

崔溥很熟悉中国的地理，甚至连总督备倭都指挥佥事黄宗等问他济州与明朝海岸距离，朝鲜国都与大明京都的距离等问题时，惊讶的问他‘你怎么如此了解这里？是听这儿的百姓说的？’甚至在杭州的时候，他谈到‘钱塘江，又称浙江，江水蜿蜒百转，与山涧撞击极富气势。浙也叫淛……钱塘江海塘由华信筑造，为防海水……石坝很坚固看上去像新砌得一样，因此这条江叫钱塘江。’他不仅对钱塘江的渊源，甚至对治水管理了如指掌。

崔溥对连接两国的海路很感兴趣。在海上漂泊时，下令部下打好方向，‘我早前看过地图，从我国黑山岛向东北方向是忠清道和黄海道交界；正北方是平安道和辽东等地；西北方是古时「禹贡」的青州和兖州交界；正西方则是徐州和扬州，大宋与高丽交流，是从明州过海的，明州是大江以南之地，西南方为闵，福建路；从西南方向再向南，然后再向西就是暹罗、占城、满剌可等地；正南是大小琉球国；向正南走再向东就是

浙江省宁波宝奎巷的高丽使馆遗址(© 张日圭)

女人国，一歧岛；正东是日本国的对马岛。我们现在向西已漂流五天五夜，早应到中国了。不幸的是我们遇到西北风，朝反方向东南走。如果不能到琉球国或女人国，可能会到天海之外的银河系了。’他详细介绍了朝鲜的东西南北方向的海路。他还对船上的军人权山说‘高丽时，济州向元朝进贡时，从明月浦出发，如遇顺风，七天七夜就能经白海，跨过大海’，他甚至还提到济州到大明海路的距离。

崔溥对漕运也表示出极大的兴趣。途径天津卫时，想到扬子江和淮水以南的漕运曾延伸至大海，然后返回到天津卫，再通往北京。他对中国通过水运集天下之大利产生了浓厚的兴致。经过沛县时，对着这条从江南到北京的漕运线路，他说‘如果没有这条水路，我们一路肯定跋山涉水，历经千难万险。现在能躺在船上走，不必担心会沉船，这是我们的福气。’他如是强调漕运的优点。还说‘杭即东南一都会……市积金银，人拥锦绣，蛮樯海舶，栉立街衢，酒簾歌楼，咫尺相望……真所谓别作天地也’他对因海路和漕运而繁荣的杭州赞叹不已。

正如上文所说，崔溥对中国的地理和漕运等非常感兴趣，同时对通往朝鲜的海路也了如指掌。他说过沿着中国海路的西南方向，经福建还能到泰国、越南、马来西亚等国家。除了中国和日本，他对中印半岛或半岛诸国也很了解。到中国之前，他曾参与《东国舆地胜览》编撰，这本书是体系整理朝鲜各地的历史、物产、风俗的地理志，是参考《大明一统志》的体裁编制的。在此过程中他已详细了解了中国地理、漕运以及与周边国家的海路等。但是他在强调明朝依托发展经济的情况下，并没有建议朝鲜也应积极发展海路。他到达宁波时，从‘很早前，倭寇就曾多次冲到我境内大肆掠夺，为此朝廷设立备倭都指挥和备倭把总官，防范倭寇。如擒获敌人，都是先杀后报。’的大明官员的口中可以知道，当时还没有扫清倭寇。崔溥对中国的了解是从文献中学的，而不是从实践或要用于现实的。

崔溥，以儒学者身份与明朝官员交好

如同朝鲜官员通过文献了解中国，当时明朝官员对朝鲜也是非常想了解的。尤其对整体情况非常感兴趣。不管是到绍兴府，还是到苏州的西山驿，明朝的官员向崔溥详细询问了朝鲜历代的沿革、都邑、山川、人物、风俗、祭祀、丧制、户口、兵制、田赋、衣冠、经典、农业、礼制、刑律、册历、年号等问题。对此崔溥详细给予回复。这与他早年参与编撰有关朝鲜各地沿革、官员、风俗、风景、物产、祀庙、人物等的《东国舆地胜览》的经历不无关系。

另外，明朝官员对当时的朝鲜官员的动向也很感兴趣。崔溥在杭州时，太监张庆叫官员问他‘郑麟趾、申叔舟、成三问、金浣之、趙惠、李思哲、李邊、李堅等人都是朝鲜人，能够详细写下他们的官职？’当时，郑麟趾、申叔舟、李思哲，成三问等位居正一品至正三品高位。为前往嘉兴行至西水驿时，驿丞何荣对崔溥说‘我朝郎中祁顺和张谨早年曾出使朝鲜，还在那里撰写《黄华集》，当时还与朝鲜人互赠诗文，徐居正的名字就出现在诗首。’从中可知，当时就连明朝地方官都认识徐居正。不过明官员对朝鲜官员的关心仅局限与使节的出访。

虽然崔溥是一名不得已漂至大明的朝鲜官员，却得到很多明官员和文人的关注。这是因为他在杭州时，有人问他是否知道《黄华集》，崔溥当即吟诵了该书收录的《汉江楼》。当时，他不是以文人而是以儒学者的身份与明官员或文人结交的。还在苏州姑苏驿礼宾馆时，两位姓王和姓宋的官员问他‘您会做唐诗吗？’崔溥说‘朝鲜文人都是以学习经学为己任，社会鄙视吟诵风月，因此我也没有学过诗词。’他虽然赋诗一首，却再三更强调经学的重要性，而非诗词。甚至在杭州有恩于崔溥的李节的一友人送他《小学》时，崔溥坚决不收，并说‘此人并非单纯送书，而是意在诗作。’，又道‘交友不以道、以礼相待，若受礼物，便等于卖诗交友。’这再次强调他对经学的研习。崔溥参与《东国舆地胜览》时，除在原有史书中选取的178篇外，204篇史论中他撰写了118篇。史论基于春秋大义，尊重名教，崇尚节义，强调礼仪。而崔溥的史论被评为主旨清晰、明确。崔溥与明官员或文人结交时，是站在文人的角度，恪守名分论。

交友时，崔溥极其重视诚意与正直。结束漂流来到海浦的健跳所，得到千户李昂隆重接待后，临行前李昂说‘我们相隔万里，却命运般见面了。但如今分手各奔前程，也许就再无相见之时了。’崔溥回答说‘打开心扉，拿出诚意，即使一面之缘，也能像老朋友一样……虽没有时间交流一番，即使时光流逝天隔一方，对故友怎会不思念？……’表现出他对性情高洁之朋友离别的惋惜。另外，当他离开杭州时，想给帮助自己的顾壁送一份礼物，却又实在拿不出合适的东西，便将两件旧衣服中的一件送给他说‘朋友间赠送礼物实不必道谢，何况只是件褴褛的衣服。只是因为古人韩退之与大颠和尚告别时，赠送衣物，这是古人的礼仪。’表示自己虽然身无分文，却想对朋友的深情厚谊聊表寸心。崔溥交朋友也是重视道与礼的，而不是为感情或人情所累。

《漂海录》，朝鲜最有代表性的中国见闻录

崔溥在《漂海录》中将游历5个月的明朝描绘如下：

> 其第宅：则江南盖以瓦，铺以砖，阶砌皆用铄石，亦或有建

> 石柱者，皆宏壮华丽。江北草屋，矮小者殆居其半……江南人以读书为业，儿童、水夫，都识文字，臣至其地写以问之，则凡山川古迹、土地沿革，皆晓解详告之。江北则不学者多，故臣欲问之则皆曰‘我不识字’。

他对江南与江北的风俗也做了比较，指出两个地区的文化差异。江北因经济落后，识文断字的人不多；反之，江南商业繁荣，几乎所有人都识字。也许是因为他是成宗的宠臣，遂对经济和文化发展的关系尤为感兴趣。

崔溥在途径绍兴府时，还特意询问了蹈车的制作方法。蹈车是用于灌溉农田的脚踩水车，可以轻松浇灌良田。当时在江南很多农家都在使用它。他认为，朝鲜要想防止干旱，保持农业生产力，有必要学会蹈车的制作与使用方法。回国后，还请能工巧匠制作蹈车并进行大力普及。

在当时，大明的江南风貌对朝鲜人来讲是很陌生的。崔溥回朝鲜途中在广宁驿遇到圣节使蔡寿一行，蔡寿无不羡慕的说道‘近来少有朝鲜人亲眼看到扬子江以南地区的风貌，你却能如此浏览一番，怎会有如此的幸运？’崔溥也承认‘与我这实在是千载难逢的好机会啊！’还不忘强调了江北与江南见闻的意义。

务安郡梦滩面的崔溥墓地

回国后，崔溥奉王命在短短14天就写出《漂海录》。他每天让四位陪吏根据标注的地区，向他提问……口上说是大概的记录’，但实际是依托自己已有的知识，加上他的好奇心使然，让他把江北及江南的真实写照如实的写了出来。

《漂海录》是一部记录高丽末期以后从未向世人展示的中国江南风貌的见闻录。江南自百济以来与朝鲜一直有着密切的往来。尤其随着商业的繁荣，通过海路接纳来自外面的新生事物和文明。《漂海录》自然而然给朝鲜的官员和文人带来对江南的新的认知；而对江南人来讲，也是了解对原来就有渊源的朝鲜的指南。但因为崔溥或明朝人对现实认知的局限，没能借《漂海录》将象征‘新罗礁’的以前的经济和文化交流在当时的环境下持续下去或发扬光大。

真正了解
中国的朝鲜实学派
朴趾源

崔溶澈(高丽大学)

自由灵魂朴趾源的自由旅行

18世纪的朝鲜时期，出现了一批通过燕行引进清朝优秀文化，学习新学问的实用主义北学派知识分子，其核心人物便是 — 朴趾源。朴趾源(1737-1805)生于汉城今首尔，号燕岩，是京华世族的后代，后结识塔洞一带的李德懋、柳得恭等人，常常互相切磋学问，逐渐加深友谊，再加上朴趾源擅长广结善缘，又具领导风范，他带领20多岁的年轻成员们组建了燕岩派。朴趾源从小就显现出过人的才智，被寄予厚望，也曾准备科举考试，但经历一次失败之后，就放弃了仕途，潜心钻研学问，撰写作品。起初是通过北京归来的燕行使洪大容接触到了新的学问，备受触动，渴望成为燕行使团的一员。在他不惑之年，被权臣洪国荣贬为僻派，深感处境之危，随之隐居于燕岩峡，潜心读书，而正是这段时期，他渊博的知识、敏锐的洞察力以及犀利的视角得到了进一步锤炼。

1780年，朴趾源遇到了千载难逢的机会。他的远房堂兄朴明源被任命为进贺使兼谢恩使，朴明源又是英祖的驸马，就当时而言，他的社会地位不言而喻。他曾三次出使中国，在第二次出使时，他极力推荐了朴趾源。

朴趾源一直过着悠闲自得的田园生活，对他而言这是个千载难逢的机会。虽然是使团成员，但他并没有需要完成的任务或工作。他只要尽情欣赏中原王朝的秀美山河，得空与中国人进行笔谈即可，何乐而不为？有时他也会违规外出，甚至会毫无顾忌地追问一些让对方尴尬的问题，从这一点一滴中洞悉中国人的内心世界。

朴趾源跟随使团，于1780年6月渡过鸭绿江，经过栅门、凤凰山和辽阳的白塔，来到了沈阳。在沈阳与布衣商人一见如故，于是夜间偷偷离开宿舍，彻夜与之笔谈，收获匪浅。后经过北镇庙和山海关，于

8月1日到达北京，等待皇帝的接见。此时皇帝却在热河行宫，下令使团立即前往热河行宫报到，使团立即赶赴热河。《夜出古北口记》和《一夜九渡河记》生动地记录了这段艰辛的旅途。热河的七天之旅，对使团，对朴趾源，都是终身难忘的经历。不仅观赏到了秀美的山河，还与中国民间的文人骚客倾心交谈，留下了《亡羊录》和《鹄汀笔谈》，还要拜见西藏佛教教主班禅喇嘛，将这段特别的经历写成了《班禅始末》，这是朝鲜时代与西藏相关的唯一文献。回到北京后，他重踏前人的脚印，亲身游历了琉璃厂和天主堂。朴趾源于9月17日离开北京，10月27日回国复命，并将出使期间的笔谈资料和经历著成了《热河日记》。出使和著书过程都得到了堂兄朴明源的巨大资助。朴趾源50岁以荫官出仕，50岁中期出任安义的县监，60岁出头担任沔川郡守，正祖高度评价他的才华，下圣旨，令他撰写《书李邦翼事》。1805年朴趾源在嘉会洞逝世，享年69岁，葬于京畿道長湍的祖坟。他的次子朴宗采将父亲的言行记录成《过庭录》，孙子朴珪寿历任大提学、平安监司，最后晋升为右议政。但他考虑到了文坛的非议，所以未能出版祖父的《热河日记》。1900年朝鲜诗人金泽荣出版了朴趾源的《燕岩集》，1911年崔南善则出版了《热河日记》之全集。

明朝时，将朝鲜使团来华所见所闻的记录称为《朝天录》；满族建立清朝后，去掉了“拜见”天子之意的“朝天”一词，统称为《燕行录》。但是论内容和体裁，诸多《燕行录》无一能与朴趾源的《热河日记》媲美。

朴趾源的《热河日记》在朝鲜王朝社会上掀起了一股新思潮，很多同道中人加入，共同主张北学，后得名燕岩派。朴齐家、李德懋、柳得恭等都是庶子，身份卑微，虽然思想开阔、文笔卓越，但仍然无法在朝鲜传统文坛施展身手。在出使途中，他们的学问和德行被中国文人认可，备受鼓舞。朴趾源就是指导和引领燕岩派发展的领军人物。

《热河日记》独辟蹊径的主题和小说型体裁

《热河日记》是朴趾源唯一的纪行文学作品，它不仅记录了北京，还记录了亲自游历皇帝的避暑山庄 — 热河(现承德)的经历，从这点上来看，《热河日记》在所有《燕行录》中脱颖而出。

朴趾源向出使归来的洪大容、李德懋和朴齐家收集了大量的信息，并对心中的猜想进行实地考察，发挥想象力，凭借过人的智慧，开启了数百年以来前所未有的中国探访。在此过程中，他毫无遗漏地记录了自身的一举一动及敏捷的思维。体裁不限，内容也是随想随记，类似于明末清初以来中国文人常用的小品体，但又不拘泥于此，文笔自由而奔放。

朴趾源主张的利用厚生改革就是广泛吸收中国日常生活文化，从而方便本国人民的生活。例如：在建立城墙和房屋时，改用砖头提高效率；统一轨道宽度以方便物资流通；向物产丰富的中国全面开放贸易市场；改良朝鲜马种，增强动力；改良服饰中行动不便的宽大袖子等等。

《朴趾源肖像》(© 实学博物馆)

朝鲜的两班(贵族)和文人认为亲自带着钱去讨价还价，购买物品是一件很丢面子的事，朴趾源对此加以犀利的批判。因为在当时中国经济非常发达，而中国的高官亲自购买物品、管理钱财的情况已经相当普遍。

朴趾源细致地描写了出使期间的各种经历，并将其与人的一生进行对照，这种构思独具匠心。在到达山海关之前，他登上了万里长城的哨所 — 将台，从陡峭的台阶上往下走的时候，顿时有眩晕之感，他抓住这一瞬间，记录了当时的所感所想。

> 上台阶时，只顾一节节向上攀登，并不觉得害怕，但要下来的时候，俯身一看，一阵眩晕，错误在于眼睛。当官也是如此，向上升迁时争先恐后，当上了高官，突然感到忧虑、孤独、恐惧，以至于无法继续向前，而回头看又是万丈深渊，进退两难，只能原地默默颤抖。从古到今，所有事物都遵循这个道理。(原文：上台时，拾级而登，故不知其危。欲还下则一举目而临不测，所以生眩，其祟在目也。仕宦者亦若是也。方其推迁也，一阶半级，恐后于人，或挤排争先，及致身崇高，摄心孤危，进无一步退有千仞，望绝攀援，欲下不能，千古皆然。)

当时的燕行使团带了香烟、烟袋、清心丸、折扇、纸张和石墨等韩国特产，这些东西广受中国人的喜爱。当有事相求或要表达感谢时，就会赠送烟袋或清心丸作为礼物。

即便是初次见面的中国人，只要意气相投，朴趾源就会不顾一切逃出住处与之相会。1780年7月11日，在沈阳遇到一名商人，发现十分投缘，于是朴趾源夜间逃出与之彻夜交谈。朴趾源尝到了甜头，第二天晚上再次找机会出逃会友，内容惊险刺激，让读者都不禁为之捏一把汗。彻夜痛饮，畅快交谈。出使途中脱离队伍很可能让他置身于危险之中，但这丝毫无法阻挡他的求知欲和冒险精神。《盛京杂识》中的《粟斋笔谈》和《商楼笔谈》等都是与十几位四川、杭州等地的商人彻夜饮酒笔谈的成果。

当朴趾源得知对方一行中吴复的出身为杭州时，便抓住机会，向他打听有关洪大容在琉璃厂所认识的三位莫逆之交。由此可见，朴趾源拥有把握和利用每一个机会的卓越才能。

> 我又说，“解元陆飞、铁桥严诚、香祖潘庭筠都是西湖的著名学者，您听说过他们吗？”听后，吴生说，“我已经背井离乡很久了，所以没听说过他们，不过陆飞画的牡丹我倒是记忆深刻，原来他是湖州人啊。”(原文：余曰：陆解元飞，严铁桥诚，潘香祖庭筠，俱西湖高人，君知之乎。吴生曰：都未尝与他闻名，俺离鄉久，但一见陆飞手画牡丹，他是湖州人。)

不仅如此，朴趾源还能背出潘庭筠给朝鲜文人金在行(他与洪大容一起出使燕京)的一首七言绝句，穆春一直渴望珍藏朴趾源的笔迹，于是朴趾源直接抄出了这首诗。此外，在朴趾源和中国文人笔谈中，还出现过有关于高丽时期的趣事。

> 书生费稺曾说，《笠翁笑史》中有一则龙子犹写的高丽和尚的赌酒趣事。中国使臣出使高丽，高丽派一位和尚去接待，在喝酒时，和尚出了一个问题，他说，楚国项羽和张良争夺一把伞，项羽说这是雨伞，应要归他，张亮说这是阳伞，应要归自己。中国使臣回应道，许由和鼂错争夺葫芦瓶，都说葫芦瓶是自己的，许由说这是油瓶，鼂错说这是醋瓶。那位高丽和尚为谁？我说“这个赌酒令无逻辑可言，我也不知道那位和尚是谁。”(原文：费生曰:《笠翁笑史》录，龙子犹高丽僧令云，朝使出高丽，高丽使一僧陪宴，行一令曰，“项羽，张良争一伞，羽曰雨伞，良曰凉伞”，朝使仓卒对曰，“许由，鼂错争一葫芦，由曰油葫芦，错曰醋葫芦”，丽僧何名？余曰“此令

全没理致,僧名无传也。”)

朴趾源是朝鲜时代后期的儒生，被问及高丽时代一位僧侣的玩笑话，他回答这段话并不合乎逻辑，也不晓得僧侣为何名。诸如此类，当时在中国人之间，流传着很多有关中韩交流的小故事。

朴趾源穿过医巫闾山下面的北镇庙和山海关，进入了关内。记录下了1780年7月27日，在供奉伯夷和叔齐的夷齐庙发生的故事。在夷齐庙吃了放有蕨菜的炖鸡后，遭遇雷阵雨，被淋成了落汤鸡，造成了积食，一时好奇询问侍童大秋天从哪里寻来的蕨菜，侍童道出了其原因。历来夷齐庙都用蕨菜来招待贵客，十几年前，有一次干粮厅忘记了放蕨菜，挨了使团书状官的板子。挨板子的干粮官坐在河边哭诉着“伯夷叔齐，伯夷叔齐，与我何讐,与我何讐”。接着侍童开玩笑说道，“伯夷叔齐是吃蕨菜死的，那蕨菜就是致死的毒草了!”，引得众人捧腹。另一边跟随使团出行的马夫偷吃了伸出院墙的青枣，腹泻不已，听闻蕨菜致死后，边挣扎边叫喊着“哎哟哟！伯夷熟菜杀人啦，伯夷熟菜杀人啦”。这又让大家开怀大笑。马夫将叔齐错听成了熟菜(熟的野菜)，让人觉得更加滑稽。在夷齐庙经历的一系列事情成了文人们私下里解闷的玩笑，但像朴趾源这样，将这些趣事及其前因后果详细记录下来的人却凤毛麟角。朴趾源的文字都能与小说媲美，细致地描写具体情境，让人有身临其境的感觉。后来到了榛子店，描写在店里聆听歌妓吟唱的内容也十分出彩，将其插入《金瓶梅》或《红楼梦》中倾听娼妓唱歌的章节也毫无逊色。别出心裁的构思和真情流露的描写是文学天才方能驾驭的技巧。

《热河日记》因其体裁和内容富有新意，手抄本广泛流传，成为当时文坛的热门话题。然而，小品体无法被传统文坛接受，成了国王正祖“文体反正运动”的核心打击对象，万幸的是，正祖因高度评价朴趾源的才华，并没有直接惩罚他。

中朝民间知识分子的交流

在朴趾源之前，中韩知识分子的交流早已展开，洪大容就是其中的一位。洪大容在北京琉璃厂遇到来自浙江杭州的严诚、潘庭筠以及陆飞等人，彼此一见如故，结为莫逆之交。他们之间真挚的友谊日益加深，洪大容和严诚在短短一个月内，足足见了七次，成为了意气相投的毕生知己。由此可见，他们虽然来自不同国度，但被彼此的才华与气魄深深吸引。他们之间的情谊不断被继承，跨过山岭，越过海洋，发展成了今日的中韩友谊。他们的笔谈被收集起来编成了《会友录》，朴趾源为其写了序文，因为笔谈在北京的乾淨衕(现甘井胡同)进行，所以也叫做《乾淨衕笔谈》。由于此书的问世，朝鲜知识分子与中国学者的交流备受鼓舞，朝鲜时代后期，文坛上北学派的风潮正是如此掀起的。朴趾源在沈阳向出身杭州的吴复特意问起结为莫逆之交的三个人，由此可见，朴趾源密切关注着与中国文人的交流。

朴齐家是朴趾源最爱惜的门人，他四次出使中国，在洪大容所奠定的基础上，与纪昀、翁方纲、张问陶等中国最优秀的学者进行了近距离的交流。这种氛围一直延续下去，秋史金正喜写下了中韩文人交流史上又一个辉煌篇章。

朴趾源虽然是北学派的领头人，但与他交谈的中国文人都来自民间，并非有头有脸的名人，但这正是朴趾源与中国人交往的特点。他对交往的中国人没有特别的要求，相遇相知的过程都非常自然，不在乎交谈对象和主题，只是带着一肚子的疑问，积极地展开对话，用最平常的方式，开展最敞开心扉的交流。根据谈话对象选择不同类型、不同深度的话题，并恰到好处地回应对方，这种能力是如何练就的呢？这与朴趾源渊博的学识、不以貌取人的品格，以及怜悯之心有关。

《亡羊录》中有这样的记载，朴趾源在热河见到了尹嘉铨(号亨山)和王民皞(号鹄汀)，三位笔谈到忘乎所以的境界，完全忘掉蒸全羊，而全羊早已经凉透了。两人谈论了古今乐律的种种学问。他们向朴趾源询问《乐经》是否传到了朝鲜，还询问通过箕子传到朝鲜的《书经》是否还有朝鲜版本。朴趾源说，他在沈阳的时候，有中国秀才向他询问，中国的《古文尚书》是否流传到朝鲜，这说明中国人非常关注书籍能否传到朝鲜。他的回答是没听说过那本书传到朝鲜。另外，宋朝苏东坡不喜欢高丽人，但是高丽人却很敬仰苏东坡，以至于金富轼和金富辙兄弟的名字取自苏轼、苏辙的名字，苏东坡却极力反对中国的典籍传至高丽，对此朴趾源感到十分惋惜。接着他还被问到朝鲜音乐的问题，他列举了具有韩国特征的玄琴和伽倻琴。

> 敝国的琴瑟与贵国不同，弹奏的方法也有所区别。过去新罗时代发明的玄琴，是因为弹奏时有玄鹤过来飞舞雀跃而得名玄琴。伽倻琴将瑟一分为二，共有十二根弦，弹奏方法与中国的古琴相似。(原文：敝邦琴瑟制异中国，弹弄之法亦殊，古新罗时制此琴，有玄鹤来舞故号玄琴，又有伽椰琴，剖大瑟之半，为十二弦，其弹弄类中国弹琴之状。)

他们的笔谈就是如此天马行空。最后，朴趾源说，孔子在听《韶》后，入迷得三个月不知肉味，自己在听大雅之谈时，把“蒸全羊”忘在了脑后，听后几人开怀大笑，并把他们的笔谈叫做《亡羊录》。

朴趾源搜集了中韩两国文化和人际交流的各种信息，在出使途中通过各种途径实地考察并如实记录。他去热河的时候，接待使团的礼部侍郎金简是朝鲜人，乾隆皇帝皇妃金氏的哥哥，也就是深受雍正皇帝信任的金尚明之孙。他的祖先是金南海，在丁卯之役中，被抓到了清朝，后树立战功，掌握了权利，他的后代成为了皇妃，乾隆帝曾下令朝鲜义州南山的金尚明祖坟修建神道碑、石像和石兽。这可以作为海外韩国人寻找祖先遗迹的一个重要线索。

朴趾源一直关注的是中国社会的真实面目和中国人内心的真实想法。他细致地观察为政者如何行政，学者如何看待历史，百姓如何生活。为了利用厚生，他与百姓促膝长谈，观察他们生活中的智慧；为了和商人自由交流，他冒着危险，逃出住所，彻夜与之饮酒交谈，他的一举一动已经完全跳出了朝鲜时期贵族的模版。为了解决心中的疑问，追求新的体验，创作新的作品，他不惜将安危置之一旁，而这一切，都源于他的探险精神及小说式的浪漫主义情怀。

朴趾源是交流的天才。不论何时何地，只要开始交谈，他就会有无尽的话题，看到新故事，他一定会收集起来。路过高丽堡到达玉田，看到道士家的墙壁上悬挂的奇文便抄录下来，创作出作品《虎叱》，他为从蓟州买来的这篇文章写了很长的评语，借老虎之口，犀利地批判了北郭先生和贞洁烈女东里子的双重面目。他补充道，这正是中国文人在满族统治者的压迫下，违背良心，阿谀奉承，卑鄙虚伪的写照。他的文章惟妙惟肖，让人有身临其境的感觉，这也是小说的写作技巧之一。

朴趾源在年轻的时候已经写了9部作品，全集收录在《放璚阁外传》中，在出使途中，充分发挥他的小说家才能，创作出了不朽名著。

名茶龙团勝雪结下的中韩缘

金正喜

崔峻豪(光州大学)

序言

无论是谁，只要一出生便注定与父母、兄弟姐妹、亲朋好友结缘。而且这种缘分会不断向外延伸。结缘最基本的一个条件是要有名字。名字是人与人及世界为沟通和交流所必要的固有符号。若名字无法满足这个需求，也会用上别名。东方称别名为号，西方称nickname。

在东方的汉字文化圈，新生儿一出生便会根据家族字辈排行给他取名。等长到15岁至20岁，大人就会给其取字，成年后自己或亲戚也会给取号。这是通常有关名、字、号的惯例，但是名号却比号的范畴更大。笔者将名号定义为‘给某人(或某物)取的包括名和别号等在内的所有称号’。

我们通常称一些对某种事物太过于执着的人有‘癖’。癖是指因过于执着而形成的病态习惯或偏好。相比他人使用过多名号的人，可称为有名号癖。历史上有利用名号结下韩中缘的人，他们分别是朝鲜的阮堂和清朝的阮元。这二人将名号作为抒发个人情怀与了解对方的手段，表达内心和周遭环境及与人沟通的工具。当时，中国的文人墨客用多个名号已蔚然成风。

朝鲜的阮堂一生共用了343个名号，清朝的阮元也有53个名号(崔峻豪，2012，pp.129-134)。据悉，中国画家齐白石(1863-1957)也有43个名号(崔峻豪，1992，pp.7-9)。显然，这些人都患有严重的名号癖。

下面具体考证一下阮堂和阮元到底是如何相知、相交？两人的韩中缘又有何意义？

结下韩中缘

金正喜肖像(宝物第547-1号, ©国立中央博物馆收藏)

金正喜(号阮堂，1786-1856)是朝鲜英祖二女儿和顺翁主与金汉荩(1720-1758)伉俪的曾孙。1809年金正喜随其任冬至兼谢恩副使的父亲金鲁敬(1766-1837)来到大清朝的燕京。

到燕京后，金正喜首先到保安寺街的石墨书楼拜访了翁方纲(1733-1818)，并当场恳求欲用‘宝覃斋’作为名号，意思是‘覃溪(翁方纲的号)珍爱的书斋’

回国前，金正喜专程到衍圣公府的泰华双碑之馆拜见阮元(1764-1849)。终于如愿地见到了日思夜想的清朝巨儒阮元，还品尝到了当时最负盛名的名茶龙团勝雪。泰华双碑之馆藏有无数珍贵碑文的拓本和金石学相关书籍。也就是那时他听说泰华双碑之馆是阮元‘收藏众多泰山和华山著名碑文的拓本后取的斋名’。同时，也得知阮元有很多名号，而且每每有个油头就会取新名号。

其实，去燕京前金正喜只有一个号，玄兰。意思是人像兰花一样黑而深奥。但是，他总觉得还缺点什么，便取了个将来在燕京用的号— 秋史，意思是成为像秋霜一样严谨的金石书画家。可以说，他当时已做好了研究金石学的一切准备。

阮元是清朝江苏省扬州人，非常器重这位来自朝鲜的年轻文人。他精通经学、金石学、天文学、地理学、数学，是一位卓越的学者、书法家、行政家。著有《皇清经解》、《揅经室集》等著述。

当时阮元有多达53个名号，如云台(芸台)、瀛洲仙客、八砖吟馆、揅经室等。云台用了发音一样的同音字；瀛洲仙客是将自己比喻成神仙；八砖吟馆是为纪念收集到汉和晋代的八块砖头；揅经室有钻研经书的书斋之意。阮元如此使用名号的方法成为日后阮堂大发名号癖的动机。二人将名号当作沟通的工具，谱写了韩中友好的一段佳话。

日本学者藤塚鄰(1879-1948)对阮堂使用名号作了如下解释：

> 回到朝鲜后，金正喜非常珍视在燕京解释的友人，并且日夜思念他们。尤其对覃溪和云台两位恩师的学识与人品极为尊敬和仰慕。一直与他们保持书信往来，共同探讨书画作品，延续着他们之间中韩缘。后来，金正喜取翁方纲之名号“覃溪”中的覃和“阮元”的阮，分别给自己取号“宝覃斋”和“阮堂”。这还不算，他取翁方纲之名号“覃溪”和阮元之书斋别名“揅经室”中各一字，为自己的书斋取号“覃揅斋”。这么做只是为了能让自己感觉仿佛就在二位恩师膝下受业(藤塚鄰，1975，p. 148)。

可以说，阮堂的名号癖就是从给自己取宝覃斋、阮堂、覃揅斋开始的。最终成为全世界使用名号最多，最华丽的文人，也是金石学领域学识最渊博，最富独到见解的书画鉴赏家。

追随恩师

阮堂是以什么方式与阮元延续他们的师生缘的呢？

阮堂倾其一生对在阮元的泰华双碑之馆品尝的龙团勝雪茶香念念不忘。为永远留住那抹茶香，他为自己取号勝雪。品着茶静静地观察周遭，慢慢进入品茶和鉴赏的世界。

阮堂写给一同鉴赏书画的好友权敦仁(1783-1859)的信中写道：

> 茶品莫如龙团勝雪之香。早年有幸于泰华双碑之馆品其香，归来40载再未闻其香。(民族文化促进委员会，1996，p. 239)

信中讲的是，阮堂真正无法忘记的并非40年前龙团勝雪的茶香，而是他的恩师阮元。他是多么思念并想见恩师一面，才会如此字字情真意切呢！

当时阮堂喝的龙团勝雪是供中国皇帝御用的极品茶。宋朝的郑可简(生辰不详)将自制的龙团勝雪献给皇帝，并因此获得高官厚禄。

那么龙团勝雪到底是怎么制成的？首选蒸制精选的小嫩叶后，用清水浸泡，从中筛选出光泽且细如银丝的茶叶。这种制茶方法叫银线水芽法。将特别筛选蒸制的茶叶放到长4公分的正方形模具中，因模具上方刻有龙的图案，用力压便会制成印有栩栩如生的龙形图案、颜色雪白的团茶，人们称其龙团勝雪。

品尝到极品茶的阮堂又怎能忘记恩师阮元呢！借龙团勝雪结下的韩中缘当然会一直延续下去。

不断延续的韩中缘

阮堂不仅敬仰阮元的人品、思想、学识，而且希望自己能像恩师一样。那么阮堂是一直学习阮元的吗？那倒也不是。

阮元还曾将自己比成神仙，并向往神仙生活的仙境。为此取号琅嬛仙馆、小琅嬛仙馆。琅嬛仙馆是指‘仙境中神仙的家’，而小琅嬛仙馆只是加了个‘小’字。

而同样想成仙并向往仙境的阮堂也取号琅嬛、琅䍤(qióng，古同“茕”)人。让我们比较一下这两个号。

首先，琅嬛是意指仙境而取的号，是直接从阮元的“琅嬛仙馆”取琅嬛二字，可见他誓要追随阮元的决心。

其次，琅䍤人也是根据自己的处境从琅嬛人(仙境之人)稍作改动的号。

在为董其昌(1556-1637)题跋时，阮堂署名琅䍤人。在此分析一下：‘䍤’字有‘惊奇’和‘孤独’之意，用来表达当时自己的处境非常贴切； 从金石学角度来分析，虽然‘䍤’和‘嬛’字不相同，但有意思相近的实例，因此可以用琅䍤人代替琅嬛人。(崔峻豪, 2012, pp.612-615)

阮堂曾在1854年2月使用名号琅䍤人。当时，他遭遇两次流放后身体虚弱，精神萎靡，内心孤独。但是作为金石学家，他依然傲骨凛然。因此用最能表达自己处境的琅䍤人，而非琅嬛人，彰显自己作为文人的存在感。

总结一下就是，琅嬛是为追随恩师而取的号。而琅䍤人则是表露自己境遇的名号，虽然他一心追随恩师，却不失傲骨与存在感。

此外，他还用过意指朝鲜的东海、海东、东国等名号。东海琅嬛意指‘朝鲜仙境之人’； 东国孺子是指‘朝鲜的年轻文人’； 东海循吏是指‘朝鲜的模范官吏’； 海东秋史金正喜是指‘朝鲜的秋史金正喜’。

下面看一下他用海东秋史金正喜署名的作品。

阮堂在燕京曾拜会儒学大家顾莼(1765-1832)。由于他直言进谏冲撞皇帝，最后辞官回家。阮堂对他刚正不阿的人品极为赞赏，便为顾莼写下‘直声留阙下秀句满天东’的名句。意思是‘正直谏言虽留在宫中但优美文章却名满天下’。文章上下联分别提到顾莼刚正不阿的品格与两人结下的友谊，最后署名‘海东秋史金正喜具草’。意思是‘这是朝鲜的秋史金正喜起稿的’。

用‘海东’表现对祖国朝鲜的自豪感,‘具草’用以表达谦虚，也考虑到恩师阮元也会看到。诚如这部作品，阮堂的作品构思极其缜密。

神赐之字‘唐’

1829年阮元拜托中国的叶志诜(1779-1863)将《揅经室集》和《文笔考》转交给阮堂。1831年又让朝鲜译官李尚迪(1804-1865)给阮堂捎去《皇清经解》。阮堂把从这些书籍和资料中学到的内容运用到自己的作品中。而阮堂的学识和对书画的鉴赏力也日益精湛，终于成为蜚声海外的金石书画家。

1884年流配济州岛的阮堂为自己的学生李尚迪做了一幅《岁寒图》(图1)，以答谢他经常为自己从中国捎一些金石学方面的书籍与资料。画上题字‘岁寒图藕船是赏’。意思是‘藕船(李尚迪的号)欣赏这幅岁寒图吧’。并为永远不忘恩师阮元，用了名号阮堂。1845年李尚迪将《岁寒图》带到中国，共得16位中国文人跋文的轶事早已尽人皆知。

图1.《岁寒图》部分(23.7×1,389㎝)(ⓒ国立中央博物馆收藏)

因阮堂和阮元结下的韩中缘，诞生了神赐的一个汉字，‘㡯’。此前，没有任何资料提及阮堂所写的‘㡯’字，也无草体转楷体的过程。笔者通过多年的努力，终于在阮元的著作《揅经室集》中找到‘㡯’字的渊源，并做了系统地整理。让我们具体了解一下。

遭遇两次流放后，阮堂在京畿道果川的瓜地草堂安顿下来。这是其父金鲁敬在果川玉女峰山脚下的一处别墅。之所以叫瓜地草堂是因为别墅周围有黄瓜地。居住在此的这段时间叫果川时期。

阮堂把果川的家称之为①果寓，②果廌，③果㡯。其中①的‘寓’和②的‘廌’是常用字，但问题是③的‘㡯’。因为‘㡯’不仅生僻，而且没有音值。

韩国的《韩汉大词典》中对‘㡯’的解释仅为‘音不详，用于人名’(檀国大学东阳学研究所，1999-2008, p. 1214)；1988年中国出版的《汉语大字典》(汉语大字典编辑委员会，1988, p. 885)或上网搜索是可以找到‘㡯’字的。但是基本和韩国词典上的解释大同小异。这也再次证明了没有准确的信息解释‘㡯’字。

事实上，笔者从《揅经室集》中找到‘㡯’字前，曾几乎翻遍了《说文解字》或《康熙字典》等工具书。同时，也不厌其烦的向中国和台湾的著名汉学家、书法家、高僧、中医请教，却无一人给出有关

‘廥’字的准确答案。而且笔者研究‘廥’字时，互联网也还没有现在这样普及。

笔者也学阮元和阮堂本着实事求是的态度对‘廥’进行了研究。最终，按照《说文解字》的方式做如下解释(崔峻豪, 2012, p. 685)：廥，寄也. 从广吾声。

廥的音值之所以为‘wú’，是因为在韩国偏旁有‘吾’的汉字，大部分都读‘wú’。

让我们看一看实际作品中‘廥’的书写实例。阮堂给丁若镛(1762-1836)的学生尹钟轸(1803-1879)的信封右下侧写着‘果廥谢书’。(图2虚线) 意思是‘果川家(人写的)回信’。果廥可以解释为‘果川家’或‘果川家的人’。

阮堂写的果廥其实不少。(图3)事实上，在笔者注明‘廥’字之前，学界都是用‘寓’或‘廡’标注的。虽然意思可能相同，但却不是准确的标注。

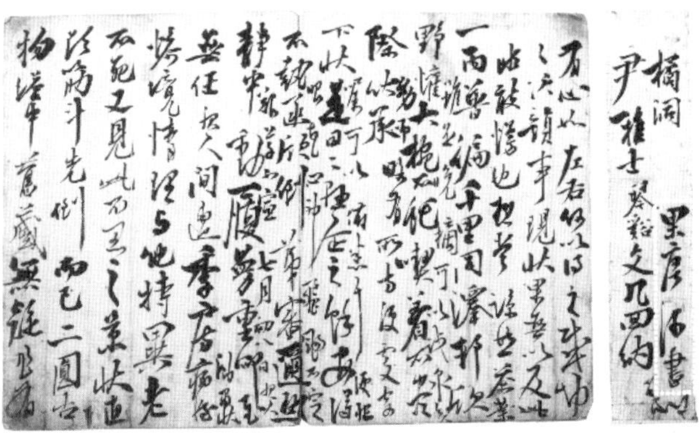

图2.《秋史简札贴》中写给尹钟轸的书信与信封
23×32.6㎝, 个人收藏

图3. 阮堂书写的
多幅果廥

实事求是的寻找‘㡖’

接下来，让我们了解一下笔者寻找‘㡖’字渊源的过程。

首先，阮元的《揅经室集 · 刑部侍郎㡖山阮公传篇》中，写有‘阮公讳葵生字宝城号㡖山淮安山阳人’（阮元, 1993, p. 429）。阮元把阮葵生的号标为‘㡖’山。这就是阮堂所写的㡖。

其次，《中国历代人名大辞典》中的〈阮葵生篇〉记载‘清江苏山阳人字宝城号吾山亦作㢈山’（張撝之, 1999, p. 757）。

综合《揅经室集》和《中国历代人名大词典》的内容，可以确定阮葵生号吾山、㢈山、㡖山。可以预见阮葵生依据金石学知识，是按照不同需要变换使用名号的。

在此，我们所要关注的是阮元确实经过严谨的考证后，才确定阮葵生的号是㡖山的事实。因为阮元是一位主张治学要实事求是人。而一心追随恩师，以实事求是的态度钻研学问的阮堂当然也是在考证《揅经室集》中‘㡖’的用法后，才把果川家叫做果㡖的。

结语

燕京之行是影响阮堂人生轨迹和学术追求的一个重大契机。拜翁方纲和阮元为师，为他学习金石学打下坚实基础。一想起恩师抑或曾经与之喝过的龙团勝雪的茶香，阮堂就会取一个与之相配的名号，以解怀念之情。从而让他更加仰慕恩师并珍惜与他们的缘分。

而通过这段韩中缘，与中国文人墨客的交流也让他真正走上了儒学家和官员之路。晚年受社会和政治环境等影响，曾两次被发配到济州岛和北青地区。而每次金正喜都能像变色龙一样用不同的名号和渊博的金石学知识安然度过人生低谷。

阮元追求的实事求是对阮堂钻研学问起到了绝对性的影响。阮堂用实事求是的方法从阮元的《揅经室集》中找出‘㾓’字。这是《说文解字》和《康熙字典》里也没有的字。确是通过龙团勝雪结下韩中缘而获得的神赐之字。

那么阮堂和阮元之间的韩中缘到底有何意义呢？

- 阮元的名号癖最终成为阮堂与世界沟通的手段。
- 阮元提供的资料和信息成就了阮堂对金石学渊博的学识和高深的鉴赏力。
- 阮堂严格按照阮元实事求是的学术思想去钻研、考证。
- 毕生仰慕并追随恩师阮元，同时又在表达对祖国的自豪感与作为文人的存在感。
- 诚如阮元憧憬道家的理想国，阮堂也通过关注世界，构筑起融汇高深禅机问答的作品世界。

阮堂一生深受阮元的影响，终于成为世界最著名的金石书画家，也是全世界使用名号(343个)最多，最负盛名的沟通达人。同时，他还独创出世人熟知的秋史书法字体。笔者认为，最好的韩中文艺交流也莫过于此！

引领东亚精神文明的哲学家

全秉薰

金晟焕(群山大学)

全秉薰生涯

全秉薰(1857-1927)是东亚近代黎明时期活跃于韩国和中国历史舞台的著名哲学家。朝鲜哲宗9年(1857年)，全秉薰出生于平安南道三登县，1927年死于北京，享年71岁。全秉薰号曙宇，意为“宇宙的曙光”，根据情况也曾用过精神哲学家或玄牝道人等笔名。

全秉薰年轻时就以儒学家成名。35岁左右，以义禁府都事进入仕途，45岁左右升至正三品通政大夫。这一时期，全秉薰为了挽救走向末路的朝鲜王朝做了很多努力，而且还为弊政改革写下了《东冈野说》和《百选美芹》(1898)等著作。但是腐朽不堪的朝鲜王朝最终走向灭亡，全秉薰的诸多努力化为泡影。由于全秉薰受腐败无能朝廷官僚的排挤，被贬至咸镜道僻地的地方官，因此只能眼睁睁地看着签订丧权辱国的乙巳条约(1905)以及高宗被迫退位的国难全过程，却束手无策。

朝鲜灭亡后，在学术和政治上有着共同志向的仁人志士接连自刎而死。全秉薰心中充满了在北方边境守护老百姓安危的守疆护民热忱。但早已成为列强角逐场的国土边境，无情地粉碎了想要精忠报国的全秉薰一腔热血。最后，全秉薰不得已离开故国，逃亡中国。此时，他已经50岁了。

1907年10月，全秉薰先是逃亡日本东京，在1908年2月前抵达上海，后移居金陵(今天的南京)。在这里，全秉薰同在长江以南一带叱咤风云的统制使徐绍桢、两广总督张人骏等名人结下私交。但是，不久后沉迷于道教内丹学，便移居广东。1910年春，在广东罗浮山相识道士古空蟾，开始全心全意钻研内丹学。此后，1913年移居北京，成立并运营命名为“精神哲学社”的学馆。

据记载，全秉薰入门内丹学整10年的时候，就获得了“深陷凝结玄关悟道”的效验。但全秉薰并非通过神奇的灵验，求名求利的一个世俗修炼道士。其实，每个年代都不乏这类世俗术士，但全秉薰却将自己得道经验升华为普遍的学问。在这一过程中，他试图把道教的内丹学、儒教、佛教以及当时传至中国的西方哲学通汇贯通。全秉薰通过编撰《道真粹言》(1919)和《精神哲学通编》(1920)等著作，构建了自己的哲学体系。这一时期，他创建了被称为“精神哲学”的独创哲学。

全秉薰不只理论水平高，而且还为实践自己的哲学以及实现自己的哲学理念付出了艰辛。全秉薰曾多次向中国政府提出改革建议，因此在朝野威望很高，还受到以袁世凯为首的北洋政府历代总统的高规格礼遇。此外， 很多政官学界著名人士或同全秉薰相识或称为他的门下。

康有为、严复、王树枏等当时最高学者都称颂他的精神哲学，而且国务总理张绍曾和代理总统黄郛等人也都成为全秉薰的门下弟子。来自朝鲜的哲学奇人全秉薰，虽然在中国当地被推崇为绝世圣人，但直到去世也未能踏上故国的土地。1927年，全秉薰以享年71岁在流亡地北京结束了波澜壮阔的一生。

罗浮山冲虚观全秉薰刻石

全秉薰在《精神哲学通编》里写道，在罗浮山冲虚观结识古空蟾，并修得玄关打坐式。冲虚观本是东晋抱朴子葛洪(283-343/364)修炼的道观。冲虚观附近被打造成葛洪圣域，有葛洪清洗在罗浮山采集的药草的洗药池、炼金丹的炼丹炉以及用他羽化登仙时留下的衣服建造墓地的衣冠冢。在葛洪圣域中心留有由全秉薰刻下字的刻石(以下简称为“全秉薰刻石”)。

图1. 罗浮山全秉薰“丹以祈寿世”石刻

本人在罗浮山发现全秉薰刻石后，第一时间就在学界进行了汇报。本人在2011年10月底发现了刻石，2012年和2013年分别在中国和韩国的学术会议上汇报了相关内容。寓意“通过内丹祈求世人长寿”的“丹以祈寿世”刻字左侧清晰地刻着全秉薰的名字。另外，“孔子后四十一庚戌冬，韩人全秉薰题”的文字依然清晰可见。第41个甲子是2460年。据悉，孔子生于公元前551年(或552年)，1910年加上550年，正好是2460年。由此可以确定，这一刻石是全秉薰于1910年庚戌年刻下的。

全秉薰刻石具有以下几重意义。首先，刻石是证明全秉薰在罗浮山修炼内丹学的证据。通过刻石可以断定，在庚戌年1910年冬天，全秉薰确实逗留在罗浮山冲虚观。同时，可以证明《精神哲学通编》中记载的那年春天全秉薰在罗浮山结识古空蟾并修炼内丹学的内容确有其事。

第二，通过刻石可以了解，1910年全秉薰在罗浮山当地受到何种礼遇和拥有何种威望。如前所述，冲虚观周边是抱朴子葛洪圣域，遍布葛洪的遗迹。尤其，洗药池和炼丹灶至今已有近170年历史，都是年代久远且具有象征意义的造型物。同这些造型物一同排列的全秉薰刻石，给我们很多启示。一百年前，曙宇之所以能在葛洪圣域留下如此巨大的刻石，想必和他在当时拥有的威望以及受到的推崇程度有着密切的关系。

第三，从刻石文字内容可以了解，形成全秉薰思想的契机。1907年，全秉薰离开朝鲜，经日本逃亡到中国，可以说从1908年开始开启了他的在华流亡生活。1910年，这一年是全秉薰入门内丹学不久的时点，距离他得道并出版《精神哲学通篇》相差10年左右。

通过此次发现的刻石，有两个事实得道了证实。其一，全秉薰并非从这个时候开始就把成仙作为自己的人生目标，而是为“丹以祈寿世”建立的心愿。其二，被后人冠以“公用学术”美誉且旨在帮助所有世人的“精神哲学”思想以及强调兼圣的思想，早在这个时候就开始萌芽了。

北京的精神哲学社

全秉薰从1910年开始在罗浮山修炼了3年左右的内丹学。1913年，即爆发辛亥革命、成立中华民国政府的第二年，全秉薰移居北京。全秉薰搬到北京后，也没有停止修炼内丹学。在北京逗留期间，他从白云观借阅《道藏》2千卷，潜心研究内丹学的同时，积极参与了现实政治。

经袁世凯堂弟元世薰等人的介绍，全秉薰虽然有多次会总统的机会，但都被他予以婉拒。取而代之，全秉薰向北洋政府提交了关于七个事项的章程改革建议。当时，全秉薰提交的《七章程》改革方案由1万多字组成，内容包括政府礼服、礼书、礼治、条例的建议和土地制度改革方案《丘井量法》以及保护东城韩侨等事宜。

袁世凯阅览全秉薰的改革方案后，以养贤之礼接待了他。此后，全秉薰一直密切关注北京政局变化，持续给中国政府提出自己的建议。但是，当时中国的中央政府由北洋军阀所控制，出现政局多年动荡的乱局。1916年袁世凯死后，先后由黎元洪(在任期间1916-1917)、冯国璋(在任期间 1917-1918)、徐世昌(在任期间1918-1922)三人接任总统。在短时间内接二连三地更换总统，可见时局之混乱。据悉，全秉薰曾向三人提出礼治建议。在中国政治体系从君主制转变为共和政体的重大历史转折时期，全秉薰的政治思想也得到进一步提升和完善。这一时期，包括他向北洋政府提交的改革方案在内的核心思想主要反映在《精神哲学通编》的“政治哲学”篇。

全秉薰在北京通过创立精神哲学社，修炼内丹学、培养弟子，还同中国和韩国的名人志士进行了广泛的交流。虽然无法确认精神哲学社创建时期，但可以断定最迟不会超过1917年，因为全秉薰在1917年获得凝神、出神、成道体验。在1917年之前，全秉薰就构想并撰写《精神哲学通编》、编撰《道真粹言》，致力于著书立说。另一方面，全秉薰借助精神哲学社，培养众多后人的同时，积极投身社会活动。

从全秉薰的哲学体系来看，上述活动体现了他的“成真兼圣”思想。不仅如此，众多将相级人物为学习并践行他的学说，纷纷涌入他的门下成为弟子。关于这一内容，黎元洪重新登上总统职位的1923年，时任国务总理兼陆军总将的张绍曾(1879-1928)这样说的。

弟前总理张绍曾赞曰，“先生住华廿载，阐扬兼圣大道，门逻将相，名载华史。屡陈礼治政策，朝野钦敬，创明精神哲学，环球传诵。又著兼圣合编，真理益彰，人争指称，以三十九圣哲，又赞崇，以廿六道真，表为兼圣，然先生谦让不居。大总统黎元洪闻之，褒及其祖曰‘隐逸高真’，父曰‘慈善太家’，可谓竟成其孝志者。”

全秉薰门下将相级人物比比皆是，上面的故事绝非虚言。张绍曾又曰，“我师之门辈，出将相之才也．黄郛公以总揆摄行大总统职权，人以为同门之庆事。又曰师为世界之一分子。”

不只是政界高层人士极力称颂全秉薰，学界的知识分子也十分关注他。同曙宇交流过或其门下的众多学者和知识分子都颂扬他的“精神哲学”思想。康有为亲自写下《精神哲学通编》的书名，曾任严复国学馆总裁的历史学家王秀南、曾任北京大学校长的李煜瀛、清末改革家兼学者茅子贞、江南著名教育家茅谦、后任北京图书馆馆长的江翰等人都对全秉薰赞美有加。

中华民国第三任总统徐世昌自称为全秉薰弟子，曾任两次总统的黎元洪尊崇全秉薰的祖父和父亲为“隐逸高真”和“慈善太家”。另外，这两位总统都在《题评集》的首序加了“诸家题评”的标题。当时在中国活动的丹斋申采浩(1880-1936)赞叹道：“一统世界，万岁不迁之大总统，非先生谁复其人耶!”

但是，日本帝国主义把全秉薰视为重点监督人物，持续对他进行了监控和监视。当时日本外务省和陆海军的多个海外监视秘密文件中，都将全秉薰列为不逞鲜人。在朝鲜总督府警务局编撰的《容疑朝鲜人名簿》中明确写道：全秉薰“因对韩日合并感到愤慨而渡航中国”，是“拥有排日思想，抱有朝鲜独立思想的人”。

因此，流亡海外的全秉薰再也没能踏上故国之土。在晚年，全秉薰虽然被中国当地人推崇为圣人，但始终抱着失去国家的流民遗憾，于1927年9月14日在北京去世，享年71岁。全秉薰去世后，其尸体运回故乡，并葬于平安南道平原郡顺安面北仓里的艮坐原。

海外移民全秉薰

对于知识分子来说，全秉薰充满坎坷的人生境遇是最具价值的学术资产。虽然通过文字和语言可以包装自己，但毕竟无法一手遮天，用语言文字包装人生尤其局限性。在动荡巨变时代，全秉薰始终实践理论和言行统一。全秉薰波乱壮阔的一生如实反映在他的学术思想上。尤其在中国生活的20年，是他的人生中最具戏剧性和辉煌的时期。

这一时期正是优胜劣汰社会进化论大当其道时期，也是东西方结仇、国家和民族反目的时期。尤其令曙宇痛心的是，故国朝鲜已灭亡，因此只能选择流亡他国的命运。在这样的近代历史背景下，海外移民全秉薰克服现实磨难、战胜命运的捉弄，走进浩瀚广阔的宇宙精神之海洋。全秉薰取得众人仰慕的哲学成就，主要基于以下几个综合因素。

首先，全秉薰年轻时学习和钻研的是汉学和性理学。由于当时朝鲜，性理学学术水平非常高，因此全秉薰学到不亚于中国文人的儒学精华。但是，仅靠在朝鲜的学术活动，是很难形成世界级哲学成就的。全秉薰的学术思想也是逃亡中国后得到大幅提升和扩张的。

全秉薰逃亡中国的1907年，因为洋务运动和变法运动接连失败，中国知识界陷入巨大的困境。全秉薰在华生活的20年期间，中国爆发反传统的新文化运动 、发生孕育现代新儒学的科玄之争等，引发文化巨变和学术讨论。虽然帝国主义侵略不断加剧、政治混乱持续已久，但有关文学和哲学的讨论水平和谈论兴致却空前高涨。

全秉薰在这种社会氛围下，通过同中国最优秀的知识分子进行交流以及接触西方哲学和科学，拓宽了自身的哲学视觉。全秉薰和主张变法的人士来往较为密切，在他的著作中留下书评的康有为和严复便是其中的代表人物。他们主张效仿西欧的立宪君主制和自由民权思想的变法，同时强调变法应同传统思想结合。这一主张和全秉薰的思想也是一脉相通的。

中国知识界人士主要寻求的是儒教、古代诸子思想和西方近代思想间的契合点，但全秉薰以道教内丹思想为框架，试图实现传统思想的现代化。众所周知，传统性理学长期以来视道教为异端而加以排斥。因此对于性理学家全秉薰来说，10年来的道藏研究和内丹修炼无疑是一种放弃自我认同感的颠覆性行为。作为已不再年轻的50多岁老学者，全秉薰打破用其一生积累的知识和思想体系，重新接受了新思想和经验。从中可以窥见全秉薰深厚的哲学造诣。

全秉薰的精神哲学是克服对全新事物的不安和排斥，进而追求思想开放和知识冒险过程中结出的硕果。他虽然从正统性理学学者出发，但通过研究道教和修炼，摆脱了儒学的束缚，欣然接受中国知识界关于东西方文化和哲学的讨论和知识，打破了传统知识分子古板守旧思想。但是，这不是两者选一或两者弃一的问题。

他的思想已经超过开放的阶段，走向融合和大同的境界。全秉薰强调，“将欲合致以成圆德，则必也并取儒道佛哲，新旧科学，而鎔治一炉。然后，可以为体天通圣，万世可宗而无弊矣。”通过回顾全秉薰充满传奇色彩的一生，我们可以一睹横跨东西古今、追求统一哲学体系的哲学冒险家风采。

午会正中的文明进化

作为一个衰亡国家的流亡者，在民族自尊感极强的中国知识界取得如此大的成就，是极其罕见的案例。尤其在当时世界知识领域，朝鲜已经是一个边缘化的地区。来自这样一个国家的知识分子创造性地阐释东西古今哲学，创立自己的哲学体系，在中国首都拥有无数精神追崇者，实在是一件令人惊奇的事情。

可以说全秉薰的哲学成就是他彻底苟丁自我和不断更新的努力结果。在朝鲜，全秉薰虽然以性理学学者身份度过前半生，但摆脱儒教的束缚，最终成就了内丹之道。尽管如此，还批评远离尘世、只追求羽化登仙的传统道教弊端。全秉薰并没有完全否定传统道教和儒学，而是打破两者的界限，试图结合两者的优点，重新调剂成新的哲学精华。全秉薰纵横东西方哲学，探索精神世界的高地，通过出版《道真粹言》(1919，亡失)和《精神哲学通编》(1920)等书籍，完善了自身哲学体系。

作为精于儒学的朝鲜知识分子，全秉薰虽然修炼道教内丹学，最终得道，但他并非只追求神奇体验或道力的世俗修炼家，而是把自己得到经验升华为普遍的学问。在这一过程，全秉薰试图将道教、儒教、佛教以及包括当时刚刚介绍到中国的西方哲学融为一体，把苏格拉底、柏拉图、亚里士多德再到康德等近代众多哲学家和20世纪初的社会科学家都纳入自身哲学体系中。

全秉薰是20世纪初首次接触并接纳西方哲学的朝鲜知识分子之一。即便如此，他并没有全盘接受近代理念。基于物质和精神的二元对立，西欧近代合理主义拥护从肉体分离的理性，也是基于这种二分法，出现了崇尚科学进步的理性和极端物质主义共存的局面。也就是说，物质和精神二分法中衍生出理性主义和物质万能主义这一对异卵双生子。

全秉薰试图从客观的角度理解西欧近代哲学所蕴含的精神。于是，他把形成宇宙和生命的精气神统称为“精神”。全秉薰所称的精神并不是西欧近代理性所提倡的远离身体(生命)、抽象、观念化的形而上学实体。人的“精神”是源自天地，并凝结于身体内的一种精密神奇的灵性能源。精神是拥有肉身的生命体的本质，强调生命价值的重要性。

曙宇从精神、心理、道德、政治四个方面完善了他的哲学思想。他的精神哲学可以说超出中世纪的性理学和近代理性主义，回到了恢复肉体性的人类精神根源。心理哲学解释的是精神和心灵的关系，讨论的是脑神经成为心理形成的物质基础。道德哲学解释的是去掉经验的、抽象的、道德形而上学的理念，凸显个体潜在精神和良心的道德本质。政治哲学通过抨击东西方专制政治，阐释了遵循民意的民主和共和为人类历史所有政治的起源和本质。

全秉薰最终登上了超越民族、国家、东西方所有分裂的精神高地。另外，他还预言近代世界虽然崇尚物质，但必然因物质而重视精神。它认为宇宙周期中有自然法则时段，因此近代物质文明达到顶点的时候，必将迎来超越物质文明的新文明曙光，蕴含在人体精神、心理、道德的潜在力量也将得以呈现，并达到顶点。到那时，人类互为朋友的四海同胞博爱精神将得以重现，将成立民主世界统一共和政府，永久和平乃至大同太平的政治理想也终将实现。

全秉薰将这个时段称为“午会正中”，意为“宇宙的中午”。从这个脉络来看，全秉薰可以说是一位面向未来、未雨绸缪的“近代之后”未来思想家。我们无法预知他所主张的精神哲学能否点亮人类文明未来。但是，在21世纪地球村，生命、和平、灵性(精神)的重建是后近代的哲学发展趋势，也是人类追求的美好未来愿景。全秉薰的哲学是20世纪初在中国的知识土壤中孕育而成的卓越成果。若东亚精神文明再次点亮人类未来的话，在某个角落，全秉薰哲学思想将如清晨挂在天上的启明星般闪闪发光。

作者介绍

中国

刘喜涛

东北师范大学博士毕业，南京大学博士后。研究方向为明清中朝关系史、东北亚国际关系史。现在长春师范大学工作，2011年至2017年曾在黑龙江省社会科学院工作。发表论文数十篇，其中《中朝史料比勘中的“两个”万历皇帝》被《中国社会科学文摘》全文转载，出版专著一部，主持国家社科基金重点项目一项，省级项目及博士后资助项目多项。

徐毅

江苏省南通市人。1995年毕业于苏州大学文学院，获文学学士，2006年、2012年毕业于南京大学文学院，分别获得文学硕士和文学博士。现为南通大学文学院教授、硕士生导师；南通大学研究生院副院长。近五年来，在国内外核心刊物上发表论文20余篇。另著有《盛唐七律研究》（人民出版社，2015年11月）；《韩国楚辞文献研究》（南京大学出版社，2016年11月）；《清代中韩文学交流》，（南京大学出版社，2015年11月）等多部著作。

徐乃为

江苏省启东人，南通大学文学院教授。1982年南京师范大学中文系毕业，获学士学位。现为南通大学文学院教授、硕士生导师；中国红楼梦学会理事。韩国《大东汉文学》杂志审稿专家。近年来于国内外核心刊物上发表论文十余篇。另著有《红楼三论》（中华书局出版社，2005年）、《红楼梦探真》（江苏文艺出版社，1997年）、《中国古代小说的发展》（吉林人民出版社，2000年）、《甲戌本石头记辨误》(中国文联出版社，2003年)等多部专著。

姚大勇

1996年毕业于华东师范大学,获文学硕士学位，2000年毕业于复旦大学，获文学博士学位，并留校工作。2009年赴韩国，先后任教于高丽大学与韩国外国语大学。2013年回国，担任上海交通大学教职。现为上海交通大学人文学院副教授，主要研究中国古代文学与中韩文学交流，先后在国内外刊物发表论文数十篇，整理古籍多部。

赵海龙

北华大学分别获得历史学学士学位和专门史硕士学位,2008年在中央民族大学获得民族学博士学位,2008-2011年期间在上海市卢湾区政协担任储备干部,2011-2017期间在上海外国语大学贤达经济人文学院担任副院长，2017至今担任复旦大学东方管理研究院的高级项目主管,曾发表文章《新媒体视角下非物质文化遗产发展研究,《电影《再见列宁》的叙事策略》以及专著《朝鲜族文化与文化产业发展战略研究——以延边朝鲜族自治州为例》。

郑贤月

本科毕业于延边大学日语系，硕士和博士毕业于北京中医药大学。2000年开始就职大连大学护理学院人文护理教研室主任。主要研究方向是中日韩的医学交流史和老年护理。担任中华医学史委员、韩国医学史杂志编辑委员、韩国生态环境史委员、大连市老年护理学会理事、大连市朝鲜族医学会理事、大连市中山区人大代表职务。出版7本中医相关教材和一本古籍整理，发表30多篇学术论文。

韩国

金晟焕

现国立群山大学校哲学系教授

高丽大学校哲学专业毕业，在北京大学取得哲学硕士、博士学位

北京大学访问教授，曾任陕西省社会科学院特别研究员

•主要著书及论文

《黄老道探源》(北京，中国社会科学出版社，2008)，国内外发表《淮南子》、《新万金文化圈》等三十余篇论文

朴容镇

现能仁大学院大学校佛教学教授

国民大学校国史学专业毕业，中央大学校硕士取得国民大学校大学院博士学位

历任高丽大藏经研究所责任研究员，东国大学佛教学术院全职教授，国民大学韩国学研究所研究员，日本驹泽大学外国人研究员

•主要著书及论文

《大觉国事义天研究》、《11-12世纪圆宗文类的流通和东亚佛教交流》、《义天的华严一乘思想和佛教史的意义》等。共著《主题韩国佛教》、《华严史和佛教史》、《韩国护国佛教的再研究》等

朴现圭

现顺天乡大学校中文系教授

在台湾师范大学国文研究所取得博士学位(中韩文化交流、文献学专业)

天津外国语大学客座教授

曾任韩国中国文化学会会长

•主要著书及论文

主要论文255篇，著书、译作5本

吕圣九

现国民大学校教养大学助理教授

国民大学校国史专业毕业，大学院硕博士结业

在富川大学，国民大学校，韩国体育大学校，韩国放送大学校等高校教授韩国史课程

•主要著书及论文

《新罗王朝史》、《花郎世纪海东高僧传》、《寻找我们历史文化的分支》；《新罗中代的入唐求法僧研究》、《信行的生平及思想》、《入唐求法僧地藏的足迹及思想》

俞炳礼

现诚信女子大学校中文系教授

历任人文科学研究所所长、女性问题研究所所长、终身教育学院院长、人文科学大学校长

•主要著书及论文

《唐诗三十首》、《宋词三十首》、《唐诗，金色抒情》、《宋词，歌唱的诗》、《铛铛诗经本色》、《爸爸妈妈给我读的唐诗》

译作：《长恨歌》、《中国诗学的理解》、《中国文学理论批评史》、《诗人之死》

张日圭

现东国大学校研究教授

新罗史学会副会长，高云学会会长，社团法人东北亚崔致远研究会理事长，连任亚洲海洋史学会研究理事

•主要著书及论文

《崔致远的社会思想研究》、《张保皋大使的活动和当时的文化史研究》1，2；《通过金石文研究新罗史》、《日帝强占期言论的新罗形象歪曲》、发表韩国古代、高丽时代社会思想史相关论文五十余篇

崔溶澈

现高丽大学校中文系教授

韩国红楼梦研究会会长

高丽大学中文系毕业，台湾大学文化博士，中国古典文学及明清小说专业，历任高丽大学中国学研究所所长，民族文化研究院院长

•主要著书及论文

《金鳌神化的版本》、《剪灯新话三从译注》、《红楼梦的传播和翻译》、《红楼梦完译》

崔峻豪

现光州大学校融合设计专业教授

弘益大学校美术大学东洋画专业毕业，弘益教育大学院毕业（论文：中国近代书画论研究-清代中心），台湾师范大学美术研究所毕业（论文：齐白石篆刻艺术的研究）

历任（株)HAITAI饮料设计工作室(Art Director)，全罗南道道立玉果美术馆馆长

•主要著书及论文

《齐白石篆刻艺术的研究》、《圆峤和仓岩,书狂》、《秋史, Live like his pen name》等

崔熙俊

现高丽大学校韩国史研究所研究员，国民大学校、水原大学校讲师

新罗史学会编辑理事、高丽大学校韩国史学专业大学院博士结业

•主要著书及论文

《新罗中代的唐使臣迎接步骤及运用》、《三国遗事-对皇龙寺九层塔条的再讨论和阿非的投资》；共著《韩国史》；《新罗党项城的沿革和善德王代罗唐关系》

参考文献

第一章 貫 休

『禪月集』

한보광 외, 『중국역대불교인명사전』, 이회문화사, 2011.

第二章 徐 兢

徐兢, 『宣和奉使高麗圖經』 叢書集成初編本, 中華書局, 1985.

岳珂, 「宝眞齋法書贊」, 『文淵閣四庫全書』, 台灣 商務印書館, 1982.

『宋史』 中華書局点校本, 2011.

『四庫全書總目』 中華書局影印本, 1965.

『全宋詩』 第31冊, 北京大學出版社, 1997.

第三章 倪 谦

『倪文僖集』, 『文渊阁四庫全書』, 台灣 商務印書館, 1982.

『朝鮮紀事』, 『四庫全書存目叢書』 影印明抄本, 齊魯書社, 1997.

『遼海編』 北京圖書館出版社 影印明成化刻本, 2003.

『明史』 中華書局點校本, 2011.

『四庫全書總目』 中華書局影印本, 1965.

廖道南, 「殿閣詞林記」, 『文渊阁四庫全書』, 台灣 商務印書館, 1982.

朱大韶, 「皇明名臣墓銘」, 『明代傳紀叢刊』, 台灣 明文書局, 1985.

焦竑, 「國朝獻征錄」, 『明代傳紀叢刊』, 台灣 明文書局, 1985.

湯斌, 「擬明史稿列傳」, 『明代傳紀叢刊』, 台灣 明文書局, 1985.

第四章 董 越

『朝鮮賦』

葉泉宏, 『明代前期中韓國交之研究』

姜龍范, 劉子敏, 『明代朝中關係史』

『光海君日記』

第五章 祁 顺

『明憲宗實錄』, 台北 中央研究院史 語言研究所校印, 1962.

張宁, 『奉使錄』, 叢書集成初編, 上海 商務印書館, 1936.

『趙季足本皇華集』, 南京 鳳凰出版社, 2013.

崔溥, 『漂海錄』, 北京 中國社會科學文獻出版社, 1992.

第六章 龚用卿

梁继, '明代龔用卿, 吳希孟, 華察, 薛廷宠等出使朝鮮及游歷千山考述-從千山大安寺羅漢洞刻石談起', 「鞍山師範學院學報」, 2011.

第七章 邓子龙

『正祖實錄』

『弘齋全書』

第八章 陈 璘

申炅, 『再造藩邦志』

朴現圭, 「명 張良相의 南海 〈東征磨崖碑〉 고찰」, 『東亞人文學』 38, 2017.

第九章 蓝芳威和吳明済

藍芳威, 『朝鮮詩選全集』

吳明濟, 『朝鮮詩選』

第十章 张 謇

『張謇全集』

『金澤榮全集』

第十一章 金乔觉

費冠卿, 「九華山化城寺記」, 『全唐文』 卷694

贊寧 撰, 『宋高僧傳』 卷20, 唐池州九華山化城寺 地藏傳

方時發 編, 『九華詩集』

德森 輯, 『九華山志』, 江蘇廣陵古籍刻印社, 1993.

金揚·金普民 編, 『地藏菩薩 金喬覺法師』, 연변대학출판부, 1989.

불교영상회보 編, 『肉身菩薩地藏法師』, 불교영상회보사, 1993.

東國大 佛敎大學院 編, 『佛敎大學院論叢』 1, 1993.

九華山 佛教史編委會 編, 『金地藏研究』, 黃山書社, 1993.

謝樹田 編著, 『地藏菩薩九華重迹』, 華東師範大學出版社, 1994.

黃有福·陳景富, 『中朝佛教文化交流史』, 中國社會科學出版社, 1993 : 權五哲 옮김, 『韓-中佛敎文化交流史』, 까치, 1995.

金勳, 「中國 佛敎史에 있어서의 金喬覺法師의 位置」, 『新羅의 對外關係史研究』, 신라문화재 학술발표회 논문집 15, 1994.

曺永祿, 「中國 九華山 化城寺와 杭州高麗寺」, 『芝邨 金甲周敎授華甲紀念 史學論叢』, 1994.

월류산 영명사 편, 『현대사회에 있어서 지장신앙의 재조명』, 1994.

金煐泰, 「唐 九華山의 新羅 地藏禪師 고찰」, 『韓國佛敎學』 23, 한국불교학회, 1997.

金煐泰, 「신라 地藏선사와 그의 시」, 『佛敎文化研究』 4, 동국대 불교사회연구소, 2003.

呂聖九, 「地藏의 行迹과 地藏菩薩信仰」, 『白山學報』 52, 1999.

呂聖九, 「신라 지성의 보루-지장과 도의」, 『伽山學報』 12, 2004.

고영섭, 「구화 지장이 중국불교에 끼친 영향」, 『韓國佛敎史研究』 8, 2015.

第十二章 张保皋

강봉룡, 『장보고-한국사의 미아 해상왕 장보고의 진실』, 한얼미디어, 2004.

권덕영, 『재당 신라인사회 연구』, 일조각, 2005.

김문경 편, 『장보고자료집』, 해상왕장보고기념사업회, 2006.

김주식·정진술, 『장보고 시대』, 해군사관학교, 2001.

신형식 외, 『중국 동남연해지역의 신라유적조사』, 해상왕장보고기념사업회, 2004.

沈松勤·胡可先·陶然, 안병국 편역, 『唐詩史 研究』, 한국방송통신대학교출판부, 2009.

최광식 외, 『천년을 여는 미래인 해상왕 장보고』, 청아출판사, 2003.

해상왕장보고연구회편, 『張保皐關係研究論文選集-中國編·日本編-』, 해상왕장보고기념사업회, 2002.

해상왕장보고연구회편, 『張保皐關係研究論文選集-韓國編-』, 해상왕장보고기념사업회, 2002.

第十三章 金可记

『續仙傳』

『海東傳道錄』

『海東異蹟』

李能和, 『朝鮮道敎史』

第十四章 崔致远

『崔文昌侯全集』

党銀平, 『桂苑筆耕集校注』 上·下, 中華書局, 2007.

장일규, 『최치원의 사회사상 연구』, 신서원, 2008.

장일규 외, 『古代東アジアの知識人崔致遠の人と作品』, 九州大學出版會, 2013.

예술의전당 서예박물관, 『崔致遠 石刻·扁額』, 2015.
장일규, 「『계원필경집』의 편찬과 사료적 가치」 『震檀學報』 112, 2011.

第十五章 义 天

『大覺國師文集』, 『大覺國師外集』, 『圓宗文類』, 『新編諸宗教藏總錄』, 『宋史』, 『續資治通鑑長編』, 『玉岺山慧因高麗華嚴教寺志』
박용진, 『의천 그의 생애와 사상』, 혜안, 2011.
李範鶴, 『王安石 改革論의 形成과 性格-新法의 思想的 배경에 대한 -試論-』 『東洋史學研究』 18, 1983.

第十六章 李齐贤

池榮在, 『西征錄을 찾아서』, 푸른역사, 2003.
朱瑞平, 「익재 이제현의 중국에서의 행적과 원대 인사들과의 교유에 대한 연구」, 『南冥學研究』 6, 南冥學會, 1996.

第十七章 崔 溥

『錦南先生集』
서인범·주성지 옮김, 『표해록』, 한길사, 2004.
高柄翊, 『成宗朝 崔溥의 漂流와 漂海錄』 『李相佰博士回甲記念論叢』, 1964 ; 『東亞交涉史의 研究』, 서울대출판부, 1970.
국립제주박물관, 『조선 선비 최부-뜻밖의 중국 견문』, 그라픽네트, 2015.

第十八章 朴趾源

金明昊, 『熱河日記 研究』, 창작과비평사, 1990.
林基中, 『연행록연구』, 一志社, 2006.
申翼澈, 林治均 외, 『18세기 연행록 기사집성 : 서적, 서화편』, 한국학중앙연구원, 2014.

第十九章 金正喜

최준호, 『추사 명호처럼 살다』, 아미재, 2012.
崔峻豪, 『齊白石篆刻藝術的研究』, 文史哲出版社, 1992.
藤塚鄰, 『淸朝文化東傳の研究』, 國書刊行會, 1975.
민족문화추진위원회 편, 국역 『완당전집』 ① 제3권, 솔출판사, 1996.
단국대학교 동양학연구소 편, 『漢韓大辭典』 (4), 단국대학교출판부, 1999~2008.
漢語大字典編輯委員會, 『漢語大字典』, 四川辭書出版社, 1988.
阮元 撰, 鄧經元 點校, 『揅經室集』 上, 中華書局, 1993.
張撝之 等 主編, 『中國歷代人名大辭典』 上卷, 上海古籍出版社, 1999.

第二十章 全秉薰

金晟煥, 「曙宇全秉薰的道教思想與精神哲學」, 『2012年 中日韓道教學術論壇』, 중국 泉州, 2012.
金晟煥, 「전병훈 저술의 종합적 검토: 羅浮山 전병훈 刻石의 신발굴에 대한 소개를 겸해」, 2013년 도교문화학회 춘계학술대회, 2013.
金晟煥, 『우주의 정오 : 서우 전병훈과 만나는 시간 그리고 문명의 시간』, 소나무, 2016.

心语

“积土成山，积水成渊”。世上没有无为而成之事，更没有无需热情便能成就的事业。正如创刊词中所提，《中韩缘史》的出版既是对中韩建交25周年的纪念，也是韩中文化友好协会成立15年来付出的汗水凝结成的一份真诚与热情。

一路走来，需要感激之人不胜枚举。无论是短暂的二十五年时光，还是过去五千年的历史长河，中韩间的各种因缘与恩缘始终交织在一起，无法隔断。所谓“大道无形”，尽管感谢应该深藏心底，但我还是想用有形的文字向给予协会厚爱的无数人士表达由衷谢意。

在迎接具有里程碑意义的中韩建交25周年之际，中国驻韩国大使邱国洪先生在为克服两国关系遇到暂时困难而做出不懈努力的时期，仍然给予协会特别关心和热情鼓励，这成为本书得以问世的坚实基础。

韩中文化友协从创立初期的步履蹒跚发展到今天的稳步健行，始终离不开中国驻韩国大使馆的支持。在此特别向曾经奋斗在外交“战线”最前沿、为促进中韩友谊做出不懈努力的宁赋魁大使、程永华大使、张鑫森大使等历任中国驻韩国大使深表敬意！对他们的感激与感谢我们将永远铭记在心。

外交毕竟不是“单行道”，需要双方往来互惠。如果说，中国驻韩国大使馆给予的帮助是协会发展至今的决定性因素，那么若无韩国驻华大使馆在协会每每遇到困难时给予的慰藉，相信《中韩缘史》也难以问世。若按本意，应该在书中言及每一位大使以及与他们的缘份，但囿于篇幅有限，无法一一赘述，敬请谅解。首先，要感谢比一般的票友更要热爱京剧，已成为“文化型大使”典范的前韩国驻华大使李揆亨先生，可以说本书的每一页都浸润着对李大使的情意。在此，谨向卸任后依旧心系中韩关系发展并指引我们前行方向的李揆亨前大使再次表示感谢。同时，也要向辛正承、金章洙等历任韩国驻华大使的厚爱与帮助表示由衷的谢意。

众所周知，当今时代属于“公共外交”的时代。韩国外交部公共外交大使朴银夏女士凭借独到的知识底蕴与丰富经验，不仅为韩国的公共外交战略做出规划，也为中韩友谊贡献极大力量，给予了协会特别的关爱。对此我们不胜感激。此外，中国公共外交协会的胡正跃副会长多年来热切关注协会动向，我也有幸通过工作拜会聆听胡副会长对于中国公共外交愿景的真知灼见以及对两机构可开展交流合作的方案建议，谨此向胡副会长的鼓励与支持表示诚挚谢意。

除了政治、外交领域人士间的友好往来，中韩友谊还体现在两国民众间的心灵相通和密切交往上。因此，在外交前沿引领两国民众心手相牵的诸位外交官们的辛劳与付出同样值得我们记忆。焦东村、刘谨凤、董敏杰、郝晓飞、阎凤兰、何颖、王宪民、孙显宇、张欣、冯春台等前任及现任总领事们在中国驻釜山、光州、济州等总领馆给予了协会大力支持与帮助。每一次中韩地方政府间的友好活动、每一次人文交流、每一对友城缔结，都是在这些外交官们的努力推动下，才得以书写了中韩各地方政府间友好交流的历史篇章。此外，申凤燮、安成国等韩国驻华领馆的总领事们也在沈阳、成都为推动中韩地方政府间交流给予了协会不遗余力的支持和不断前行的力量。

尽管稍显繁冗，但感激之情难抑，望借此篇聊表。正如历史往往是由无名的奉献成就的，英雄存在于幕后，青史不留名。韩中文化友协仅凭一己之力可以成就什么事业呢？中韩两国历任或现任、曾在或正在对方国家驻在的近百位外交官们对于本人而言，可谓是夜空中闪亮的星光，是暗夜里照亮前行方向的灯塔。我对多年来对协会厚爱有加并一直给予指导和扶助的各位外交官感激在心，本应将谢意一一见诸文字，但我相信用心传递的感谢与问候诸位一定可以感知并给予理解。我想正是有了这种信赖，才会有协会在过去十五年中的不断成长与成熟。

自协会成立以来，我们便秉承着“以文化交流促进中韩友好”的宗旨，推动两国民众间的友好往来和人文交流合作。茶、酒、书法、佛教、少数民族、旅游、历史、“慰安妇”问题合作研究、艺术演出等各项交流的开展情况无法一一列举。如若摘取可囊括这些交流的关键词，我想那便是“文化”。这是协会成立的初衷，也是我们存在的理由。正因如此，记录为了推动中韩文化交流无私奉献的那些人和事，于协会和我而言，亦是一份沉甸甸的义务。

首先，向特别关注中国文化并多次莅临协会活动现场的韩国前国务总理郑云灿先生表示衷心感谢。其次，感谢韩国文化体育观光部前任部长刘震龙先生的大力关注。特别是，2014年本人有幸荣获总统奖-第33届世宗文化奖国际合作领域奉献奖。作为首次获得此殊荣的旅韩华人，我深知这份荣誉来之不易。借此机会谨向当时推荐本人为候选人的有关人士以及授予本人荣誉的刘震龙前部长再次表示衷心感谢！向牟喆敏、金熙范、金钟等历任副部长以及徐康洙、禹真荣、元容起、金在元(故)、朴荣国等韩国海外文化弘报院历任院长表示诚挚谢意。此外，还要向在具体工作中不吝支持的林成焕、河贤凤等诸位课长表示深深感谢。从每次大家为了共同目标一起挥汗努力而生的喜悦中，我们感受到了中韩友谊的价值所在。谨此，还要向中国文化部以及中外文化交流中心等多家所属机构给予协会的关注与支持表示感谢！

在北京的韩国文化院和在首尔的中国文化中心成立的宗旨与交流合作目的与协会有很多交集。也因此，我们共同度过的岁月、共同流下的汗水也更加令人难忘。回顾从前，主导成立两国文化院的驻华韩国文化院首任院长朴永大先生以及当时与朴院长同甘共苦的权载殷企划室长、许贞娥前任主管；前中国驻韩国大使馆文化参赞兼首尔中国文化中心主任朱英杰先生以及当时与朱英杰参赞经历建院艰辛的王新明、孔媛等创建团队成员们为了推动两国文化交流不辞辛劳的场景仿佛历历在目。可能正是因为这种在现场实际工作中结下的缘份，才使得这份情谊更加深厚。在此，谨向驻华韩国文化院的金翼兼、金辰坤、韩在爀等前任和现任院长、驻上海韩国文化院前任院长金镇坤先生表示感谢！向车兆和、史瑞琳等前中国驻韩国大使馆文化参赞兼首尔中国文化中心主任，以及现在在江西黎川与我们共同促进赣韩文化交流的崔明峰前首尔中国文化中心副主任表示由衷的谢意！

“旅游是文化的翅膀，文化是旅游的灵魂”可以说是韩中文化友协秉承的又一理念。中韩两国民众通过旅游交流增进相互理解、通过往来增进相互喜爱，继而成为知心朋友。中国有句话讲“多一个朋友，多一条路”。正是在以下人士的努力之下，让中韩之间架起了无数条友好之路。谨向韩国观光公社北京支社的安知焕、徐英忠前任及现任支社长，中国国家旅游局首尔支局的张西龙、刘志江、范巨灵、刘海生、李保荣前任及现任支局长的辛劳表示由衷敬意！在此，还要向在韩国拥有超高知名度的北京龙庆峡旅游发展有限公司朱岩总经理的特别关心与大力支持表示诚挚谢意。“龙庆峡杯-中华缘”大赛、 弘扬“孝道”文化的“美丽皱纹-孝行天下”活动、“心连心”中韩模范青少年互访活动，每一个足迹都凝聚着龙庆峡团队的汗水。每年在龙庆峡风景区举办的“冰雪情-中韩缘文化节”早已成为北京冬季里盛开的中韩友谊之花、成为向各国朋友展示中韩友谊的象征。十几年来，北京龙庆峡始终与协会相互扶持、风雨同舟、共同成长。对此，我们心怀感激并愿为中韩友好的共同目标永远并肩同行。

一如北京龙庆峡，在韩国，为推动中韩友谊深化默默贡献的南怡岛则是协会最坚定的支持者和最强有力的后盾。在此，谨向闵雄基会长、闵会长夫人李启瑛副会长和康禹铉副会长、全明俊社长鞠躬致谢！本人仅凭热情与意志为了中韩友谊孤身奋斗和需要帮助之时，他们便已出现在我的面前；而协会和我顺利前行时，他们却只在远处默默地祝福与声援。协会创立初期之时，他们在第一时间作为协会发起人参与其中并不断给予我们鼓励，帮助协会走到了今天，南怡岛可以说是我在韩国的“第二个娘家”。

中韩两国政治制度各异，韩国国会在韩国政治中占据重要地位，但要想深入了解韩国国会却绝非易事。协会发展的历程中有幸得到韩国国会各党派有关人士的大力帮助。在此，谨向给予本人和协会关注与帮助的人士深表敬意与谢意。首先，向丁世均国会议长表示衷心感谢，丁议长在百忙之中亲临“韩中缘文化馆”送上温暖祝贺并参加系列黔韩友好交流活动，这份支持令人感动、难忘。此外，协会曾在韩国国会议事堂举办“中韩缘论坛”等多次中韩文化交流活动，这都离不开有关人士给予的大力支持与帮助。在此，谨向虽身在高位却每次亲切热情地参与协会人文交流活动的韩国国会农林畜产食品海洋水产委员会薛勋委员长表示由衷感谢。向韩国国会教育文化体育观光委员会柳成叶委员长表示衷心感谢。前韩国国会外交统一委员会安鸿俊委员长也曾多次参加协会举办的中韩文化交流活动，谨向安委员长始终如一的关注与支持表示诚挚谢意。需要感谢的人太多太多，难以一一列举，在此谨向李美卿、姜昌一、韩和甲、朴镇、柳在仲、崔载千、赵承来、朴炅美、李万雨、金光珍等前任和现任韩国国会议员表示最诚挚的敬意与感谢！ 这些人士的身影不仅出现在首尔汝矣岛、首尔广场、首尔中国文化中心等地举办的中韩交流活动现场，还多次与协会同行赴华，从北京到中原（河南省），东北（黑龙江省，吉林省）、西北（青海省、甘肃省）、西南（贵州省）、东南（江苏省，广东省）等地都留下了这些人士传递友好的足迹。从韩国的政治现实角度来判断，选择信任我们这个尚在成长中的协会，结伴同行开启“中韩友好大长征”，想想其实对于这些国会议员们而言，并非易事。尽管如此，为了推动中韩友谊，这些人士选择与我们一路同行，书写着记录当今时代中韩缘份与友好的篇章。正如大使馆和政府行政部门中有无数为中韩友好不辞辛劳的幕后英雄，在国会也有一批辅佐着国会议员，在推动中韩友好的“前线”挥洒汗水与泪水的辅佐官们值得我们去表达感谢。我想如果没有白鋎善、金基峰、张贤明、姜现国、陈明求、金时光、尹大根、朴正祐、文相哲、朴宥修等辅佐官们付出的辛劳，协会搭建中韩友好桥梁的工程不会进行得如此顺畅。

回想初到韩国生活之时，我曾多次惊讶于两国间存在的文化差异。举例来说，收看天气预报时，气象播报员偶尔会说“全国，晴。”，这对于生长在中国的我而言，全国在同一天天气相同简直不可思议。中韩之间尽管文化相通、地缘相近，但有时却像是“最熟悉的陌生人”，在政治制度和文化地理方面都有着巨大差异。中韩两国政府间的合作固然重要，但中韩两国地方政府间的交流则更为重要。因此，协会历来重视推动中韩地方政府间的交流。正如前面所述，协会在中国东西南北各省市为了推动中韩友谊而不懈努力。我想把这种努力用“当今时代具有不同意义的‘长征’”来表述。一直以来，协会与两国地方政府相关人士在交流时求同存异、互鉴合作，继承和发展着各自的文化，以心相交，共筑友好。

2007年，协会以中国敦煌驻韩代表部的身份开启了与甘肃省敦煌市的交流。广袤无垠的敦煌沙漠虽然美得震撼，但却因距离遥远而让韩国民众觉得遥不可及。在时任敦煌市长孙玉龙先生的支持和推动下，敦煌与韩国民众之间的心灵距离进一步拉近。 协会还曾与敦煌市一起连续三年开展“培养百名韩语人才——韩国语教育支援事业”，同时，在韩创建“敦煌宣传团”，以敦煌文化为媒介推进了中韩友好交流。在敦煌，“丝绸之路-中韩缘文化节”成功举办，韩国访问团们历次都会在敦煌感受到中国人民的友好与热情。在此，谨向敦煌市政府贾泰斌市长与敦煌市委宣传部、市旅游局、市外事办公室的有关人士表示衷心感谢。协会与敦煌市交流的顺利开展，离不开甘肃省政府有关领导的大力支持与帮助。

首先，向甘肃省省委省政府，省文化厅、省外办等部门表示感谢。没有莫高窟的敦煌是令人难以想象的，在此向面向韩国学术界和文化界人士宣传敦煌历史价值与意义的敦煌研究院罗华庆副院长，向用精准的韩国语宣介敦煌的榆林窟李新所长表示衷心感谢。敦煌，在佛光里熠熠生辉，中韩佛教交流同样意义非凡。大韩佛教曹溪宗梵鱼寺金刚庵正满大师历来重视推动包括与敦煌交流在内的中韩佛教交流，对于协会推动的中韩佛教交流始终给予关注与帮助。谨此，向正满大师以及包括震性大师在内关心支持中韩佛教文化交流的大师们表示最诚挚的敬意与感谢！同时，向洛山寺的道吼方丈和正念方丈表示衷心感谢。道吼大师在严冬季节虽身体不适仍然与我们一同踏上巡礼之路，在莫高窟庄重礼佛的背影至今令我感动难忘。此外，还要向近年来给予协会大力支持并着力推动中韩佛教交流的韩国佛教界泰斗--

中央僧伽大学校校长圆行大师表示最诚挚的感谢。

位于中国西北部、毗邻甘肃的青海省不仅让我们联想到英文“蓝海”，而且对于韩国来说也确是一方神秘的土地。2013年，协会与青海省一同举办了“大美青海—中韩缘文化节”活动。我们难忘给予活动积极支持、为促进青海与韩国交流做出贡献的青海省委省政府多位前任及现任领导，以及省文化厅曹萍、申红兴两位前任厅长、付国栋前主任等相关人士付出的辛劳。“韩流”与“汉风”遥相呼应，感谢将韩国文化带到青藏高原的韩国艺术家们：展示韩国国乐之美的天安市忠南国乐管弦乐团赵周宇导演、全载哲团长、表现韩国民族精神的韩国跆拳道国家代表表演示范团的历任团长、郑在奂导演和演出团的各位；用端正台风的亲和力展现韩国国家电视台--KBS电视台主持人风范的李圣珉主播；为青海省人民展现韩国民画精髓的徐恭任民画大师；感谢不遗余力地在世界上传播韩国国乐的前国乐广播金政鹤部长，此外也要感谢除了在青海，还多次在中国其他地区进行演出的“BIBAP”演出团崔喆基代表、“乱打秀”COOKIN NANTA 宋承桓代表等韩流文化巨匠为韩流文化传播做出的贡献。

东北三省在地理和历史上无疑都是与韩国最亲密的地方，因此也是与协会交流最为集中的区域。在此，要特别感谢黑龙江省委省政府多位前任与现任省领导以及黑龙江省外办、省文化厅、省旅游局的支持与帮助。对于韩国政界与文化界等各界人士来说，黑龙江省外办的工作人员总是让人倍感亲切；对协会而言，省外办带给协会的则是十年如一日携手同行的幸福与感动。感谢省外办诸位有关领导。首先，感谢充满智慧、具有学者风范与优秀领导力的王海军主任；感谢被韩国友人称为“演讲天才”、“尽管先生”且风趣睿智的王英春副主任；感谢常常被韩国人称赞“您中文真好”的杨鸿鹏副主任，他在韩国的朋友可能多过哈尔滨，是极富人格魅力的中韩友好人士，他总是面带微笑，让人如沐春风，但在处理事情上却是十分严谨、雷厉风行。此外，与为促进中韩两国友好而不辞辛苦的朝韩处王新国副处长、刘毅婷副处长以及隋智博科长的友谊都是我们十分珍视的缘份。再多的文字和华丽的词藻都无法表达我对上述有关人士的尊敬和对这份友谊的珍视，只希望与黑龙江省外办的美好缘份在未来也能一直延续下去。

此外，还要衷心感谢黑龙江省委宣传部刘光慧副部长、感谢在学术交流上给予协会莫大支持与帮助的中国黑龙江省社会科学院前任书记谢宝禄先生、知识渊博的朱宇院长、王爱丽副院长、刘爽副院长、在探寻中韩两国交流方案上给予巨大帮助的东北亚研究所笪志刚所长；感谢哈尔滨市社会科学院鲍海春前院长、李玮院长、郑懋晓副院长、张晶副院长；感谢让龙江历史文化借助旅游翅膀得以飞翔的黑龙江大学段光达院长；用“玉泉”酒文化讲述“龙江好故事”的玉泉酒业杨立友董事长；用美食阐述大美龙江的“老厨家”道台食府郑树国董事长。在此，还要感谢积极推动协会与哈尔滨文化交流并贡献力量的哈尔滨演艺影视集团有限公司徐鹤东董事长；在哈尔滨和首尔用“和平之声-中韩缘音乐会”让两国观众聆听“音乐之都”--哈尔滨魅力的曲波团长、于学峰首席指挥以及让人自豪的“百年哈响”等无法一一列举的大美龙江人。协会十分珍视与上述诸位的深厚友谊，也希望日后能够继续幸福同行。

在与东北三省的交流中，吉林、辽宁两省对于协会而言也十分重要。吉林省外事办公室郑刚副主任俊朗的外表、流畅精准的韩语、富有前瞻性的领导能力都给人留下了深刻印象，而每每想到吉林省外办团队，总是浮现出他们亲切友善的形象和务实高效的作风。近期，在辽宁省外事办公室应中元主任的领导下，辽宁省与协会的交流合作得到了进一步加强，大有“后来者居上”的交流速度与热情。在此，谨向应主任表示诚挚谢意。黑吉辽三省与韩国地缘相近，缘聚缘深，对于今后与东北三省的交流与合作，我们充满信心与期待。

以中国文化宣传大使的身份在韩工作，让我在讲好中国故事的过程中得到了很多赞誉也收获了无以言表的幸福。其中，与贵州省的多彩缘份尤显珍贵。2014年，我有幸被委任为贵州省旅游文化大使时的激动心情至今难忘。此后的几年里，以“贵州大使”身份所访问的贵州每一座城市、促成的每一个黔韩交流活动都会带给我无以言表的感动和感慨。回想起来，与贵州旅游发展委员会的难解之缘、与贵州省外事办公室的“战友”之情让我们倍加珍视；遵义市政府公务员团队“5+2”、“白加黑”的务实工作作风，贵安新区公务员团队的“板房精神”让我们心生敬意；在“爽爽贵阳”举办的“中韩缘文化节”和“中日韩地方政府三农论坛”、在“醉美遵义”举办的“中韩缘论坛”、在湄潭“茶海”和茅台“醉园”举办的“茶字酒缘”黔韩友好交流活动、在“云上贵安”举办的“中韩缘时装秀”等数十次交流活动至今仍历历在目。特别是，在韩国首尔举办的2016中韩人文交流主题省道“贵州日”和在贵州举办的2016中韩人文交流主题省道“忠南日”活动期间，贵州省领导对贵州人民的热爱、卓越的外交魅力以及不遗余力向韩国宣传贵州的赤子之心令我感到由衷敬佩。因此，谨借此篇向贵州省委省政府的前任与现任多位领导所给予黔韩友好交流的大力支持与关爱表达由衷敬意与谢意。短短几年内，贵州得以与韩国开展如此丰富多彩且富有意义的交流活动，得益于贵州多个部门及企业相关人士的大力支持与帮助。在此，谨向贵州省旅游发展委员会李三旗主任与省旅发委诸位相关人士、贵州省旅游协会傅迎春会长、贵州旅游投资控股(集团)有限责任公司余泠董事长表示衷心感谢。向贵州省人民政府外事办公室陈力主任与省外办相关人士、贵安新区管理委员会马长青书记及贵安新区旅游文化产业发展中心等部门、贵州省博览事务局张汉林局长、遵义市市委市政府前任与现任多位市领导、遵义市外办、遵义市旅发委、湄潭县委县政府、仁怀市委市政府、茅台集团袁仁国董事长、张家齐副总经理等相关人士一并表示最由衷的敬意与感谢！尽管不能在此一一细数，但对大家的感激之情常怀心中。

回想2015年，在韩国国会举办第一届“中韩缘论坛”当天，首尔瑞雪初降。莅临论坛的时任遵义市政府王祖彬副市长用温暖人心的情谊和真诚如雪的友善助推中韩友好，也让红色人文和绿色自然融为一体的“醉美遵义”给韩国友人留下了深刻印象。从“多彩贵州·醉美遵义”飘溢出来的茶香、酒香与墨香完美结合，恰似中韩两国之间的和而不同，美美与共。衷心希望与遵义市诸位相关人士的友谊如酒，醇厚绵长。

贵州省与忠清南道是姊妹省道。作为贵州省旅游文化大使，同时也是忠清南道荣誉道民，能够发挥自身优势，在两省道之间不断创造更多美好的缘份，于我也是一大幸事。衷心感谢忠清南道安熙正知事十年来对协会始终如一的支持。安知事深谙中国历史文化，在中国播撒了无数友谊的种子，也因此我们对于与安知事在新时代一起同行，共同协力搭建中韩牢固的友好桥梁充满希望。同时，还要感谢忠清南道道厅许承旭政务副知事、尹忠仁前任副知事、经济通商办公室企业通商交流课华语圈组组员们对协会的信任与支持；感谢在中韩关系遇到困难的时刻一如既往地支持第三届“中韩缘论坛”在百济古都--公州市成功举办的公州市俞炳德副市长。俞副市长的热情周到和对华友好的真诚给来自中国六个省市的代表团成员留下了深刻印象。提起俞副市长 ，不得不提及他为协会引荐公州出身的韩国“国民诗人”--罗泰柱先生并感念在他的引荐下让我们得以结下如诗美好的缘份。韩国广为人知的“草花”诗人罗泰柱先生对中国古诗的深入了解与喜爱令人感动，也让我对这位和蔼可亲、德艺双馨的对华友好文学大师心生敬意！

协会与中国各省的交流大多始于与外事部门的工作往来。但是，与江苏的缘份却始于对江苏省侨务办公室王华主任“拼命三郎”工作作风的叹服以及以吕静处长为代表的“用心、用情、用力”的省侨办工作人员带给我的感动。成为“海外江苏之友”以来，协会已经与高效务实的省侨办围绕着“中餐繁荣基地”、“做好‘江苏之友’的‘江苏之友’”等，先后开展了一系列“以侨筑桥”的友好交流活动。作为江苏省海外交流协会副会长，未来我愿与江苏省侨办一起，不遗余力地挖掘中韩美谈佳话，通过“江苏好故事”在韩讲述好“中国故事”。

对于韩国人来说，最熟悉的中国城市之一便是扬州，这不仅仅是因为“中韩交流第一人--崔致远”与扬州的历史渊源，更因扬州美食、“扬州八怪”及扬州与韩国的俯拾皆是的友好故事。深入了解韩国并亲自践行中韩文化友好的扬州市委书记谢正义先生、扬州市外事办公室丁章华、邓清、王玉琴等前任和现任主任、副主任与协会都结下了深厚友谊。特别是，在与扬州的交流过程中我们有幸结识了韩国一洋药品有限公司中国分公司的郑日喜总经理，他用经济文化交流促进韩国与扬州友好的努力令人感动，能够因扬州结缘也让我们对这份友谊倍加珍惜。

2017年是南京大屠杀80周年祭。中韩两国人民共有一段无法忘怀的历史——日本军“慰安妇”问题。谨此感谢中国外交部和江苏省政府对中韩学者共同研究“慰安妇”问题给予的大力支持与帮助。韩国“慰安妇”问题研究权威专家郑镇星教授带领的研究团队得以访问位于江苏省的历史遗迹并与中国研究机构开展课题合作，也是协会2017年取得的重要交流成果之一。谨向郑镇星教授、李定垠教授、康诚贤教授、朴贞爱教授等专家学者对学术研究的执着追求以及为推动中韩共同研究付出的努力深表敬意。

桃李不言，下自成蹊。协会在每个领域的交流都幸运地得到教授们始终如一的学术支持。在此，谨向令人尊敬的教授们致以崇高的敬意。岭南大学的金泰镐教授、政治外交领域专家—韩东大学金峻亨教授、首尔大学张德镇教授、通过教育交流促进经济交流的首尔大学国际大学院副院长朴泰均教授、庆熙大学的“中国通”--朱宰佑教授、热心宣传协会的中央大学李明天教授、深谙中韩历史文化的张日圭教授。同时，还要感谢几乎已成为“中华缘”大赛终身评委的以下诸位教授们：温和严谨的东国大学韩荣洙教授、热情负责的国民大学钱兢教授、来自韩国梨花女子大学沈小喜教授、大真大学崔金丹教授以及来自韩国外国语大学、檀国大学等韩国高校的教授们。我们将把诸位专家学者给予协会的指导与扶持铭记在心。借感激教授之机，还要向一位人士表达衷心谢意。那就是暂时处于困难时期，但相信未来总有一天会以健康的体魄和一如既往的热情回到中韩教育交流领域的梨花女子大学前校长--崔京姬女士。非常喜爱中国的崔校长在工作上是中韩教育领域交流合作的推动者与先驱，生活中则更像一位大姐姐给予我关心。谨此机会，我也想为崔校长的健康祈祷、祝福。

协会一直致力于能引起中韩民众共鸣的文化交流。“茶香洗心尘，翰墨存禅机”、茶缘、墨缘、酒缘与佛缘都是中韩文化交流中永恒的主题。在韩国国会以墨会友、以字传情的中国奥运书法家都本基先生曾给韩国各界留下书法艺术带来的震撼。在此，向都先生和他的夫人都氏一凡女士表示感谢。同时衷心感谢韩国代表书法家权昌伦老师、代表韩国书法最高水平的韩国书法总联合会的四位共同代表尹点庸、金荣基、姜大熙和和亲自篆刻“自爱不自贵”作品送给协会的崔银哲先生, 以及负责一系列具体工作的总联合会干事李钟宣先生、给予活动大力支持的金永三先生、文宽孝先生、崔载锡先生、许明华教授、“艺术的殿堂”书法部李东固部长等书法艺术届人士多年来给予协会的大力支持。借此机会，还要感谢中国非物质文化遗产传承人逯彤泥塑大师将中国泥塑艺术的精髓带到韩国；感谢尊敬的朴秉赫和李道勇两位摄影家始终与协会同行，用光影艺术记录下中韩友好之路上的每一个美好瞬间。

在竹林七贤的历史舞台--河南省云台山风景名胜区，中韩两国书法家共同书写友好的场面至今历历在目。在此，感谢大力支持活动的韩跃平、书法造诣极深的李杰、王艳兵、秦娇燕等云台山风景名胜区管理局的诸位同仁们，云台山的情谊我们都一一收藏在心底。

音乐是没有语言障碍的艺术交流形式。协会与中韩两国艺术团体一直并肩走在中韩友好之路上。东莞市外事局前局长蒋小莺女士、东莞市人民对外友协谢玉华会长、苏庆华秘书长、东莞市新文传媒集团黄创基总裁等东莞各界人士对韩国歌剧“嫁人的日子”的支持；韩国实力派演艺公司-“JK株式会社”的诸葛贤董事长与协会共度艰难时期成功举办“中韩缘音乐会”的艰辛；韩国国立国乐院为北京奥运会成功举办的祝贺演出令人感动难忘。此外，梁在武团长带领的I MAESTRI合唱团与中国艺术家共同用中文演唱的“黄河大合唱”至今余音绕梁，两千名观众异口同声的合唱的感人场面仍旧难忘。感谢与协会共同主办“和平之声-中韩缘音乐会”的中国人民对外友好协会李小林会长、李希奎秘书长的大力支持、感谢北京国家大剧院陈平院长、杨静茂副院长、李志祥副院长和中国音乐学院继续教育学院赵文院长的有力保障。在此，还要向被誉为“韩国音乐剧之父”的朴明成先生致敬，他一直致力于中韩音乐剧交流的新领域，感谢朴导演数年如一日对协会的支持！协会之所以可以幸福地持续艺术交流活动，因为有很多志同道合的艺术家做协会的坚强后盾。在此，一定要特别提及一位艺术家，他就是在世界乐坛享有盛名的中国国家交响乐团首席指挥李心草先生。他不仅经常出现在国际舞台上，在中韩青少年交流活动的现场，也常常会看到他的身影。因为，他热衷公益事业，而且特别关注中国西部青少年，所以他还是协会“心连心”中韩模范青少年公益交流活动的形象大使。借此机会，谨向李心草指挥十二年来为中韩青少年交流付出的关爱与支持表示敬意和诚挚的谢意。

十年树木，百年树人。谨此，还要同时感谢多年来热衷于为中国青少年提供学习与交流机会的湖南大学朴相澈副校长、安养外国语高中李亨根副校长、松谷女中安宰庚老师、水枝高等中学的卢敏静老师、养正高中的严圭白理事长、汉荣外国语高中崔秉珍老师、养正高中金正洙老师、同明中学以及首尔江西区登村综合社会福利馆和老年人福利中心的相关人士，以上诸位的爱心中国青少年们将始终铭记。

在回忆这些美好瞬间的时候，我想再次向中韩两国关心协会的各界人士表示衷心的感谢。因为各种原因没有在这里被提及的人士，我对他们的感激之情一直珍藏在心底，感谢他们一直以来给予协会默默的关心和支持。

中韩两国媒体对协会的支持与厚爱，是协会在中韩两国得到广泛宣传并得以发展的坚实基础。媒体朋友们通过影像和照片，运用语言和文字传递友谊，他们所付出的辛劳见证了中韩建交25年来伟大的历史进程。从某种意义上说，他们是现代“史记”的记录官。由于帮助协会的中国媒体不胜枚举，这里仅特别向在韩的中国媒体代表致以谢意。感谢CCTV韩国记者站卢星海支局长，新华社韩国分社历任支局长姬新龙、江冶、耿学鹏先生，人民日报韩国分社马菲记者，人民网韩国分公司周玉波代表等相关人士给予协会的支持与帮助。他们一直以来坚守国家立场，积极报道有关两国的交流合作情况，推动两国关系健康发展。在此，同时还要向给予协会帮助的韩国媒体表示感谢。特别感谢京乡新闻金奉先专务、中央日报CHINA LAB韩友德代表、东亚日报具滋龙部长、韩联社全寅庆主管、佛教广播电视台洪珍昊记者。此外，执导韩国KBS电视台特别制作纪录片--“超级中国”的朴晋范导演被称为韩国新闻界中最值得骄傲的“中国通”，谨此向朴导演对协会以及本人的帮助表示最衷心的感谢。最后，一并向韩国EBS教育广播电视台表达谢意。通过与韩国电视台和广播电台多年来的广泛交流，协会荣幸地得到了韩国著名节目主持人的厚爱与帮助。对于与KBS主持人吴有庆、金兑圭、尹寅求等相关人士的美好缘份我们将永远珍惜。

我的诸多社会职务中最引以为豪的就是在韩女性华人华侨联合会（以下简称女侨联）会长一职。女侨联不仅得到中国国务院侨务办公室各位办领导的鼓励，也得到了多位司领导的关心指导，更得到了多位处长与工作人员的具体帮助，谨向国侨办致以诚挚的谢意。女侨联是在韩女侨姐妹们抱团取火、互诉心声、互相关爱的大家庭。感恩刘敬辉、金银淑、程婉青、李哲英、王霞、孙睿超、刘玉娇等姐妹们与我一起分享笑声与泪水，并感谢诸位对我工作的理解与支持。同时，向朴永男教授、俞成德董事长、李晓涌总经理对女侨联的支持表示感谢！向韩成昊会长、谭绍荣等前辈侨领会长表示敬意！同时，为旅韩华人华侨做出贡献的李长作会长、王海军会长、曹明权会长等各位侨领点赞。感谢支持女侨联工作的上海市侨办徐力主任、邹芳处长，江西省侨办赵慧主任和山东省侨办孙西忠副主任、山东省海外交流协会王余良副部长等人士给予我们工作的支持及每次回国时给予的温暖。在此，还要一并感谢积石山县李永清副县长在协会与积石山交流时的辛苦付出。

提及侨务工作，必须要感谢与我一起为中餐繁荣全力以赴的北京花家怡园餐饮集团花雷董事长。近三十年来一直致力于中国餐饮文化海外推广的花雷董事长对中餐的热爱与执着和对中餐事业发展的高瞻远瞩令人敬佩。在首尔的中餐繁荣基地——花家怡园首尔店，正通过不断讲述中国餐饮“好故事”，向韩国各界展现中国餐饮文化的博大精深。借此机会，还要衷心感谢多年来用各种方式支持帮助协会的中国银行首尔支行黄德总经理、建设银行全敏总经理、王玉洁副总经理、齐爱民副总经理、韩国东洋生命有限公司罗健榕总经理、中国贸促会韩国首席代表俞海燕女士、中国外运集团韩国分社段建状总经理、东方航空韩国分公司程天华总经理、李卫东副总经理、中国五矿韩国分公司姜林国总经理等在韩中资企业的企业家们以及在华支持协会的王启富董事长等企业家。当然，也要一并感谢给与协会支持与帮助的各家韩国企业。感谢丽水凤巢堂主人、韩英大学金在皓理事，生产天然化妆品的自然人株式会社李真珉代表理事、韩国华克山庄酒店裴仙璟总经理、金起燮前副总经理、谦逊仁慈的(株)永昌新技术朴秀官会长以及促进中韩时装交流的韩服naraesol金贞淑代表。多年来让协会的客人感到宾至如归的“常相迎”酒店金暎锡代表和裱糊匠人“尚原堂”李奇镐代表、对哈尔滨有着深厚感情的乐天集团宋容德副会长、林圣福常务、(株)哈拿多乐旅行社、(株)模德旅行社、(株)大教、时事中国语学院等众多企业及企业家们。正是在这些中韩企业的支持之下，协会才得以走过十五载不断成长的历程。

除了由本人带领的韩中文化友协以外，韩国还有很多具有代表性的对华友好团体走在引领中韩民间交流的前列。这些历史更悠久、经验更丰富的友好团体积累下的经验犹如灯塔般照亮了我们前行的道路。不辍的借鉴、学习与自省让我们可以适时调整发展方向并从中受益匪浅。谨此衷心感谢韩中文化协会李钟杰会长、韩中友好协会朴三求会长、韩中亲善协会李世基会长、21世纪韩中交流协会金汉圭会长、韩中经济协会具天书会长、韩中交流协会金容德会长一直以来对协会的指导。在此，还要特别感谢韩中友好协会的李元泰副会长。李副会长作为韩国对华友好民间团体负责人的前辈及本人的人生前辈，对协会的各项活动都给予了热心关注并在困难时期与我们分享了宝贵的经验与建议。对此，再次向李元泰副会长表示感谢。

协会自创立之初至今得到了众多人士的帮助，感恩之情我们将永记心间。不是家人胜似家人，不管协会身处顺流逆流都送上始终如故的支持与帮助，正是这股强大的力量推动着协会风雨兼程、不断前行。以谦虚著称的金融专家金永翊代表理事和协会的“精神支柱”--(株)PENTA郑镇胜代表理事十五年来与协会风雨同舟；曾与我携手开创华缘中国文化院的全兰老师，共同度过的那段理想岁月至今难忘；协会的顾问、韩国的愚公、中国最高领导人到济州的必经之地--济州“思索之苑”成范永院长；有着在华丰富工作经验的金辉刚咨询委员；比中国人还要喜爱中国茶文化的朴钟荣理事和将汉字与首饰完美结合的珠宝设计师梁庆男理事不仅仅给予了协会大力的帮助，而且也给予了本人很多的关怀与安慰。对以上诸位谨表最诚挚的感谢！此外，还要感谢最早对创立协会给予过帮助的罗中根会长；协会创立之初经常为协会答疑解惑的郑垣杓教授；眼中总是充满了智慧光芒的金明镒；常为本人提供忠言良策并帮助探寻方向的郑褀基；把韩国建筑装饰文化传播到北京的金良中总监；多年来支持协会的吕弼东董事长；帮助本人解决“后顾之忧”的金珍淑院长；总是在需要之时及时出现的康锡柱前议员和金淑子教授；即将出任协会济州分会长的成柱烨室长；无论面对任何困难都会同协会并肩作战的朴廷浩主管等各位的鼓励是协会发展的不竭动力；用武术和传统乐器传播中国文化的志愿者代表梁栋和所堃等众多相关人士，以及把真诚和汗水挥洒在现场的志愿者张天天、张怡桐、金荷、刘一丹、刘可欣等，感谢这些小天使们的付出。诸位的付出让今天的《中韩缘史》更加闪耀光芒。借此机会，特别向给予我亲人般关心的同和药品前社长赵昌洙会长夫妇表示特别的感谢。感谢赵昌洙会长对协会和我本人不吝指导。可以说，如果没有上述人士一直以来的鞭策和鼓励，协会不会取得今天的成就。时至今日，这些人士对协会的影响依旧不减，激励着我们带着使命和责任不断前行。

借此机会，特别向以下人士表达我们最衷心的感谢。首先，感谢韩中文化中心的卢载宪院长。卢院长作为广为人知的韩国前总统卢泰愚之子，见证了25年前的中韩建交。卢载宪院长继承了卢泰愚前总统的思想，在韩国开设了专门介绍中国电影的“丝路影院”，全身心地投入到了推动中韩友谊的事业当中。未来，协会将一如既往地与卢载宪院长共续友好并积极地探寻更加宽广的合作领域。

2017年正值中韩建交25周年，衷心希望能够借此时机重温两国建交25年来的美好之缘。回顾往昔，我们深感和敬佩众多人士用不懈的付出铸就了如今中韩之间这样深厚的情谊，而这些正是作者笔下的宝贵素材。本书从初期策划到出版完成曾在资金等方面遇到不小的困难。造纸技术的发明属于中国，从历史上来看引领活字印刷技术发展的先人也是中国人。作为对此引以为傲的中国人，今天可以在韩国借助活字印刷的技术将《中韩缘史》付印纸上并编辑成册，这不仅是个人荣誉上的辉煌一笔，更是一部续写中韩友好历史的佳话。在此，向为此书出版付出辛劳汗水的诸位同仁表示衷心感谢。富民文化社是具有63年历史和传统的韩国著名出版社，谨向郑敏泳社长在此书出版过程中所付出的精力、耐心和热情致以最诚挚的谢意！为了确保此书编撰的万无一失，在筹备制作期间几易其稿，郑社长对此给予了极大的耐心与支持。正是富民文化社和郑敏泳代表为《中韩缘史》开启了一个新篇章。此外，还要衷心感谢为此书设计美观和意义兼备的封面和其他页面的hsum宋美姬总监和李康勋科长。

协会的成长过程中，最必不可少的是在“缘家军”的旗帜下，为了中韩友好而同甘共苦的各位同仁。虽然与中韩之间的历史长河相比，协会15年的时光实属短暂，但是假如没有他们的陪伴，协会恐怕也没办法走到今天。在这里我们不仅收获了共同的事业，更收获了风雨同舟、携手并肩的战友之情，不是亲人、胜似亲人的手足之情。

协会最初成立时，现已退休的郑镇鸿专务和当年还是科长的梁今烈事务局长是我最坚实的精神后盾。郑专务在协会的每一天都像和煦的阳光一样暖暖的照耀着我们，她总是那么优雅，文静，体贴入微，细致周到，眼中总是流露出母亲般的慈爱与温柔。可是工作上她却是那么的严谨周密，一丝不苟。协会在文化体育观光部申请注册成立长达两年的时间里，所有的文件都是由她一手准备的，从无纰漏。奉献、谦逊、灵活、耐心、责任感……这些词全部加起来也不能完全形容出今烈的全貌。如果说他有一颗金子般的心也不为过。今烈虽然比我还年幼几岁，但却是我工作上最强大的依靠，生活中如我的亲兄弟；是意气风发时最想击掌相庆的伙伴，是意志消沉时可以疗伤痊愈的暖房。

还有学识渊博、温文尔雅的资深外交官王大为顾问、协会的非物质文化遗产郑恩雅总监、君子中的君子方承旻部长、英姿飒爽的女版赵子龙纪伟部长、柔韧基石王絮科长、刚刚儿女双全的智库张隽科长、秀外慧中的美女版庞统洪欣科长、性格爽朗的穆沐代理、窈窕淑女魏薇代理、沉默又有男子气概的冠群、谦卑大师刘莉老师、礼典官的代名词崔龙镐总监、最爱麻辣龙虾的李知映主管、雷厉风行的康炯彬主管、笑声如铃的纪璇秘书、温柔美女刘婷秘书、大块头的小可爱徐宰源代理、贴心能干的李旼庭、李旼映姐妹、创意强人金昌俊理事、现场型人才金礼真、金算盘高蔓总监、无限喜爱韩国的赵辰、刚一来就投入战斗的谷鑫、定居美国的协会天才朴哲秀、高个子美男金仁声，让人信赖的全俊佑，黄鹂主持人金爱琳、文书高手黄允贞、在协会收获了爱情的华缘税务师事务所金范淳税务师、在天堂为协会加油的韩长旭、微笑美人李凡、韩国文学博士彭庆敏、参与设计协会logo的南艺林、干练自信的赵洙渊、来自江原道的金美罗、策划达人金元俊理事、端庄的机灵鬼李正熹代理，抗压小巨人徐有熙代理、玲珑小巧的马文静、侠胆柔肠的金镇勋、生活小能手豆令云。还有现在与我一起为中餐繁荣奋斗在一线的丁天冰、朴一焕、金梅花、王枕财、沈垚、车炯宾、甘红波、汪方成、于鹏、刘永强、史斌、韩梦哲、金虎范。请原谅我没办法在这里把所有与我们一起工作过的战友的名字一一列出来，但是你们为协会付出的每一滴汗水我都铭记在心。我想我与缘家军们一定在前世就已结下不解之缘，今生才会如此幸福同行。在此向你们表达深深的谢意！你们属于中韩缘史的现代版英雄儿女列传。更要向你们的家人表达衷心的谢意，他们是协会成长的动力和源泉。

无论是在生活中还是工作中，总会有人问起，当初在中国事业有成的时候，是怎样的缘份促使我放下一切来到韩国，给了我在这里生活下去的勇气；又是怎样的机缘巧合，促使我创立了协会，一直奋斗在中韩文化交流的道路上无怨无悔？要回答这些问题，就不得不提到总是在背后默默支持我，鼓励我，安慰我和爱护我的家人们。

首先要感谢始终默默支持我的先生。每天清晨先生亲手冲泡的早安咖啡，洋溢着中韩两国文化交流最馨香的气息，在这香气的围绕下，带着最温暖的关怀和鼓励，我迎着朝阳踏出坚定自信的每一步。感谢你对于我无暇顾及家庭给予的包容和体谅。

亲爱的女儿，你是上天送给妈妈最珍贵的礼物。虽然我不是一位称职的母亲，但是你却成长得充满智慧、阳光开朗，而且孝敬父母，学习刻苦。感谢你一直以来对妈妈的工作给予的理解支持，甚至每次都会以志愿者的身份帮助妈妈。你永远是妈妈心目中最美丽的女儿，更是妈妈最大的骄傲与自豪。我爱你，我的女儿！

对于妹妹和妹夫的感激之情，我无法用言语表达。我总是匆匆忙忙，来了又走，不能对父母尽好孝道，是你们承担起照顾和孝敬父母的全部责任。不仅如此，妹妹还总是关心我这个姐姐的身体，想尽一切办法让我多休息。能有你这样的妹妹，一定是我前世修来的福气。姐姐只能用心去传达这份谢意和歉意，让我们永远欢乐一家亲。

“亲爱的爸爸，妈妈，我常想象您们拿到这本书时会是怎样的心情，仅仅这样想就已经让我热泪盈眶。回想起我决定要来韩国的那一天，父亲对我说过的话“一定要自强自力和‘宜勤勿懒，宜急勿缓’。”这都成为我一直以来的做事准则，是父亲给予我的无数无形的宝贵财富之一。善良乐观的母亲为我这位不称职的女儿倾注了一生的爱。当世人只看到我身上光环的时候，只有您不停追问女儿穿暖了吗？哪里不舒服？想吃什么家乡菜？最近有没有好好睡过觉？您们的恩情我用尽一生也无法报答。爸爸妈妈，能够成为您们的女儿让我既幸福又感激。带着这份爱我会更好地生活下去。”此书的出版是为了纪念中韩建交25周年，也是韩中文化友好协会成立15周年的一个阶段性总结。即将过去的2017年是父亲的八旬寿辰，出版日12月19日恰好是母亲的第77个生日，因此我这个不孝的女儿希望借此机会将此书作为献给二老的一份微薄的生日礼物，谨以此书表达我对父母的感恩之情与美好的祝福！

中韩建交25周年

（社）韩中文化友好协会成立15周年

曲欢 在首尔 敬上

2017年 12月19日

纪念中韩建交25周年『中韩缘史』

观往知来，缘自中韩

责任编辑　(社)韩中文化友好协会会长 曲欢
编辑委员　崔溶澈、张日圭、郑在书、王大为
企划　梁今烈、郑恩雅、纪伟、洪欣、王絮、魏薇
地址　首尔市永登浦区堂山路41街1111 SK V1 Center E1012号
电话　02-335-1288
传真　02-332-8060

印刷日期　2017年12月10日
发行日期　2017年12月20日
发行人　郑敏泳
发行　富民文化社
地址　首尔市龙山区青坡路73街89
注册　1955年1月12日第1955-000001号
电话　02-714-0521
传真　02-715-0521

ISBN　978-89-385-0287-2 94910